La Nuit soupire
quand elle s'arrête

Frédérick Durand

La Nuit soupire
quand elle s'arrête

Collection Le Treize noir

La Veuve noire, éditrice inc.
www.veuvenoire.ca

La Veuve noire, éditrice remercie le Conseil des Arts du Canada
et la SODEC pour l'aide accordée à son programme de
publication. La Veuve noire, éditrice bénéficie également du
Programme de crédit d'impôt pour l'édition de livres – Gestion
SODEC – du gouvernement du Québec.

**Conseil des Arts
du Canada**

**Canada Council
for the Arts**

SODEC
Québec ::

Dépôt légal: 2008
Bibliothèque nationale du Canada
Bibliothèque nationale du Québec

**Catalogage avant publication de Bibliothèque et Archives
nationales du Québec et Bibliothèque et Archives Canada**

Durand, Frédérick

La Nuit soupire quand elle s'arrête (Collection Le Treize noir)

ISBN 978-2-923291-12-3

I. titre. II. Collection

PS8557.U732N84 2008   C843'.54   C2008-941255-9
PS9557.U732N84 2008

Illustration de la couverture : Stéphane Jorisch
Conception de la maquette : Robert Dolbec

La beauté sera convulsive ou ne sera pas.

André Breton

Le jour où de belles femmes étranges sortiront à nou-
veau des horloges des châteaux, ce jour-là, nous
retrouverons goût à la vie. N'est-ce pas ?

Jean Rollin

1 : Je t'offre mes larmes

Je suis blonde comme si on avait trempé ma chevelure dans du miel, mais c'est un déguisement, bien sûr. J'aime les paradoxes. Je les cultive, j'en suis un moi-même. Le temps passe, mes rêveries se précisent : je pense à toi quand mon couteau s'aiguise.

J'ai un sourire très particulier. Quand je te souris, tu fonds. Que tu sois homme ou femme m'importe peu. Quand je souris, tu fonds. Dans ces moments-là, j'adore ta folie, parce qu'elle m'amuse. J'aime que tu sois mon jouet. Si je le souhaite, je peux te conduire en Enfer avec ce sourire en guise de laisse. On peut aussi se promener quelque part au milieu des nuages, dans une rêverie acidulée tout droit sortie d'un songe d'enfant. Mais, tu le sais, n'est-ce pas, je préfère l'Enfer… C'est beaucoup plus drôle et divertissant de te voir crier entre deux flammes.

Il m'a servi souvent, ce sourire. Je lui dois beaucoup. Je t'ai déjà parlé du reste, n'est-ce pas ? T'ai-je décrit mon visage de femme-enfant ? Non ? J'ai un visage de femme-enfant, tendre et sensuel, ambigu. J'adore l'ambiguïté. J'adore que tu ne saches pas à quoi t'en tenir. Comme ça, tu ne t'en tiens à rien, tu te suspends au vide, et ton balancement est très distrayant à contempler.

Je semble si douce que tu as presque peur de m'admirer. Tu voudrais toucher mes joues pendant des heures, en souhaitant peut-être les employer à un autre usage. Tu te crois malin, mais n'oublie jamais : si je le veux, mes yeux brilleront tellement qu'ils vont arracher les tiens. Ils peuvent aussi t'arracher des larmes, t'arracher à ta famille, t'arracher à ce que tu es au plus profond de toi-même. T'arracher ou t'attacher, t'amouracher, t'amocher (mais pas trop, parce que je te préfère beau, bien que la beauté doive parfois avoir des convulsions pour s'épanouir), t'amoindrir et bien d'autres choses encore.

Cependant, jamais mes yeux ne t'immuniseront contre moi.

Tantôt, je te semblerai jeune et fragile ; avec un soleil incandescent planté dans le cœur, tu détailleras la manière dont mes cheveux retombent sur mon visage, cette cascade de miel, tu te rappelles, tu voudrais y plonger les doigts et en enduire tout ton corps ! Tu fermeras les yeux pour mieux t'imprégner de mes lèvres, tu penseras à ce petit nez que tu aimerais sentir dans ton cou. Sois prudent : ton plaisir ne durera pas. Bientôt, tu devras me regarder en contre-plongée et tu sauras alors qui dirige le jeu véritablement.

Tout ça ne m'empêchera jamais de t'aimer, mais j'ai l'amour volage, hélas ! « mon amour », il ne faudra pas pleurer le jour où je soufflerai ton âme. Ça me fera une belle décoration à accrocher sur mes murs ; tu sais à quel point j'aime suspendre de belles âmes dans le salon. C'est joli comme tout, et elles font peur aux enfants. Parfois, je repenserai à toi, surtout le soir, quand, allongée sur une chaise longue, je regarderai les étoiles. Alors, dans le ciel, il me semblera que tu brilles et que tu me donnes de tes nouvelles. Je me souviendrai de nos promenades nocturnes, lorsque tu me parlais de Lisbonne, de Paris ou de l'île de Madère. Je verserai peut-être une larme, une larme qui se cristallisera dans ma main et dont je ferai ensuite une boucle d'oreille. Si tu me vois la porter, sois-en fier, car ce sera en ton honneur.

Je pourrais continuer longtemps : tu aimerais, je le sais, que je te décrive mes longues jambes que j'adore glisser dans de hautes bottes de cuir noir. Elles me donnent envie de me balader sur le sentier désert, cravache à la main, prête à fouetter le premier intrus rencontré.

Je pourrais te dire le plaisir que j'éprouve à enlever mon chandail pour découvrir mes seins, quand le regard enveloppant d'un amant épris me réchauffe, la nuit. Je pourrais te dire qu'on compare mon goût à celui d'une baie. J'aurais envie de te décrire mes hanches, mon cou et mes épaules, aussi, mais, avec un peu d'efforts, tu t'en rappelleras. Pourrais-tu m'oublier si aisément ?

Tu te sens seul, ce matin ? Moi aussi. D'ailleurs, je t'ai réveillé pour chasser l'apathie en bavardant avec toi. Je me sens bizarrement endeuillée depuis quelque temps.

Tu veux entendre une histoire ? Nous pourrions la vivre ensemble. Ça te rappellerait notre rencontre. D'accord, alors reste dans ma tête comme ça, ne bouge pas trop, ne parle pas trop fort, et je veux bien te raconter ma journée. Je ne devrais pas te dire ça, mais tu me manques…

Je t'ai donné accès à mon corps, je veux bien soulever un pan de mon âme. Tu m'as déjà demandé comment je parvenais à être si consciente de ma beauté, qui me rendait à la fois plus insolente et plus désirable. Je veux bien te relater cette anecdote de mon enfance, qui va t'éclairer à mon sujet.

Quand j'étais petite fille[1], un garçon de mon âge m'avait rapporté une drôle d'histoire. Il prétendait que si on tuait un oiseau à long bec, si on le traînait ensuite derrière soi pendant une lieue, il suffisait de faire un vœu pour qu'il soit aussitôt exaucé. Malgré sa réputation de menteur avide, je n'eus aucune peine à le croire : je vivais déjà dans un univers magique – j'habitais un mirage qui changeait d'endroit chaque soir.

Prendre et surprendre ! Tel était mon *credo*, un *credo* ancré dans le réel à la façon d'un crochet d'acier dans la bouche d'un portefaix.

Je partis un dimanche de pluie en quête de l'oiseau. Je marchais, je marchais dans une campagne trop verte pour mon iris. J'étais saoule de couleurs, complètement engloutie dans le paysage. Je m'embourbais dans l'eau qui giclait à chacun de mes pas. Perdue dans un décor de plaines et d'herbe parfois coupante, parfois molle, j'avais l'impression de m'y enfoncer et de sentir une bouche moite humecter mes pieds en un baiser trop lascif pour mon jeune âge.

J'entendais des vibrations autour de moi. Je me sentais tout à fait enrobée par le vrombissement, allant jusqu'à imaginer un congrès d'abeilles de fer à l'affût d'un nouveau moyen de percer la chair humaine à coups de dards empoisonnés.

---

[1] Le passage « Quand j'étais petite fille » jusqu'à « Ils étaient les mêmes » est un extrait de la nouvelle « Deux méthodes sorcières pour refaire le monde », publiée dans le recueil *À l'intention des ombres*, Gatineau, Vents d'Ouest, 2008, p. 37-38.

L'oiseau ! Où se cachait-il donc ? Seuls quelques rares arbres pouvaient lui servir de perchoir et jusqu'alors, je n'avais vu que des moineaux ternes, plus ou moins déplumés, aux allures de baladins décoiffés après une répétition ratée.

D'ailleurs, plus je regardais les arbres, plus je les trouvais singuliers. Leurs pommes n'avaient l'apparence d'aucun autre fruit. Certaines possédaient des poignées ; d'autres produisaient des tic-tac saccadés à la manière des horloges. D'autres encore, noires, poussaient des soupirs et murmuraient des paroles qui s'apparentaient aux chants grégoriens que j'entendais souvent en provenance du monastère situé près du marché.

Je pris une pomme dans ma main, caressant sa rondeur pour mieux m'en imprégner... Je la sentais trembler, trembler de plus en plus. J'y posai mes dents, prête à me barbouiller de pulpe, quand elle commença à se déchirer. J'étais si heureuse que j'aurais pu mourir. Je sentis un rayonnement doré parcourir mes os et m'envelopper en ouvrant ma poitrine si grand que j'aurais eu l'espace nécessaire pour y accueillir le monde entier.

La pomme se fendit, laissant émerger un bec couvert de glu, puis un œil goulûment ouvert sur la lumière... Le long cou suivit, puis les ailes et les pattes.

Je caressai l'oiseau quelques secondes, puis je l'étranglai.

Ensuite, je me mis en marche, le traînant derrière moi.

C'est long, une lieue ? Comment savoir, quand on est une enfant ? Je supposai qu'en marchant une heure, j'aurais parcouru la distance nécessaire.

C'est ainsi que j'arrivai près d'un puits que je suppliai de ne pas boire mes pensées, car j'aurais oublié mon vœu. J'y précipitai le cadavre en demandant qu'on m'accorde le bonheur de devenir si belle que nul ne saurait me résister.

De retour chez moi, je me regardai dans une mare pour voir si mes traits avaient changé.

Ils étaient les mêmes.

À partir de là, j'ai compris. C'est ce qui me permet d'être si libre et de faire accélérer les battements de ton cœur. Je me suis déjà amusée à ce jeu avec beaucoup d'autres, tu sais : tu connais l'expression « briser les cœurs » ? Je la connais plus que quiconque, puisque, pour moi, elle n'a qu'un sens : le sens propre.

Permets-moi maintenant de te raconter ma journée d'hier. Ça te situera sur le calendrier de la fin du monde. Je dois d'abord te dire que j'ai mis beaucoup de temps à me réveiller[2]. Dehors, il pleuvait, et la pluie rythmait mon sommeil, le pointillant de minuscules aiguilles d'eau. Quand je me suis levée, j'étais enveloppée dans une grande bulle d'air.

Dans le corridor qui conduit à la cuisine, j'ai salué une araignée. Elle dévorait avec appétit une belle grosse mouche. Elle devait y prendre plaisir, si je me fiais à ses yeux rouges qui clignotaient de bonheur. Je la comprenais.

J'ai pris un déjeuner frugal en regardant la pluie

---

[2] Le passage « J'ai mis beaucoup de temps à me réveiller » jusqu'à « On s'appuie toujours sur la mort pour renaître » est un extrait de la nouvelle « Deux méthodes sorcières pour refaire le monde », publiée dans le recueil *À l'intention des ombres*, Gatineau, Vents d'Ouest, 2008, p. 35-36.

tomber. Au pied du château, l'herbe, encore plus verte que d'habitude, m'adressait un encouragement amical. D'énormes hachures surplombaient l'horizon, comme autant d'orages prêts à éclater.

Je me suis dévêtue, puis je me suis précipitée sous la pluie, nue et insolente, espérant peut-être qu'un passant surviendrait et m'observerait. J'imaginais sa surprise, aussitôt relayée par un désir grandissant, celui de me prendre, de me prendre vite, sans réfléchir, à la manière des bêtes ou des anciens hommes. Il retrouverait les gestes englués dans son instinct et jouirait vite, me gommant de sa semence pendant que je halèterais sous ses coups de reins.

Ensuite, je lui offrirais l'hospitalité, un bon repas. Il observerait mon corps avec gourmandise, car on ne se rassasie jamais de moi. *Jamais*. Il viendrait se restaurer, pour retrouver des forces et me posséder encore.

On ne me possède jamais. C'est moi qui possède.

Peut-être voudrait-il parler, peut-être m'amuserais-je à entretenir une conversation avec lui. C'est si drôle de discuter avec quelqu'un qu'on va bientôt assassiner de sang-froid. Je serais toujours nue, assise devant lui, pendant que ses yeux glisseraient sur mes seins, sur mon cou, sur mes épaules…

À force de me regarder et de se souvenir de notre rencontre, il deviendrait de plus en plus excité, incohérent, envahi par le désir. Il s'approcherait de moi, et je l'encouragerais du regard. Lorsqu'il serait près, je lui tendrais ma coupe de vin, lui enjoignant de boire s'il me voulait encore.

Vaincu par le somnifère, comme les autres, il sentirait bientôt ses jambes flageoler. Je le traînerais dans sa cellule et je m'amuserais à placer quelque statue géante près de lui, afin qu'il puisse passer le temps à la regarder, à devenir lentement fou. Nourriture droguée, vin drogué… J'en ferais mon jouet, il ne saurait plus distinguer la réalité des fantasmes. Puis, un jour, lassée, je le tuerais et j'irais l'enterrer dans le jardin, avec les autres. C'est un bon terreau pour mes fleurs. Elles en extraient leur beauté. On s'appuie toujours sur la mort pour renaître.

J'ai alors vu un passant s'approcher, au loin.

Est-ce toi que j'ai entendu protester ? N'oublie pas notre entente : tu ne dois pas m'interrompre. Je le sais, tu connais le reste, puisque ce passant aurait pu être toi. D'une certaine façon, c'est toi et ce fut toi. C'est comme ça : il faut bien s'égayer comme on peut.

D'ailleurs, je m'ennuie toujours. J'ai beau parler avec toi, je sens un acide brûler mes veines. C'est bête, mais j'ai une subite envie de pleurer. Il y a des semaines, comme celle-ci, où j'ai l'impression d'être habillée de suie. J'ai pensé y remédier en te racontant mon histoire d'enfance, mais le malaise persiste.

Une visite au « passant » d'hier devrait me sortir de ma torpeur. J'aime lui attribuer ce patronyme. Un passant, ça ne fait que passer. On sent qu'il ne laissera pas un souvenir impérissable, même s'il périra. À force de me lasser, on en vient toujours là. C'est que, pour moi, l'existence doit être une exposition permanente dédiée à l'étonnement. Or, il ne m'étonne pas.

C'était un homme… oh ! Je parle de lui à l'imparfait ! Ça en dit long sur mes intentions, ne trouves-tu pas ? D'une part, il est très imparfait, d'autre part, il fera un beau compost. *Ashes to ashes, dust to dust*… Après sa mort, je ne pense pas que je lui parlerai comme je le fais avec toi. Je ne suis pas sûr qu'il comprendrait ce que j'aurais à lui dire.

Donc, c'était un homme très… oh ! Tu préfères qu'on le voie ensemble ? Comme tu veux ! Allons-y, alors.

Les couloirs sont silencieux, ce matin. Tout dort, par ici. Même le général Marcel semble assoupi.

Je descends les quelques marches qui conduisent au sous-sol. L'humidité qui règne sur l'endroit a quelque chose de végétal. Il se mettrait à pousser des portes feuillues et des murs verts que je n'en serais pas étonnée. Clé, pêne, gâche et gâchis. Mon « passant » semble tout petit dans sa cellule. A-t-il rétréci au lavage, à force de recevoir les gouttes d'eau qui tombent du plafond sans arrêt ? Il délire, évidemment, mais qui sait si, en définitive, ce n'est pas lui qui a raison ?

Tu voulais le voir, eh bien ! voilà. Regarde comme c'est pathétique ! Il a un beau bronzage, hein ? On le dirait presque en terre cuite. Ça donne faim, mais on a peur que sa tête s'effrite si on y touche. Il a des airs de gâteau au chocolat décongelé. Je lui ai enlevé son T-shirt pour examiner à souhait ses pectoraux tatoués d'une gueule de tigre. Ils luisent dans la lumière verte fournie par la haute lucarne incassable, ce bel éclairage marin. J'aimais les griffer, hier, quand il m'a prise sur la table, mais ce fut de courte durée. Je n'ai même pas eu envie de réanimer son désir insipide grâce à mon aphrodisiaque. Un homme-bête, avec ou sans trait d'union. Il ne me manquera pas. C'est presque une charité que je lui accorde de perdre mon temps à l'emprisonner.

Son sous-vêtement de cuir m'a bien fait rire, mais détaille-moi plutôt cette mâchoire volontaire ! Carrée, encadrée par des oreilles gentiment décollées. Un beau crâne prognathe à souhait – on le croirait en latex –, surplombé par des cheveux frisés qu'on aurait envie de tirer jusqu'à ce que le reste suive.

Refermons *charitablement* la porte et entrons dans le capharnaüm, cette pièce où s'entassent une multitude d'objets glanés ici et là au fil des années. J'en ai fait un musée baroque où l'anarchie a valeur de thème et d'état d'esprit. Regarde avec moi ce portefeuille vert billet, ce drapeau déchiré d'un pays déchiré, cette eau-forte qui prend l'eau, ce siège militaire... Tout ça, c'est mort, comme moi, en ce moment. Sortons d'ici et du manoir...

Dehors, les oiseaux médisent, le soleil brûle, une odeur de printemps embaume le décor pastoral. Partout, des arbres sont paralysés sur l'herbe d'un vert presque synthétique. Tu entends comme c'est silencieux ? Oui, je sais, il y a les oiseaux et leurs calomnies, bien entendu, mais à part eux ?

Silence et solitude vont de pair. Remarque qu'ils commencent par la même lettre, c'est un indice de leur complicité. Conclusion : je n'ai pas eu de visiteurs depuis longtemps. Leur instinct les prévient de ne pas s'aventurer dans le coin, ils ne pensent pas à y aller, ils ne réussissent pas à trouver le manoir. Ça fait partie de la protection dont je bénéficie depuis ma naissance. Je préfère cette hypothèse qui remonte à mon enfance.

Je te parlerai de mes parents un autre jour, car nous voilà dans le salon. Même les âmes ne brillent pas très fort aujourd'hui. Tout est mort au fond de la vallée. Il faut que quelque chose se passe.

Le remède ? Allons-y d'une phrase feuilletonesque et mélodramatique : *il faut mettre un terme à cette inaction qui me paralyse !* En italique, ça crée un effet plus *saisissant*, tu ne trouves pas ? J'aimerais vivre ma vie en italique. Il me semble qu'elle serait plus *saisissante*. Ou alors la vivre en lettres majuscules et la déchirer après usage. J'aurais pris soin de mettre le feu à la bibliothèque entière auparavant, afin d'être certaine que personne ne me survive.

Oui, *il faut mettre un terme à cette inaction qui me paralyse*, mais comment ? Je pourrais aller me promener, emprunter ce petit sentier qui conduit jusque chez moi… Je marcherais pendant une longue heure, avant de déboucher dans ce bourg figé dans le temps… Je pourrais aller boire à l'auberge. On me reconnaîtrait, moi, l'inconnue, moi, la sorcière jeune et belle qui surgit d'on ne sait où et qui disparaît en ne laissant que le vide…

« C'est elle qui est partie avec le gars Dubois, l'an dernier, le gars Dubois qu'on n'a jamais revu. »

« Alors ? »

« Alors… Ben, faudrait faire quelque chose. L'interroger. T'as peur ou quoi ? »

« Euh… Ce ne sont peut-être pas nos affaires, tu sais. »

Peut-être que ma visite à l'auberge ne se déroulerait pas de cette façon. J'aime supposer que l'un de mes regards rétablirait l'ordre. Je t'en ai parlé, tout à l'heure. Souvent, quand les gens me voient en contre-plongée, leurs ardeurs s'éteignent. Il ne reste que des braises, et je marche sur les braises depuis ma naissance.

Après m'être coiffée, je lace mes cuissardes en vinyle noir en tirant la langue. Une partie de la jambe doit être nue, visible entre la jupe rouge vif et la botte. C'est important. Ne me demande pas pourquoi, j'ai vu comment tu me regardais, jadis. Moulé par la chaussure, le reste s'y love dans une étreinte animale. Bientôt, mes talons de métal scintilleront dans l'air printanier. Un bustier rouge vif complétera ma tenue. Le satin me lèche la peau. Je suis cabrée, de guingois, délicieusement oblique. Équivoque. J'aime ce mot à la fois pointu et énigmatique. Il peut couper sans avertir.

Un regard dans le miroir. Souris, ma fée ! Le diable t'aime.

Descendre l'escalier en me déhanchant de manière outrancière. Me voilà dehors, devant le manoir. Le sentier qui y mène est toujours désert. J'attends, seule, prête à déchirer ce qui se présentera. J'ai un livre à la main, un traité de séduction à l'usage des sorcières. Je le connais par cœur, mais je l'ouvre au hasard, en espérant y puiser un signe, l'annonce d'une nuit à venir.

« *Ce sera une fête acide*, dévoile l'ouvrage, *une fête corrosive, prête à décimer tous ceux qui voudront y participer. Tu pourras endosser cette fête, la faire tienne, te fondre en elle et devenir cette fête. Ensuite, comme on jette une vieille robe, tu pourras la jeter au fond d'un ravin et hurler à la lune, le visage encore décomposé des excès d'hier... Tu hurleras à la lune comme un chien sauvage !* »

2 : Le vent n'en finit plus de caresser les louves

Je me suis endormie, livre en main. L'ouvrage a bien tenté de me mordre dans mon sommeil, mais les corbeaux l'en ont empêché. Pendant ce temps, je rêvais de grimper sur les horizons, de me tenir, droite et fière, au-dessus du monde. J'aurais pu t'arracher le cœur et le jeter dans un volcan… si seulement tu vivais encore !

Je me frotte les yeux, dans un geste qui attendrissait certains amants. J'aimais aussi attendrir leurs cadavres à coups de marteau.

À défaut d'attendrir, j'attends, maintenant.

J'attends avec tellement d'intensité que quelque chose se passe.

C'est loin, c'est encore petit, mais ça grandira, comme ton effroi. On pourrait appeler ça une silhouette. Une silhouette se découpe sur un décor hésitant. Plus tard, c'est moi qui la découperai sans hésiter. Elle ondule au loin, presque « ectoplasmique ». Puis, comme un désastre imminent, elle se durcit. La voilà plus réelle, donc plus rebelle, plus palpable, donc plus capable… de résister. Elle approche. Elle approche de ma toile. Viens t'y prendre, ma chérie, je t'attends avec l'infinie patience des araignées.

Qui sera-t-elle ? Une ingénue qui fuit loin de la maison paternelle, devenue trop étouffante ? J'imagine son père, rouge de fureur, sa lettre d'adieu en main. Qu'il meure d'une crise cardiaque !

Une aventurière en quête de sensations fortes ? Je songe à ses poches, bourrées d'argent volé à quelque inconnu, séduit et drogué par la suite. Qu'il meure lui aussi ! peut-être était-ce le père de l'ingénue ?

Un marin en permission ? Arrive-t-il d'un voyage sur quelque mer inconnue, au contact de laquelle il aurait contracté une étrange maladie qui le changerait, lentement, en une entité aquatique allergique aux rayons du soleil ?

Un colporteur ? J'en ai connu un, jadis. Il vendait d'étranges objets circulaires qui se modifiaient au toucher. Ces bibelots dangereux finissaient par rendre muet, sourd et aveugle celui qui les caressait.

Peu importe : ça ne peut pas être pire que le « passant » d'hier, et j'ai bien envie, tout à coup, d'embrasser de nouvelles lèvres et de palper de nouvelles chairs. Je sens une chaleur m'envahir. Je suis prête à mordre. Si seulement tu étais à mes côtés...

La silhouette avance trop lentement. Je pourrais aller la rejoindre, spectaculaire dans mon accoutrement. Il a un mauvais goût certain, j'adore me vautrer dans le mauvais goût. J'aime le cuir, le latex rouge, les guêpières, les capes qui recouvrent les corps nus, les jarretelles, les tuniques trop décolletées, la soie, le satin, tous ces vêtements qui invitent au plaisir et qui n'ont d'autre fonction que de provoquer l'excitation de ceux qui les regardent. Toi aussi, ça te plaît, je le sais. C'est comme ça que je t'ai eu. Tu te rappelles mon kimono noir, ses grandes manches évasées qui laissaient voir

mes seins quand je bougeais en feignant de ne pas
m'en apercevoir ? Souviens-toi avec quelle prestesse tu en avais dénoué la ceinture…

Elle avance. La moitié de la question est réglée.
Elle m'a vue. Elle se dirige vers moi, une valise à
la main gauche. Son pas est plus rapide que je ne
l'avais d'abord pensé. Elle paraît déterminée. On
dirait presque que c'est moi qu'elle venait chercher, mais c'est impossible. Jamais personne n'a
eu l'intention de venir ici. Chaque fois, ce furent
des accidents de parcours, des erreurs. Vous vous
égarez ? Vous êtes chez moi. Laissez-moi vous
offrir un verre de ce vin capiteux. Il fera bouillir vos
sens et tourner votre tête ; vous la perdrez ensuite.

D'ailleurs… Elle a une drôle de tête, celle-là.
Le premier détail qui retient mon attention, c'est
sa coiffure. On dirait un raton laveur posé sur son
crâne. Sa coiffure ondulante, noire et blanche, ressemble à une vague figée en plein mouvement.
Voilà un bon point pour la nouvelle venue : elle
m'amuse. Sa mort sera peut-être moins cruelle à
cause de ses cheveux.

Elle a un cigare dans la bouche, qui ressemble
à une énorme carotte. Sa démarche est quelque
peu masculine, martiale. Elle doit avoir une soixantaine d'années, je suppose. J'aimerais l'imposer
au lieu de le supposer, mais je n'en suis pas encore
là.

Elle a une expression décidée que confirment
ses yeux noirs, ses traits durs, ses épaules larges,
son allure massive et une robe sombre de facture
stricte. Si c'est nécessaire, je lui referai un visage
moins sévère à coups de burin. Sans sourire, elle
paraît solliciter une certaine sympathie, je ne sais
trop pourquoi. Admets que j'ai raison.

La voilà enfin parvenue devant moi. Elle me dévisage sans surprise aucune. Je suis déçue. À quoi bon porter tout mon attirail si je ne provoque aucune réaction ? Elle doit être bien fatiguée pour manquer à ce point de vivacité. Elle m'adresse enfin la parole.

— Bonjour.

Elle emploie une voix rauque de roche qui parle. Je vais répondre, moi aussi, d'un ton minéral.

— Bonjour. En quoi puis-je t'être utile ?

— Je… je peux avoir un verre d'eau ?

— C'est possible. Suis-moi.

Je lui tourne le dos, en espérant qu'elle contemple mes fesses. Pas que je veuille vraiment me coucher sur elle, car, maintenant, ma curiosité a supplanté mon appétit. Juste pour le plaisir de m'exhiber, comme ça, et de lui dire « non » si elle me veut. J'adore dire « non », surtout après avoir exacerbé un désir. Se refuser, à ce moment-là, devient grisant. Je me sens alors si puissante qu'un seul de mes souffles pourrait assécher tous les fruits des environs. J'assèche ce qui me plaît. J'irrigue ce qui me plaît.

Nous nous rendons dans la salle à dîner. Il y a cette carafe d'eau sur la table, toujours pleine. C'est bien utile. Je prends un verre, verse l'eau. Elle boit. Elle a cette façon de boire qui en dit long.

— Alors ? lui dis-je en enroulant mon index autour d'une mèche de mes cheveux, tu fuis quoi, comme ça ?

Si je ne parlais que l'anglais, je n'aurais pas pu la tutoyer. Heureusement, je parle français. Cette langue me permet de la traiter avec une familiarité dont elle n'a sans doute pas l'habitude. Je l'humilie en douceur. Je suis contente de parler français.

Elle me lance un regard interloqué.

— Je...

Mais, rapidement, elle reprend sa contenance. Masculine, elle replace le cigare entre ses lèvres gercées. Elle sera intéressante à briser. Répétons son amorce de phrase :

— Je...?

— Je... j'allais chez ma sœur et je me suis perdue. Voilà. Et comme je suis fatiguée par la route que je viens de faire, si ce n'est pas abuser, j'aimerais pouvoir me reposer et téléphoner.

— Vraiment ?

— Vraiment.

— Je n'ai ni le téléphone ni l'électricité, ici. J'ai bien une petite génératrice qui fabrique un peu d'électricité, parfois, mais elle fonctionne par intermittence. De toute façon, moi, la technologie... Je n'ai même pas d'automobile. Ça m'est peu utile. Par contre, tu peux rester cette nuit, si tu veux.

Malgré son étonnement, cette proposition lui plaît. Tu t'en rends compte comme moi, n'est-ce pas ? Remarque le sourire qui étire doucement ses lèvres. La voilà comblée ! Elle a l'habitude du commandement, elle régit sa vie comme elle le veut, et voilà que tout se déroule selon ses volontés. Que demander de plus ? Un meurtre ? Allons, sois raisonnable, pas tout de suite, quand même. Que fais-tu des préliminaires ?

Je lui promets une nuit qu'elle n'oubliera pas de sitôt. Ça lui apprendra à me cacher la vérité. « J'allais chez ma sœur et je me suis perdue »! Voilà une histoire fort originale, en vérité. Très crédible, de surcroît. Détaillée, en plus. Tout ce qu'il faut pour me rendre ironique.

Elle est drôle, toute rouge dans l'escalier, telle une groseille en marche. Essoufflée et pantelante, elle m'impressionne déjà moins. À la rigueur, je recommence presque à m'ennuyer. L'odeur boisée de son cigare m'endort. J'imagine la suite : nous partagerons un repas, et, si elle ne parvient pas à me distraire, je l'enverrai dans l'une des cellules du sous-sol. Celle avec le plancher acide. Après des heures de tourments, elle finira par se dissoudre.

Dans la chambre, elle pose sa valise par terre, regarde le lit. J'aimerais qu'elle m'inspire autre chose que ce constat, mais tu dois te ranger à l'évidence, comme moi : il n'y a rien de plus à dire, hélas ! Elle s'assoit sur le lit. Son visage est fatigué. J'aimerais l'endormir pour toujours, mais pas avant qu'elle n'en ait payé le prix. Un prix rouge. Belle couleur pour une groseille en marche.

— Tu veux dormir ? Tu veux te reposer avant de reprendre ta fuite ?

J'ai adopté un ton de midinette insolente, mais elle sait à présent que je ne crois pas à son histoire. Si je m'écoutais, je la traiterais de tous les noms avant de la gifler et de lui cracher au visage. Ça l'arroserait, peut-être qu'elle reprendrait des couleurs, un beau vert ou une teinte bleutée. Peut-être qu'une fleur lui pousserait au milieu du front et que des épines lui sortiraient des oreilles, en lui arrachant les tympans au passage. C'est ce que je lui souhaite de mieux. Elle commence à m'importuner.

D'un signe de la tête, elle répond « oui ». Ses yeux sont humides comme ceux des chiens qui s'apprêtent à recevoir un coup de pied. Elle n'est pas un chien, certes, mais je ne réponds pas du reste.

En m'en allant, je ferme trop fort la porte derrière elle, afin de manifester ma désapprobation. Me voilà de retour dans la chaise, devant le manoir. Idées noires. Moi qui espérais une bonne surprise, je suis très déçue. Je vais attendre qu'elle s'endorme et j'irai fouiller dans sa valise. J'en saurai plus sur ma future victime. J'ai hâte de l'entendre crier, c'est sûr, mais entendre hurler quelqu'un qu'on ne connaît pas manque de charme.

Qui est-elle, cette mégère en fuite ? Une épouse soumise qui, un bon soir, en a eu assez de sa vie rangée et qui a égorgé son mari avant de le jeter dans le caniveau, en compagnie du chat et des deux enfants ? Une évadée de prison, dont le suprême défaut serait d'être une innocente injustement accusée ? J'ignore jusqu'à son nom.

Les points d'interrogation pourraient se succéder longtemps, je pourrais les enfiler et m'en faire un collier, un collier qui n'aurait de cesse de hurler « quoi ? » à tous ceux qui le regarderaient. Il prouverait à quel point la vie n'a pas de sens. Peut-être est-ce pourquoi j'aime jouir des plaisirs des sens, d'ailleurs. Ils compensent.

Tu n'as aucune hypothèse à son sujet, toi ? Non ?

Je commence à me rappeler pourquoi je t'ai exécuté comme les autres. Tu es un bon auditeur, mais en ce qui concerne l'initiative personnelle, tu me déçois.

Je vais feuilleter le *Traité de séduction à l'usage des sorcières*. J'y trouverai quelques pensées réconfortantes, peut-être, dans le chapitre qui traite de la manière d'apprêter les restes des amants dépecés.

Je m'étais encore endormie ! Tu aurais pu me réveiller au lieu d'espionner mes rêves ! Qui sait si la vieille ne s'est pas déjà levée, à l'heure qu'il est ? Déjà midi ! Si jamais elle est debout, j'irai étouffer le « passant » pour calmer ma fureur. J'espère, pour toi et pour lui, qu'elle a eu une nuit épuisante et qu'elle est plongée dans un profond sommeil.

À pas de loup, je monte l'escalier. À pas de loup… j'adore cette expression ! Pour la célébrer, j'ai d'ailleurs revêtu une peau de loup que j'aime porter lors d'occasions comme celle-ci. Je voudrais que tous les enfants du coin me voient ainsi parée, qu'ils me prennent pour une femme-louve et qu'ils aient si peur que leurs cheveux en deviennent blancs. Le bourg serait alors peuplé de petits vieillards grimaçants qui auraient des accès de sénilité subite entre deux jeux de marelle.

La louve écoute. Elle colle son oreille droite à la porte, afin de vérifier si sa proie dort. Elle se dresse, la louve, elle sourit dans l'ombre. Son museau renifle l'odeur de la chair chaude, de l'autre côté du battant. Elle sait que, bientôt, elle y plantera ses dents carnassières et qu'elle éprouvera un plaisir vif à déchiqueter, à déchirer, à arracher les muscles, les tendons, les yeux, le nez, à se gorger d'une sauce sanglante fournie par sa victime contre son gré.

« Assaisonne-toi de ton propre sang et que tes hurlements deviennent la trame sonore de ta messe mortuaire », pense la bête carnivore. C'est une louve noire aux yeux jaunes qui a quitté sa tanière avec une idée fixe logée au fond de sa boîte crânienne, une idée si fixe qu'on la croirait plantée dans sa cervelle avec un long clou rouillé. La rouille aurait rendu la bête folle, ce qui ferait d'elle un animal imprévisible, dangereux et retors. Elle aurait faim, faim de sang, faim de meurtre, faim d'agonie.

De l'autre côté du battant, la respiration est régulière, lourde ! La vieille ronfle ! Elle ronfle comme un commerçant au visage rougeaud pourrait le faire, coiffé d'un bonnet de nuit, après avoir compté et recompté son argent, l'air satisfait, sans se douter qu'on s'apprête à entrer chez lui, arme blanche à la main, pour le voler et l'épouvanter. Bonne nuit…

La patte de la louve se pose sur la poignée de la porte. Elle parvient à la faire tourner, doucement, oh ! si doucement ! La porte pivote sans bruit. La vieille dort sur le ventre. Qui sait à quoi elle rêve, cette chouette aux cheveux d'eau figée ? Qui sait quels infâmes secrets se bousculent dans sa tête louche ?

Prendre la valise près de la porte est un jeu de loup. Aussi vite qu'on déchiquette une gorge à coups de crocs, la louve est dans le couloir avec l'objet convoité. Elle redescend l'escalier, heureuse. Certes, elle n'a pas bondi sur la vieille pour la dévorer, mais elle préfère que le plaisir dure. Que durent le plaisir de l'attente et le plaisir d'apprivoiser la proie jusqu'au jour où, confiante et apaisée, elle subira en hurlant les assauts de la bête furieuse. Son incompréhension relèvera sa terreur d'une touche piquante.

Pour l'instant, la louve doit redevenir Ariane, oui, il le faut, afin que la sorcière puisse prendre connaissance du contenu de la valise, qu'elle le découvre avec le bonheur que lui procurent toujours la curiosité et l'indiscrétion ; alors, tombe ma peau de bête, tombe sur le sol et attends de revivre, une nuit prochaine, sans doute, une nuit rouge où le contact de ta fourrure noire distribuera les frissons…

Ariane est belle sous le soleil qui dore sa peau. Le vent caresse ses cuisses et s'infiltre sous sa jupe rouge, comme une main douce et légère, encore mouillée par les fines gouttelettes de la rosée de l'aube. Pour un peu, la jeune sorcière laisserait tomber la valise par terre pour s'abandonner au contact grisant. Elle laisserait le vent la prendre, renverserait sa tête, se cambrerait dans sa chaise, les jambes écartées, dans l'attente du plaisir, pendant que sa chevelure ruissellerait sur ses épaules, liquide comme le vent qui n'en finit plus de s'éparpiller…

La jeune sorcière fixe son amant invisible, sa langue rose pointe entre ses lèvres, puis elle ferme les yeux et parvient presque à voir son amoureux. De plus en plus troublée, elle met à haleter en ondulant. Elle s'apprête à enlever sa jupe, lentement, pour mieux savourer l'étreinte subtile à l'odeur de printemps… Mais il lui faut tout à coup s'arrêter. Elle se redresse, raide, frustrée. Un corbeau passe au-dessus d'elle. Son message n'est pas difficile à décrypter : Ariane, tu dois d'abord t'occuper de la valise. Je comprends ce que tu ressens. C'est déplaisant de sacrifier le travail au plaisir, mais ton travail sert à consolider un plaisir futur. Tu l'as dit toi-même, à quoi bon entendre crier une inconnue ? Il faut étoffer la personnalité de cette femme qui dort, là-haut, dans la chambre. Ensuite, le plaisir reviendra. Il ne t'a jamais fait faux bond, nous le connaissons, tous les deux. Il est fait pour toi, il ne cessera jamais de t'honorer et de t'envelopper… Mais il aime parfois que tu l'attendes, qu'il soit désirable, afin que, lorsqu'il consente enfin à vibrer en toi, tu sois secouée jusqu'au délire, jusque dans tes plus infimes terminaisons, de la tête aux pieds, par des contractions flamboyantes qui te laisseront ensuite hors d'haleine, rouge, décoiffée et si belle, couchée sur l'herbe du manoir.

C'est une vieille valise en cuir. On sent qu'elle a du vécu, elle est couturée comme un matou qui revient d'une bagarre de ruelle. Avant de l'ouvrir, tu laisses tes doigts courir sur les cicatrices en rêvant à tu ne sais trop quel carnage imprécis. Puis, tes doigts, encore eux, défont les verrous, rien de plus facile, tu as passé ta vie à défaire tous les verrous possibles, ceux du réel et les autres.

La valise s'ouvre sur un amas d'objets hétéroclites qui ajoutent au plaisir de ta découverte.

Inventaire de la valise

— Des billets de banque.

— Une carte d'identité. On voit la photo de la dame en question. Elle est coiffée de la même manière qu'aujourd'hui, mais elle sourit, cette fois, d'un sourire artificiel. On dirait qu'elle montre les dents, en fait. Son nom suranné, Adèle Prévost, fleure bon la grand-mère, mais celle qui le porte est-elle une bonne grand-mère ? Rien n'est moins sûr. Son adresse ne te dit rien, elle habiterait, selon le document, à Cormières.

— Une lettre adressée à « Ma chère Marthe ». Nous la lirons ensemble plus tard. Le temps passe, il faut avoir terminé cet inventaire avant que la femme – Adèle – ne se soit réveillée. Soyons prudents !

— Des vêtements étrangement provocants. Il est difficile d'imaginer mon hôte affublée de dessous coquins, ces soutiens-gorge en vinyle noir, par exemple. Que penser de cette robe verte très décolletée et ajourée sur les côtés, ultra courte et moulante de surcroît ?

— Un nécessaire de toilette, bien évidemment, brosse, peigne, crèmes diverses, même un savon à l'effigie de Caligula.

— Un revolver ! Son barillet et son canon argentés réfractent la lumière du soleil et projettent des lignes lumineuses sur le mur du manoir. Dans une communion animale, la louve que tu étais touche le chien de l'arme. De modèle Smith & Wesson, elle te donne envie de jouer à la roulette russe. Qui sait si une bonne partie ne serait pas appropriée, ce soir, pour égayer le crépuscule ?

— Une petite boîte remplie de munitions.

— Quelques photographies usées par le temps. Elles représentent, pour la plupart, des femmes en petite tenue ou nues : celle-ci ne porte qu'un corset pigeonnant de satin rouge (tu aimes, Ariane ?), une autre se pavane dans une jupe string à jarretelles noire. On voit même un homme, torse nu et fier dans son slip rayé en lycra…

— De jolis jouets, dont ce harnais en silicone, cet œuf chromé ou ce gel lumineux qu'on peut puiser dans un pot métallique.

Décidément, il faudra poser quelques questions à cette Adèle, n'est-ce pas ? Toi qui ne t'attendais à rien, Ariane, avoue que la surprise te fait plaisir !

Oui, j'avoue que cette surprise me fait plaisir. J'ai presque – presque – envie de remercier le corbeau qui s'est interposé entre le vent et moi, tout à l'heure. De jolies photos, de beaux objets, des vêtements qui expliquent pourquoi ma visiteuse n'a pas sourcillé en m'apercevant et cette lettre que je vais maintenant pouvoir lire.

Ma chère Marthe,

J'ignore encore si je t'enverrai cette lettre ou non. Je t'écris d'une taverne miteuse dans laquelle on m'a laissée entrer, même si je suis une femme. Il faut dire que seuls quelques ivrognes jouaient au billard en buvant de la bière. Ils ne m'ont même pas regardée quand je suis arrivée. De toute façon, il y a déjà un moment que les hommes ne s'intéressent plus à moi.

Une catastrophe s'est produite ! Le mot n'est pas trop fort, catastrophe ! Je me doutais depuis un moment que Francis voudrait se venger, mais je ne savais pas qu'il serait capable de passer à l'action. Il m'a prouvé le contraire. J'ai dû me sauver, Marthe. Je suis encore en fuite et j'ignore s'ils me trouveront.

Au moment où tu me lis, tu es sans doute au courant de l'affaire. Je n'ai qu'un mot à dire : j'aurais dû écouter tes conseils et me débarrasser discrètement de ce petit gigolo sans ambition… mais il me faisait tant d'effet, hélas ! J'aurais pourtant dû être plus clairvoyante, moi qui ai passé ma vie à m'enrichir grâce aux vices des hommes… Je l'aimais trop, ou plutôt, j'aimais trop sa bouche sur moi.

Tu m'avais prévenue, je le sais. Tu m'as souvent prévenue. Maintenant, je tiendrai compte de tes suggestions : je suis prête à tout.

Quoi qu'il en soit, je

Évidemment, la lettre s'interrompt ici. La vieille ne l'a pas envoyée, car elle n'est pas terminée. Je suppose qu'elle a l'intention de la finir ce soir et de la poster demain ou après-demain.

Adèle est pourchassée, comme je l'avais deviné. Si tout n'est pas clair dans sa lettre, certains recoupements me permettent de mieux comprendre qui elle est : une mère maquerelle, probablement traquée par la police !

3 : Adèle, les tombes t'attendent

Oui, mon amour vent, je t'ai tant espéré, j'ai tant rêvé à toi, j'ai tant souhaité ce moment, comme on pourrait rêver d'un pays tropical, d'un pays où fuir loin, très loin, trop loin, afin de n'en jamais revenir. Depuis l'interruption, tout à l'heure, je n'ai cessé de rêver à ton souffle, à tes caresses sous ma jupe. Toutes mes actions convergeaient vers ce moment enfin arrivé.

Laisse-moi d'abord me déshabiller pour toi, lentement, afin de te donner envie de posséder mon corps. Sans me presser, j'enlèverai chacun de mes vêtements afin de te permettre de me détailler à ton aise.

D'abord, délacer les cuissardes en t'adressant des œillades complices, en encourageant tes regards à se faire indiscrets. Vois cette jambe nue qui frémit en n'attendant que toi.

Ensuite, sans te quitter des yeux, quitter le bustier, en me penchant dans une posture qui appelle à la luxure. Je me redresse en laissant tomber le vêtement sur le sol ; regarde comme mes seins t'appellent, regarde comme je suis belle pour toi. Ensuite, plus rapidement, je retire cette jupe courte sous laquelle je ne porte rien, et me voilà nue au soleil, prête à te recevoir, à me récompenser pour ma patience.

Prends-moi, envoûte-moi, charmeur de serpents, fais vibrer mon corps, sois le chef d'orchestre qui dirige ma symphonie. Que tout soit un long crescendo ; commence de façon lointaine, feutrée… Pense aux sources qui percent la neige, à la fin de l'hiver. Puis, fais en sorte que je me réchauffe lentement, je veux que ça débute au bout de mes doigts, de manière imperceptible. Je vais sentir la vague fiévreuse remonter jusqu'au milieu de chacun de mes doigts ; mes jointures sembleront plus fluides, tout à coup. Phalange par phalange, l'immersion, d'abord douce, s'intensifiera, provoquant même un léger frisson qui courra le long de ma colonne vertébrale.

Ensuite, la sensation se propagera à mes paumes. Je sentirai toujours mes doigts habités par ce plaisir qui les rendra quasi lumineux. Si je touchais quelqu'un, à ce moment-là, il pourrait mourir de plaisir. Il suffirait que j'appuie mes mains contre un objet pour l'enflammer. J'aurai envie de plaquer le revers de mes mains moites entre mes jambes pour transmettre cet incendie à tout mon corps, mais j'attendrai, mon amour, car je suis patiente.

C'est mon avant-bras, maintenant, qui se réchauffe très vite. Mes jambes commencent à trembler, un autre frisson court, dans mon cou, cette fois. Puis, la sensation de brûlure monte jusqu'à mes épaules, brusquement, comme si tu avais renversé du feu liquide sur ma peau nue. Tu enveloppes mes aisselles et tu m'enlaces, à la fois solide et immatériel, fuyant et pourtant tangible.

doigts paumes avant-bras bras épaules aisselles seins jambes cou

Ensuite, je sens ton souffle lécher mon cou, tu poses tes lèvres sur les miennes, je sens tes mains se poser sur mes seins, tandis que ta chaleur de plus en plus intense descend entre mes jambes, écartées pour mieux te recevoir. Je sens monter le plaisir, des spasmes secouent mes pieds, mon dos se cambre, mes yeux se ferment, je te sens entre mes jambes, de plus en plus fort, mon visage en sueur te supplie de me délivrer enfin de cette tension, ça monte, monte, de plus en plus, je me sens proche de l'éclatement, des soleils explosent dans ma poitrine, je ne suis plus qu'une enveloppe en ébullition, électrique, transfigurée, prête à rendre aveugle quiconque oserait me regarder à ce moment. Mon corps entier est agité de soubresauts, je sens cette immense vague partir du bout de mes pieds, traverser mon corps, fulgurante, éblouissante, je tressaute, électrocutée, pendant des secondes qui me semblent durer une éternité…

Puis…

Puis…

Une certaine idée du vide. Tu caresses mon visage. Je ferme les yeux, souriante.

J'aurais juré qu'il y avait quelqu'un, debout près de moi. Cette sensation m'est familière : elle me submerge parfois la nuit, quand, entre deux rêves, j'ai la quasi-certitude de sentir une présence, non loin de moi. Alors, si j'allongeais la main hors des couvertures, j'entrerais en contact avec… quelque chose de froid ! Cette pensée m'arrache à mon demi-sommeil, et je tends alors l'oreille, aux abois, devenant tout à coup une pauvre fille effrayée au milieu de la nuit, au milieu des ténèbres auparavant complices. Que faire quand *les ténèbres ont changé d'allégeance* ?

Oui, j'aurais juré qu'il y avait quelqu'un, debout près de moi. Un page, peut-être, qui aurait joué des airs énigmatiques sur sa longue flûte anguleuse. Un page aux yeux verts, vêtu d'habits de fête. Ses mélodies annonceraient le début d'une longue semaine de festivités baroques qui viendraient perturber l'ordre établi. Après des jours de libations et de débauche, plus rien ne serait pareil. On se perdrait ensuite dans un mausolée immense jusqu'à la fin du monde…

En quête d'un nouveau vertige, j'ai ouvert les yeux. Bien sûr, il n'y avait personne à mes côtés. Persistance du rêve ou cri d'oiseau inusité ? Je préfère penser que mon éveil a fait fuir le page et qu'il reviendra un jour, finalement apprivoisé, afin de prendre ma main et de me conduire jusqu'à l'endroit secret où se déroulent les fêtes décadentes que sa musique préside. Je n'en reviendrai plus jamais, et un tremblement de terre engloutira le manoir abandonné.

J'esquisse une moue boudeuse que seul le vent aurait pu voir, mais mon amant s'est enfui lui aussi, me laissant seule, seule au monde dans le décor pétrifié. Perforée par l'abandon, je me désagrège et j'abandonne une parcelle de ce que je suis à chacun de mes pas.

Je dois me rhabiller. Profites-en pour me regarder, je prendrai mon temps, afin que tu n'oublies pas ce moment.

Allons voir ensemble si Adèle s'est éveillée. Si elle dort encore, j'irai l'épouvanter dans ses rêves.

Dans le couloir, les portraits sont encore malheureux. Je vois même une larme de sang sur la joue du général Marcel. Je marche en silence jusqu'à la chambre d'Adèle. Je colle mon oreille contre le battant, me rappelant les moments où j'ai été louve, voilà quelques heures. Je sens des crocs pousser dans ma bouche, leur croissance m'arrache un gémissement de douleur, mais la transformation n'ira pas plus loin. Je passe une main moite sur mes gencives sanglantes.

Adèle ronfle encore ! Pendant un instant, je songe à ouvrir la porte, à ouvrir la valise et à ouvrir Adèle à coups de hache, mais j'abandonne le projet. À quoi dois-je attribuer ma patience subite ?

Allons rendre une visite au « passant ».

Près de sa cellule, aucune porte n'a poussé, contrairement à mes pronostics. Je grimace. J'agite mon trousseau de clés, mais le prisonnier est trop drogué pour s'en rendre compte. Troués par un excès de visions lumineuses, ses yeux sont d'un blanc parfait. Je vais arrêter de le droguer. Inconscient, il ne parviendra jamais à me dérider. Lucide, il sera moins inexistant, en dépit de sa personnalité insipide.

Tu sais, quand les choses se répètent ? Tu sais, l'impression de déjà-vu ? Colle-la sur ton visage, s'il te plaît, ce sera adéquat. Bronzage, terre cuite, pectoraux verts et gâteau décongelé. Rien n'a changé. Je donne un coup de griffe sur ses pectoraux, comme ça, pour rien. Il geint dans son demi-sommeil hallucinatoire. Je lui lèche la joue et l'embrasse dans le cou. Il sent l'homme et la bête, encore. Je glisse la main dans son sous-vêtement de cuir. Sa tête bascule vers l'arrière, et un demi-sourire vient cicatriser le bas de son visage. Tu voudrais que je continue, avoue... Ça te rappelle de bons souvenirs. Je poursuis pendant quelques secondes, machinalement, la mer au bord des lèvres, puis, j'arrête.

En temps normal, j'aurais dû ajouter une autre drogue à son eau pour que les hallucinations cauchemardesques commencent, pour ensuite aller jouir, de jour en jour, du spectacle réconfortant de sa démence en train de progresser... Je l'aurais tourmenté jusqu'à ce que le cœur lâche, incapable de supporter cette terreur plus longtemps. J'ai changé d'idée. Je referme la porte de la cellule. Demain, il aura retrouvé ses esprits. J'en profiterai pour lui présenter les miens.

Je reviens me poster devant la chambre d'Adèle. Le ronflement a cessé. Elle se serait donc réveillée, cette vieille maquerelle déconfite ? Elle a intérêt à me donner des explications convaincantes. Quelques tombes vides attendent des corps, dans le jardin. Le sien pourrait aller agrémenter l'une d'entre elles.

Il est l'heure de se sustenter. Elle partagera mon repas, bien sûr. Ensuite, je l'amènerai voir le « passant ». Ce sera un test. Selon sa réaction, elle vivra ou non. Adèle, les tombes t'attendent ! Elles ont faim, Adèle. Elles ont froid, Adèle, elles voudraient voler ta chaleur, elles voudraient que tu te décomposes pour t'absorber à petites doses. Ce sera un test, chères tombes. Je ne vous promets rien...

Je frappe soudain à la porte, de manière à la faire sursauter. Elle pousse un petit cri. Je souris, satisfaite. Plus elle aura peur, mieux je me sentirai. Elle est chez moi, ici, c'est *moi* qui établis les règles, peu importe si mes invités se comportent en conquérants. Elle s'est jetée dans un piège, je sens la fureur corroder mes vaisseaux sanguins, le sang s'échappe de mes veines, je ne suis qu'un sac prêt à éclater, prêt à cracher son venin au visage de ceux qui l'approcheront.

J'essuie la larme qui coule le long de ma joue. Ça n'a pas d'importance.

— C'est vous ? demande Adèle.

J'aurais envie de lui servir une réponse cynique, crispée sur un plat glacé. Pour l'instant, je me contente d'acquiescer, réprimant ma colère. Elle m'autorise à entrer. Je souris, car j'aime ce qui est insensé, et cette idée qu'une inconnue ose me donner une permission chez moi est insensée.

Le sommeil a aplati les cheveux de la maquerelle. Le résultat est distractif, on dirait maintenant qu'elle a deux cornes. Ça me donne une idée : je pourrais empailler Adèle et l'envoyer rejoindre les autres morts dans mon théâtre de marionnettes humaines. Voilà longtemps que je ne me suis pas offert une représentation de théâtre fixe. Je pourrais y amener le « passant ». Il apprécierait ce type de dramaturgie. Le principe est simple : il faut installer les « empaillés » autour d'une table, en prenant soin de créer l'atmosphère la plus macabre possible. Ensuite, je récite les répliques de chaque personnage pendant que le spectateur – mon « passant » –, bâillonné et attaché, assiste à la représentation, souvent bouleversé. J'ai écrit une petite pièce récemment, *L'Émotion du bourreau quand la guillotine tombe*, qui raconte comment les membres d'une famille bourgeoise, paralysés par une maladie inconnue, se disent à quel point ils se haïssent avant de mourir un à un, intoxiqués par leur propre fiel. J'aimerais que tu assistes à la première représentation. Promets-moi d'être là. Tu n'auras qu'à me suivre quand j'emprunterai le passage secret qui conduit à cette salle…

Assise sur son lit, les yeux encore dans le vague, Adèle aurait presque l'air empaillé. Tombes, mes petites tombes, me pardonnerez-vous si je ne tiens pas ma promesse ? Vraiment, j'imagine trop Adèle dans le rôle de la grand-mère folle pour vous la promettre. Je suis désolée d'avoir à vous le dire, mais je ne pense pas pouvoir vous réchauffer avec le cadavre d'Adèle, non, ce serait gâcher un talent d'actrice que de la laisser se décomposer en votre compagnie. C'est dit, elle jouera dans ma troupe, la troupe du théâtre fixe.

— Bien dormi ?

Il y a du poison dans ma voix.

— Oui.

Il y a du poisson-scie dans la sienne : sa voix se veut autoritaire. Sa réponse est brève, polaire. J'aurais envie de découvrir mes crocs, mais ils se sont rétractés. Comme mes griffes.

— Tu partageras bien mon repas ?

— D'accord, si tu veux.

Je note son tutoiement. Autre affront.

— Tu me rejoindras dans la salle à manger. Tu sais comment t'y rendre. Ne me fais pas attendre.

Je tourne les talons sans même la regarder. Quand je repasse devant le tableau du général Marcel, il me semble qu'un léger sourire étire ses lèvres et que ses larmes de sang se sont atténuées. C'est bon signe.

J'ai allumé des chandelles noires, celles qui poussent dans l'arbre métronome, à quelques centaines de mètres de chez moi. J'ai garni la table d'une nappe sombre et de quelques crânes grimaçants. J'ai eu le temps d'aller dans le jardin des âmes pour cueillir le repas. Déjà, partout sur la table, des plats débordants s'alignent. J'ai caressé un moment l'idée de préparer une fondue au noir, mais je n'avais pas envie de cuisiner, préférant la simplicité. Les fruits bleus et chauds qui poussent au fond de la cour voisinent donc avec les triangles friables que j'ai cueillis dans l'arbre aux pendus. À côté d'eux, il y a ces carrés croquants qui poussent sous la terre et qu'on doit disputer aux os des squelettes enterrés. En entrée, un potage tiré du puits d'hiver, l'une de ces soupes glaciales qui a toujours pour effet de stupéfier mes invités. Ma salade prophétique accompagnera le potage, et, pour le reste, Adèle essaiera ce qu'elle veut. Je refuse de lui donner des informations quant aux plats et à leurs propriétés. À elle d'en faire l'expérience. Si elle se comporte mal, je lui verserai un grand verre d'eau piquante.

J'en suis presque à me griffer le visage lorsqu'elle arrive, avec un nouveau cigare. Elle a reconstitué sa coiffure. Dommage, je la préférais en diablesse. Tu es d'accord avec moi, n'est-ce pas ? Sa chevelure de vague suspendue la rend plus conventionnelle, même si elle donne envie de l'assécher, ce qui est une qualité, puisqu'il y a là un encouragement à passer à l'action.

J'ai demandé aux oiseaux de nous chanter un arrière-plan dissonant qui nous déchire le cœur, mine de rien. Ils se sont exécutés, et c'est dans un environnement sonore malsain que mon invitée s'installe au bout de la table. Elle conserve son allure autoritaire. Je la métamorphoserai bientôt…

— Un peu de vin de sable ?

D'habitude, cette offre provoque une réaction d'incertitude chez mes invités. Ils ignorent de quoi il s'agit, et cette lacune dans leurs connaissances les rend mal à l'aise. La peur de l'inconnu s'empare d'eux, et je me plais à l'entretenir. Donc, un peu de vin de sable, Adèle ?

Elle hoche de la tête, s'efforçant de garder sa contenance. Profites-en pendant que tu le peux, mais ne cherche pas à me faire croire que tu as déjà bu du vin de sable. C'est une exclusivité, je n'en ai jamais trouvé ailleurs qu'ici. Je l'embouteille moi-même, chaque premier jour du mois. C'est Safran, un chat noir que j'ai eu jadis, qui m'avait mise sur la piste de ce curieux breuvage. Je le voyais parfois franchir le seuil du manoir, plein d'une hébétude heureuse et inexplicable. J'ai fini par l'épier : la bête se rendait au fond du jardin, là où un carré de sable modeste semble inviter à des jeux d'enterrement divers. Le chat lapait quelque chose. Il s'était enfui à mon approche, sans doute pour dissimuler son secret, mais c'était trop tard. J'avais vu qu'à cet endroit précis, le sable, très compact, formait un bloc solide qui recouvrait une minuscule source. J'ai bu. J'ai aimé l'expérience. Voilà pourquoi j'embouteille mon vin de sable chaque mois. Quant au chat, il fait maintenant partie de ma troupe de théâtre fixe.

En mémoire de Safran,
Dans le cristal qui chante,
Verse, verse le vin ! verse encore et toujours,
Que je puisse oublier la tristesse des jours.

Adèle prend la coupe et boit, sans me remercier, bien sûr. Un sourire narquois fleurit sur mes lèvres, telle une plante insolite qui germerait sans hâte dans la léthargie arctique de l'espace. Le visage d'Adèle s'empourpre, elle s'étouffe presque. Il faut l'admettre, le vin de sable laisse une première impression inoubliable : un goût de désert broyé par la lueur pesante d'une lune glacée, un goût aride et atrophié de cactus, de lézards abandonnés et d'ossements de bêtes calcinées. Je connais bien les étapes de cette dégustation : une sécheresse profonde succède à la sensation initiale, suivie aussitôt d'une oasis humide et chaude, presque une jungle liquide. Puis, enfin, tout s'évapore, comme un mirage à l'approche d'un aventurier trop confiant.

— Alors, tu aimes ?

Ses yeux ronds m'amusent. Décidément, elle est très expressive. Je persiste à penser qu'elle pourra tenir beaucoup de rôles dans mon théâtre.

Elle prend la carafe d'eau, remplit son deuxième verre, avant de replacer son cigare entre ses lèvres gercées. Cherche-t-elle à fuir dans la sobriété ? Je ne le tolérerais pas… mais j'ai mes stratégies.

Je me verse un verre de vin de sable. Ne t'inquiète pas à mon sujet, cher amour, je connais les effets de ce breuvage depuis longtemps, j'y suis accoutumée. L'été, quand il fait trop chaud, j'en verse parfois sur mon corps nu, qui se met, pendant quelques secondes, à tressaillir et à rêver de l'harmattan, dont les étreintes seraient sans doute rêches et folles.

— Trinquons ! lui dis-je.

Elle n'a pas de choix – ou plutôt, elle n'ose pas refuser –, il lui faut remplir son verre. Verse, verse le vin !

— À notre rencontre et à ses conséquences, dis-je d'une voix rendue charbonneuse par mes idées noires.

Nous buvons en nous fixant dans les yeux, comme un vieux couple rendu méfiant à force de tromperies mutuelles. J'ai plaisir à la voir déconcertée par l'alcool. En plus, cette cuvée est particulièrement astringente. Évidemment, il y a cette récompense finale, cet arrière-goût enveloppant qui dédommage le buveur d'une première impression difficile.

— Tu aimes ?

Elle hoche la tête. J'aimerais bien utiliser sa tête en guise de hochet.

— Tu n'es pas obligée de l'apprécier. J'ai d'autres alcools, si tu préfères : du jus d'éclipse recueilli voilà quelques années, pendant que la lune cachait le soleil, de la liqueur des marais, de l'alcool-hydrazine, de la boisson péremptoire, de l'indirect, de l'orgie du précepteur... J'ai même un aphrodisiaque très efficace, de l'eau de pluie qui a macéré dans les gouttières du manoir, à laquelle j'ajoute ensuite divers éléments qui peuvent varier : mandragore, curaçao, ma sueur recueillie après l'amour... Le goût est sublime, et le résultat, prodigieux. Tu n'aurais jamais été aussi excitée. J'ai aussi créé une version inodore, incolore et sans saveur... Au fil des années, j'en ai rempli des barils pleins, dans la cave.

Adèle s'étouffe. J'en suis très contente. J'aurais presque envie de m'étouffer avec elle pour la féliciter de réagir comme je le veux.

— Non, balbutie-t-elle, ce vin est suffisant. Merci.

Et sa suffisance, suffit-elle ? La politesse, après l'avoir désertée, finirait enfin par revenir. Un effet des vertus désertiques du vin de sable ? Sans savoir pourquoi, j'aurais envie, tout à coup, de boire une grande gorgée de ce vin et d'aller embrasser Adèle, pour sentir sa langue plonger dans mon palais rempli d'alcool.

Je la regarde : elle n'est pourtant pas belle. Le vent ne m'a donc pas contentée, cet après-midi ? On dirait que non. Je contrôle difficilement mes pulsions, mais je devrai être raisonnable. Cette nuit, j'irai rejoindre la spirite solitaire qui habite dans la maison abandonnée, à quelques kilomètres d'ici. Cette bacchante a le don de m'épuiser pour des jours. Je tirerai une ligne sur la question, avant de tirer le « passant » de sa prison. Le reste, c'est de l'histoire à écrire et de l'arsenic à boire. J'aurais peut-être dû offrir un peu d'arsenic à Adèle, le mentionner, en douce, entre deux alcools, juste pour m'amuser de l'expression médusée que son visage aurait prise.

Je me lève pour assurer le service. Voici, digne maquerelle, une soupe glaciale. Plonges-y la cuiller, et qu'elle en ressorte congelée. Vas-y, mange, et éteins ce cigare assommant !

Un long frémissement la traverse. Je vois même quelques cheveux se hérisser sur sa tête. Les cornes reviendront-elles ? J'aimerais que tu reprennes ton apparence de diablesse endormie. Vas-tu me dire que tu n'as pas faim ? Non… Tu sais que je t'évalue, que je te jauge, et comme tu veux quelque chose (vas-tu enfin me dire quoi ?), tu cherches à faire bonne impression. Alors, mange ta soupe glaciale. Tes cuillérées sont grandes, on dirait que tu t'efforces d'expédier une tâche désagréable, c'est dommage, tu sais, car cette soupe a des vertus étonnantes. Si jamais tu as froid, pense à cette soupe, et tout ira mieux.

Attaque maintenant la salade prophétique. Tu verras ton avenir furtivement. Savoure-le, car une fois la salade terminée, tu ne te rappelleras pas ce que tu auras vu. Tu pourrais prendre des notes pour t'en souvenir, mais ces notes seront incompréhensibles. J'ai souvent tenté l'expérience. J'avais noté des visions comme celles-ci : « Le haut-de-forme ne perdra rien de sa légitimité ni le régal de son assurance », « ne pas ménager mon karma : phénomènes en vue », « je devrai réduire ma hiérarchie à sa plus simple expression ». À défaut de me permettre d'orienter ma conduite future, ces visions ont donné lieu à des phrases que je consigne dans un recueil. À mon enterrement, j'aimerais qu'on les lise, en guise de messe. Une partie de ma vie y serait résumée, de façon cryptée. Ce serait de circonstance…

Je laisse Adèle à la contemplation de son avenir. L'hallucination sera brève. Pendant que ses yeux sont tournés vers l'intérieur, je bois une gorgée de vin. Je surprends une pensée mystique qui tente de s'imposer à mon esprit, je l'écarte d'un revers de la main. Pas de temps pour les accès métaphysiques, aujourd'hui. La mère maquerelle a les larmes aux yeux. Son avenir se saborde, trop plein de mauvais présages. Voit-elle sa fin prochaine ?

Je garnis son assiette. Les triangles de l'arbre aux pendus auront tôt fait de la réconforter. Il faut quand même ménager cette harpie, sous peine de la voir mourir plus tôt que prévu.

Une violente convulsion la traverse, sa tête penche soudain vers l'avant, elle a failli se heurter contre le bois dur de la table. Elle surprend mon regard mauvais accroché à elle.

— Tu as aimé ton entrée ?

Je vois un début de panique au fond de sa prunelle. Vite, vite, adopter ce sourire de femme-enfant qui fait fondre toutes les réticences. Savoir simuler la gentillesse, la naïveté et la bonne volonté.

— Tu vas bien ?

Je m'empresse de la rassurer quant aux vertus légèrement hallucinogènes de la salade. Je pousse son assiette vers elle, en lui disant qu'elle doit absolument manger autre chose pour dissiper les effets de son entrée. Elle obéit.

Nous dévorons quelques triangles, arrosés de gorgées fréquentes de vin. L'ivresse commence à faire ses effets, combinés à ceux des mets qu'elle ingère. Je suis traversée de visions du désert ; elles m'envahissent souvent quand je bois du vin de sable. Je me sens nostalgique, je rêve encore de promenades nocturnes en solitaire, de paysages dénudés, de sable à perte de vue, d'insolations et de chameaux.

À en juger par son attitude de plus en plus décontractée, Adèle ne m'offrira bientôt plus aucune résistance. Sa posture témoigne même d'un certain relâchement : épaules détendues, elle néglige désormais la rigidité qu'elle s'imposait jusqu'ici, au profit d'une posture affaissée, pleine d'hédonisme. Ses manches retroussées laissent voir ses avant-bras blancs et luisants.

Je lève ma coupe pour l'encourager à boire, ce qu'elle fait en m'adressant un sourire confus. Le milieu de sa coiffure s'aplatit au fur et à mesure que son ivresse s'amplifie. La diablesse est de retour ; je peux considérer ses cornes avec une satisfaction grandissante. Partageras-tu mon plaisir ?

Les oiseaux continuent à perforer l'ambiance à coups de chants malsains. En pensée, je leur ordonne de sucrer leur venin. Dans ma tête, j'entends la mélodie du jeune page, celui que j'avais cru voir à mes côtés, avant de me réveiller, tout à l'heure. Les oiseaux comprennent l'allusion. Leurs chants deviennent festifs. Adèle ne réagit pas à ce changement brusque, pourtant remarquable. Peut-être n'a-t-elle pas « l'oreille musicale ». Dommage ! Je devrais y remédier en l'enchaînant à côté d'un moteur en marche.

Je suis déçue, moi qui comptais combler son appétit musical en faisant hurler le « passant », qui nous aurait improvisé un concerto plaintif, peut-être inachevé...

Adèle se met à rire subitement. Je ne m'attendais pas à ce qu'elle s'amuse autant. Même quand je les enivre, mes futures victimes ressentent d'habitude un malaise vague qui les empêche de savourer leurs derniers moments. Malgré l'alcool et le repas, elles ne peuvent se départir d'une crispation qui contribue à les défigurer. La sensation de leur mort imminente met leur partie de plaisir en échec. Dans leur crâne, une fraction de l'écho des pas du bourreau résonne.

— Je n'aurais jamais pensé aboutir dans un endroit comme ici, admet Adèle.

En me fixant d'une manière décidée, la mère maquerelle mord dans un fruit bleu. À sa façon d'enfoncer les dents dans la pulpe colorée, on devine son passé d'épicurienne. Elle fond sans concessions sur la chair luisante, à la manière d'un train qui déraille. Elle l'arrache avec une passion qui n'est pas loin de la cruauté. Je ne peux détacher mes yeux de ses dents blanches qui saisissent brutalement leur pitance.

En moins d'une minute, elle a dévoré ce fruit doté de vertus révélatrices : trop en manger force à révéler nos secrets. Le fruit portera fruit. J'ai hâte. J'attends, tournée vers elle, le visage appuyé contre la paume de ma main. Je souris. Tu te rappelles ce sourire ? Il t'a condamné à mort.

— Je n'ai pas de sœur, dit-elle tout à coup.

Nous voilà au-delà du voile. Je lui adresse un sourire complice. Continue, délectable vautour, je veux en savoir plus sur celle que j'immolerai.

— Non, je n'ai pas de sœur, reprend-t-elle. En fait, je suis en fuite. J'ai des problèmes. La police me recherche. C'est mon homme… Il m'a trahie pour une autre. Elle a voulu avoir des preuves de sa sincérité. Il s'est arrangé pour me piéger. Je ne sais pas comment il s'y est pris, mais il s'est introduit de nuit, chez moi, sans réveiller personne. Il a réussi à dissimuler des *choses* très compromettantes.

Ici, elle se tait. Les oiseaux continuent leur mélodie festive. Cette bande sonore inappropriée crée un contraste singulier. Finalement, j'aurais dû les laisser égrener leur mélodie malsaine. Elle aurait été de circonstance. Entre deux pépiements pleins d'entrain, je laisse le silence broder son tissu diaphane. Puis, ennuyée par l'aspic sonore, je finis par demander :

— Des *choses* ?

— Un mort, entre autres. Ça n'a pas été du goût de la police.

— Et tu as réussi à t'enfuir ?

— J'ai profité d'un instant d'inattention de celui qui me gardait à vue pendant que les autres fouillaient dans la maison. Je l'ai assommé d'un coup de bibelot. Qui sait s'il a survécu ? Le plus absurde, c'est que le bibelot représentait une femme en train d'assommer un homme.

— On appelle ça une mise en abyme… ou une mise en terre.

Les oiseaux pépient toujours. Une joie subite m'environne. Adèle, ne me dis pas que… Serait-ce toi, cette sœur spirituelle que j'attends depuis toujours ? Non, je n'ose y croire, je me renfrogne, je cadenasse mon cœur et je jette la clé au fond du néant. Tu finiras avec les autres marionnettes géantes.

— Je me suis enfuie. J'avais juste cette valise. Je l'ai toujours gardée prête, en cas de catastrophe. J'ai vu trop d'amies prises au dépourvu. C'est comme ça que je suis arrivée ici, en courant au hasard, après m'être arrêtée dans une auberge pour souffler.

Et moi, je te soufflerai. Pendant le temps que tu auras brûlé, tu auras été une belle chandelle, à défaut de m'en devoir une fière. Mais ton feu essaie de brûler certaines informations que je compte lui arracher avant qu'elles soient consumées. Tu m'as montré l'emballage, pas le cadeau. Laisse-moi t'aider. Je bois une gorgée de vin en laissant ma main gauche glisser sur mon sein, dans une pose sensuelle. Je continue à me caresser, nonchalante, en t'adressant un sourire ingénu.

Quelque chose frémit dans ta pupille. Ce n'est pas du désir, ce n'est pas du trouble… C'est du calcul ! Tu évalues mon comportement, semblable à un bijoutier qui scrute un diamant.

Quand Adèle reprend la parole, c'est presque un aigle qui parle par sa bouche :

— Je m'appelle Adèle, mais tu ne m'as toujours pas dit ton nom.

— Ariane.

— Dis-moi, Ariane, comment tu passes tes journées ? Je veux dire : tu habites dans un grand manoir, toute seule. Tu as eu un héritage ? Tu es une vedette en vacances ?

Son regard prédateur ne me quitte pas. Je m'empresse de boire, afin de ne pas m'esclaffer. J'avale mon rire liquide. C'est trop drôle qu'on me considère comme une victime potentielle. J'en suis presque flattée : cette ode à ma fausse candeur signifie que, moi aussi, je suis une bonne comédienne. Ce n'est pas pour rien que je prête ma voix aux acteurs du théâtre fixe.

Je sens qu'Adèle choisit ses mots : « Tu as eu un héritage », au lieu de « Tu dois être une riche héritière »; « Tu habites dans un grand manoir, toute seule », au lieu de « Tu ne dois pas pouvoir te défendre, si on veut te voler »; « Tu es une vedette en vacances » au lieu de « Personne ne sait que tu es ici, sans protection et sans défense ».

— On pourrait répondre « oui » à toutes tes questions, Adèle.

J'aime les réponses biaisées. Avec elles, rien n'est clair. Elles entretiennent l'ambiguïté, l'incertitude, l'instabilité. Quand on est instable, on tombe plus souvent. Je ne suis pas instable. Mes interlocuteurs le sont. Adèle, chère Adèle, quand tomberas-tu ?

Adèle propose alors cette interprétation qui m'arrache un fou rire :

— Tu es donc une vedette qui a hérité du manoir ?

Je m'empare d'un fruit moyenâgeux, au milieu de la table, et j'y mords passionnément. Ces aliments dégagent parfois une désagréable odeur d'abbaye, mais ils ont un goût gothique, vertical, complexe et surchargé. En manger trop laisse épuisé, et, en plus, on voit tout ce qui nous entoure à travers un vitrail.

— Tu devrais y goûter, dis-je à Adèle. Il date des croisades.

Ma recommandation ne produit aucun effet sur mon invitée. Si son train déraillait tout à l'heure, il est maintenant difficile à détourner.

— Tu es donc une vedette qui a hérité du manoir ? répète-t-elle, plus impérative.

Sa nature autoritaire reprend le dessus. Mère maquerelle, tu en as peut-être imposé pendant des années aux filles qui travaillaient pour toi, mais, moi, je ne travaille pas pour toi. Je laisserai plutôt le deuil faire son travail et le temps faire le sien. L'une des tâches du temps, c'est de passer. Il passe parfois inaperçu, il lui arrive de passer en coup de vent, il passe vite ou lentement, mais, toujours, il passe. J'ai pensé l'aider à ne pas trop prendre son temps : il s'agit d'accélérer les événements en conduisant Adèle au « passant ». Cette visite de courtoisie lui permettra d'en savoir plus à mon sujet. Selon sa réaction, comme je n'ai pas envie de sacrifier à de longs discours, je la sacrifierai plutôt si cela me convient mieux.

— Viens, lui dis-je, j'ai quelque chose à te montrer.

Elle se lève.

— Tu peux apporter d'autre vin de sable, dis-je en désignant à mon invitée une bouteille oblique dont les aspérités lui meurtriront les doigts, avec un minimum de chance.

Elle s'exécute, avant que je ne l'exécute.

En dépit de toute logique, je conduis d'abord Adèle à l'étage, devant le portrait du général Marcel. Toute trace de sang a disparu de son visage. Sa moustache grise, tendue à l'horizontale, me rappelle les vibrisses de Safran, mon chat noir. Fier dans son uniforme sombre, Marcel dévisage Adèle, plein d'aplomb. Celle-ci lui accorde un bref regard, sans se rendre compte qu'un tableau l'examine. Le képi du général luit intensément, pourtant, ce qui devrait la mettre en alerte.

Ensuite, nous redescendons dans les couloirs du rez-de-chaussée, en pleine navigation vers les ténèbres poisseuses de la cave, que troue le rayon de ma torche électrique. Adèle hésite lorsque nous arrivons au sous-sol. Toutes ces cellules l'affolent-elles ? Clé, pêne, gâche et gâchis, nous voilà devant le « passant ». Il a cessé de rétrécir, et une lueur lointaine se distingue au fond de ses yeux.

Carnassière, je me retourne vers Adèle. Loin d'avoir la réaction que je redoutais, elle s'est appuyée contre le battant de la porte, cigare entre les lèvres gercées, bras croisés sur sa poitrine, l'air mauvais. Cette vision m'étonne et me plaît. Adèle, serait-ce toi, cette sœur spirituelle… ? N'avais-je pas cadenassé mon cœur ? Quelque main griffue m'en aura rapporté la clé sans que je ne m'en rende compte.

— Tu l'aimes ? Il s'appelle Jim, mais je préfère l'appeler « le passant ». Je n'aurais jamais dû te dire son nom. Il me semble que maintenant, son identité n'est plus la même, il m'appartient moins. Tant pis, c'est trop tard ! Jim permet au temps de passer, il ne fait que passer et bientôt, il va trépasser.

— Tu l'as amené ici comment ?

— Il est venu tout seul, par lui-même. Je me suis amusée avec lui, mais il a fini par m'ennuyer. C'est souvent le cas de mes hôtes. Ils me fatiguent. Ils ne réagissent pas comme je le voudrais. Je finis par les laisser… partir (*j'espère que ce sous-entendu t'effraie, Adèle*). Il est drogué. Je ne pense pas qu'on pourra lui parler avant demain. Qu'est-ce que tu comptes faire, maintenant ?

Je me retourne vers elle. J'ai plongé la clé de mon cœur dans l'acide. J'ignore si elle se dissoudra. Seule Adèle en décidera… Attends avec moi et tu découvriras la suite.

Je mords doucement dans la poitrine de terre cuite de Jim, pose la main sur son sous-vêtement. Mon invitée me regarde faire sans répondre. Elle s'apparente à l'une de ces poupées russes, joufflues et rougeaudes. J'aurais envie de l'ouvrir en deux afin de vérifier si elle n'abrite pas en son sein une reproduction d'elle-même à échelle réduite. Pour oublier cette pensée trop tentante, je demande :

— Tu n'aimes pas les hommes ?

— Je ne sais pas, dit-elle. Ils m'ont causé beaucoup de problèmes. On peut ouvrir la bouteille ? Je n'ai pas de tire-bouchon.

Bonne raison pour revenir à la salle à manger. Après avoir embrassé Jim, je l'enchaîne au mur, en prévision de son réveil, et quitte la cellule, suivie d'Adèle. Ensuite, à pas feutrés, nous évoluons dans le couloir. Nymphe expressionniste, j'avance, si désarticulée. Mes mouvements sont exagérés, je lutte contre une force invisible, je nage dans une eau absente. Derrière moi, Adèle marche sans se presser. Ça m'énerve. Elle pourrait au moins m'imiter. Un zeste de fantaisie ne lui nuirait pas. Tu aimes ça, toi, la voir aussi indifférente ?

Pour la déstabiliser, j'ouvre une porte au hasard, que ma torche éclaire de manière anarchique. C'est ma salle mathématique. J'aime le mur consacré aux prédicats, couvert d'équations et de formules compliquées. Je colle ma main très fort contre la peinture qui ne sèche jamais. Voilà, j'ai, dans la paume, un ensemble de variables que je presse sur le front d'Adèle. Elle se laisse faire, figée. Ma main se réchauffe. Bientôt, si je n'arrête pas, les symboles traverseront la peau de la mère maquerelle, ils entreront dans son crâne et ravageront sa cervelle. Je regarde Adèle, ses yeux de débitrice, son visage délavé par l'incertitude. Sa peau, devenue grise, en tombe presque par terre.

Je m'interromps, tout à coup déprimée.

Nous retournons à la salle à manger sans dire un mot. Les oiseaux nous attendaient : dès notre arrivée, ils se mettent à entonner une ritournelle lancinante, presque à l'unisson, dont les quatre notes répétées jusqu'à la nausée créent une ambiance obsédante.

J'ouvre la bouteille de vin, j'en bois un grand verre, d'un coup, sans savourer l'alcool. Je me laisse tomber dans mon fauteuil, fatiguée. Adèle m'imite, mais j'ignore si elle agit ainsi parce qu'elle est épuisée, effrayée ou simplement manipulatrice. Ma voix est éteinte lorsque je reconnais :

— Je ne suis pas une actrice en vacances. Et toi, tu n'es pas une épouse que son mari a trahie. Tu t'occupais d'un bordel, avant.

Ses joues ont repris leur coloration de poupée russe. Elle m'examine, attentive, pendant quelques secondes. Je sens que son esprit doit bouillir, qu'elle hésite avant de plonger. Pour l'inspirer, je me penche vers l'arrière, afin de lui offrir le galbe de mes seins. Il n'en faut pas plus. Elle s'élance :

— J'ai une proposition à te faire, Ariane. Je vois que tu t'ennuies ici. Tu as beau recevoir des invités, ça ne change rien.

Le cigare l'aide à se calmer. Après en avoir savouré l'arôme boisé, elle parvient à se dominer, à exercer une certaine emprise sur elle-même. Sa voix presque confiante mérite une récompense :

— Je le sais. Je te l'ai dit moi-même. Tu as un plan ? Je suis prête à t'écouter. Ça pourrait être amusant.

Adèle se redresse dans son fauteuil, protégée de mon attitude ouverte par le vin de sable et ses effets.

— Tu as deviné mon passé. C'est toute ma vie. Ma proposition n'est pas originale, mais c'est ce que je fais de mieux. (Elle regarde autour d'elle.) L'endroit est grand, il a de la classe, des possibilités. En plus, il a quelque chose de très… spécial.

— Ça n'a pas l'air de te surprendre. Il va falloir t'expliquer à ce sujet.

— C'est à cause de Marthe, une amie. Elle avait tiré les cartes pour moi. Le tarot avait prédit une catastrophe… et m'avait aussi avertie qu'ensuite, je devrais m'attendre à tout. J'ai suivi son conseil. Avec les années, j'ai appris à ne m'étonner de rien. Si tu pouvais imaginer quelle sorte de clients j'ai pu rencontrer, quelles sortes de désirs j'ai dû satisfaire, tu serais comme moi, assez blasée. Je ne te dirai pas que je ne m'étonne de rien. Je vais même avouer le contraire : j'ai eu des surprises, depuis que je suis arrivée ici… mais je suis une femme d'affaires, une femme d'action. J'ai appris à tout percevoir comme des possibilités, comme des moyens d'agir.

Elle boit une gorgée de vin. Je continue de caresser mes seins d'une main nonchalante, l'air ingénu, un sourire d'enfant capricieuse aux lèvres. L'idée de changer le manoir en un immense lupanar ne me déplaît pas. Je m'imagine, fouet à main, arpentant les pièces d'où proviendraient des râles et des cris… Je songe à la façon dont je pourrais décorer chacune d'entre elles, lui consacrer un vice spécial. J'aimerais effrayer les clients, aussi. Si ça ne fait pas l'affaire d'Adèle, je continuerai quand même. Et, le jour où tout cela me lassera, je passerai à autre chose. Ce n'est pas un problème. J'en ai même l'habitude.

Après tout, j'ai déjà cohabité avec beaucoup de gens différents, par le passé. Je songe à cet arpenteur névrosé qui cherchait à délimiter la surface du manoir. Il avait fini par se perdre dans l'une des chambres, sans jamais en revenir. Je me souviens aussi d'une sage-femme qui errait aux alentours de chez moi, obsédée par un bébé fantôme dont les hurlements la poussèrent un jour à se noyer… Le bébé n'était qu'un leurre, qu'une illusion créée par la rivière en manque de cadavres. Et que dire de ce jardinier que j'avais retrouvé, un matin près du carré de sable, la tête plantée dans le sol, les pieds dressés vers le soleil ? En se décomposant, son corps était devenu une curieuse plante jaune garnie d'épines tièdes. J'aime la toucher de temps à autre.

— Qu'est-ce que tu penses de ma proposition ? demande Adèle.

— Je te répondrai demain. Je vais y réfléchir. Pour l'instant, on va boire, toutes les deux. Et autre chose que ce vin de sable.

J'hésite entre la liqueur de risorius, l'alcool illustré et la boisson doctrinale. La première détend en provoquant de fréquents fous rires, la seconde donne l'impression au buveur d'évoluer dans une bande dessinée, la troisième procure l'illusion de savoir à quoi s'en tenir quant aux mystères de l'univers.

J'arrête mon choix au risorius. Puisque je lui paie la traite, j'invite Adèle à boire son verre d'une traite. J'ajoute même :

— C'est logique, si tu ne veux pas que je te traite d'ingrate.

Ces calembours n'ont pas l'air de l'amuser, mais si je les lui répète tout à l'heure, elle aura l'heur de s'en réjouir, après plusieurs gorgées. Pour l'instant, son absence de réaction équivaut à une insulte. En moi, l'exaspération surgit d'un arrière-plan encore en friche. Sur le terrain fertile de ma psyché, elle va semer la colère, une colère dont un ciel d'orage promet d'inonder la moisson.

Il faut que je me dépêche d'engloutir la boisson pâle, sinon je risque de céder à la rage qui monte en moi. Si je m'écoutais, je me lèverais pour aller gifler mon invitée de toutes mes forces, en espérant que l'empreinte de mes doigts reste imprimée sur son visage pour l'éternité, à la manière de ces voleurs qu'on stigmatisait jadis à l'aide d'une marque au fer rouge.

Je prends mon verre, en avale le contenu, m'en verse un deuxième, aussitôt bu, un troisième, je suis déchaînée, je m'étouffe même, puis je prends le verre et je le lance de toutes mes forces sur le plancher, où il éclate en morceaux tranchants. Je me lève, prends un gros éclat avec l'intention de m'entailler le poignet, histoire de voir si cette folle demeurera impassible, tel un gros bovin qui rumine au fond d'un champ. Je planterai de la dynamite dans ton cerveau bucolique. Je m'avance vers Adèle, fragment de verre en main, paumes tendues vers le ciel, je fixe la vieille dans les yeux et lui dis :

— Je t'offre mon sang...

Pour une fois, elle quitte son indifférence, ses yeux s'agrandissent, à un point tel qu'ils risquent de tomber de ses orbites. Oh ! comme je te voudrais aveugle pour mieux t'affoler, mais il n'en tient qu'à moi, n'est-ce pas ? J'ai dans la main gauche un gros morceau de verre que je pourrais utiliser pour te réduire à ma merci.

Je me sens vaciller, je pose ma main libre sur mon cœur, j'ai une soudaine nausée, j'ai bu l'alcool trop vite, trop vite, à un point tel que… ah ! que tout me semble soudain très… drôle ! L'éclat de verre tombe sur le sol en produisant un son clownesque. En examinant le verre brisé, d'ailleurs, je me rends compte que les morceaux éparpillés partout forment une tête de chien caricaturale, la langue sortie, les oreilles ouvertes sur un ultrason démentiel. Je me couche sur le sol, secouée de partout, en m'enfonçant dans un monde souterrain, entourée de ptérodactyles dont les grandes ailes me chatouillent jusqu'au plaisir, jusqu'à la douleur, jusqu'au plaisir-douleur… Les oiseaux… Leur chant ne m'est plus aussi familier… Il est grave, au ralenti, semblable à celui que produiraient de gros moineaux, de gros moineaux de plomb incapables de se poser sur une branche d'arbre sans la casser et s'effondrer par terre, comme moi, lourds du poids d'un corps bétonné.

Adèle me regarde, interloquée. Son cigare se tend vers moi. Cette harpie n'a pas touché à son verre ; elle en observe les effets, dubitative, et son allure de poupée russe n'a pas fini d'éveiller en moi une hilarité aussi douloureuse qu'inexplicable. Je voudrais que tout ça s'arrête, mais c'est impossible, jamais je n'avais bu trois verres de risorius l'un après l'autre. Je suis foudroyée, au-delà du rire, la poitrine douloureuse, incapable d'arrêter de me contracter, éprouvant encore et encore un étrange plaisir masochiste, comme celui qu'un esclave consentant ressentirait sous les coups d'un chat à neuf queues dont les lanières transmettraient une brûlure joviale à chaque coup, une sensation de souffrance lumineuse et légère, semblable à celle qu'on pourrait ressentir en se promenant dans une forêt dont chaque arbre nous raconterait une plaisanterie incongrue, trop vaste pour être circonscrite dans le labyrinthe étroit de notre compréhension. On sentirait la chute valser dans notre tête, avec des sons de clavecin, et, au bord du gouffre, on se laisserait aller à tituber pendant des siècles…

Je m'effondre, mon amour, j'aurais voulu ne pas te tuer pour que tu me rattrapes dans tes bras et que tu me baises jusqu'à l'infini, tu sais comme j'aime te chuchoter ce genre d'injonction, la nuit tombée, en mordillant ton oreille avant de t'assommer à l'aide du premier objet qui se trouve à portée de la main… Adorablement malade, des orgues plein la tête, je te laisserais dériver sur mon corps jusqu'à ce que la louve en ait assez… le reste, tu l'as déjà vécu, alors à quoi bon revenir là-dessus ?

Je referme les bras sur une dernière image, celle d'Adèle en train de tendre la main vers la bouteille d'alcool illustré. Je souris : après tout, cette mégère sait profiter des bons côtés de la vie…

4 : Une plage entourée par deux agonies

D'attrayantes perspectives agrémentent la longue marche que j'ai entreprise vers la maison de mon amante spirite. Salomé sait toujours quand j'irai la visiter – elle m'attend, appuyée contre le chambranle de la grande fenêtre sans vitre qui permet aux rayons du soleil de dorer sa silhouette. Chaque fois, elle adopte la même posture : elle est nue, sa main gauche nonchalamment posée sur son épaule. J'ai plaisir à voir son visage pur, qui accentue le délabrement de sa maison envahie par la poussière et les gravats. En ma présence, elle se plaît à évoluer dans cette demeure qui tombe en ruines, prenant des poses théâtrales dans les grandes pièces vides, se jetant sur l'unique matelas posé à même le sol, au milieu du salon dont les murs blanchis à la chaux ont quelque chose d'hivernal. La porte d'entrée tient à peine sur ses gonds. Si on l'ouvrait trop brusquement, elle tomberait par terre. Salomé n'a pas peur d'habiter là, elle prétend, pleine d'assurance, que « rien ne peut lui arriver ».

Salomé a les cheveux châtains et les yeux verts. Son regard est fixe, mais, par-delà sa fixité, il m'adresse une étrange invitation, faite de désir retenu et de mystère. Sous mes lèvres, ses lèvres sont roses et délicates. Sous mes mains, ses seins sont bombés, ils épousent parfaitement mes paumes. Des taches de rousseur constellent sa peau, entre sa poitrine et son cou. J'aime lécher ces taches en rêvant d'absorber l'âme de Salomé. Alors, elle adore se caresser, sur ce matelas usé, tout en me couvant d'un regard rêveur. Elle attend que je m'occupe d'elle.

Je sais qu'elle m'accueillera sans dire un mot, jamais un mot n'est prononcé entre nous. Elle se couchera sur moi, toujours en silence, guidant ma main entre ses cuisses. Puis, elle se laissera combler en haletant, les lèvres contre mon oreille. De temps en temps, j'entendrai quelques mots vaguement obscènes, quelques propositions, mais je les aurai sûrement imaginés. Ses pensées, elles, n'auront rien d'irrésolu, car, soudain prise d'une fureur insoupçonnable jusque-là, elle me retournera pour me plaquer presque avec brutalité contre le matelas. Sa langue dans mon cou ne manquera pas de folie, et, bientôt, je la sentirai entre mes jambes, chaude et forte. Ses mouvements seront précis ; elle sait ce que j'attends d'elle. Surtout, ce sera long, j'en profiterai pour la toucher partout. Sa peau carbonisera mes doigts, qui croiseront souvent les siens, nos doigts s'effleurent et nos fluides se mêlent.

Salomé, tu m'attends, chaque pas me rapproche de toi. Épuise-moi et jette ta terre natale sur le vide dans lequel je m'engouffre de plus en plus, jour après jour.

J'ai perdu la notion du temps. Je l'avais pourtant avec moi, quand je suis arrivée chez Salomé, mais je l'ai égarée en me dévêtant. Ensuite, je l'ai oubliée là-bas. C'est comme ça que trop de tragédies commencent...

Chaque fois que je passe des heures avec mon amante, quelque chose se dérègle. Je me sens hors de mon corps, hors du temps, un pied à l'intérieur du cercle, l'autre à l'extérieur. Par miracle, je parviens à ne pas me dissoudre dans l'abîme…

Dissociée, instable sur des jambes tremblantes, je reviens vers le manoir. Salomé, toi, mon ombre et mon méridien, tu as su me purifier de mes dégoûts, me prendre par la main pour me conduire en marge. Je comprends pourquoi tu n'accordes aucune importance à ta maison : ta seule présence suffit à la transcender, tu rayonnes tant qu'il te suffit d'entrer dans une pièce pour la transformer.

J'ai encore sur ma langue le goût de ton corps, je ne cesse de le ressasser en espérant mourir avec cette saveur dans la bouche. Je me demande parfois si je ne suis pas amoureuse de toi, Salomé… Dommage que nos univers soient inconciliables : le tien, peuplé de fantômes ; le mien, trop vivant pour toi. Si je dérivais trop souvent en ta présence, je finirais par m'étioler, tu me viderais de ma substance. Tu n'en serais que plus adorable, mais je ne pousse pas la servitude jusque-là. Je dois exister, encore et encore. Il est trop tôt pour me rendre, même si tes dons illumineraient cette reddition.

Il nous aura au moins été donné de croiser nos parallèles de temps en temps, quand je n'en peux plus, quand l'urgence se fait trop forte. Ça, je peux le supporter sans danger, ça m'est même nécessaire.

Chacun de mes pas vers le manoir crève la bulle cristalline dans laquelle j'évolue. Je sens une main douce frôler mon flanc, c'est toi, mon amour vent ? Toi qui tentes de me réconforter d'une caresse mouillée de larmes ? Je te reviens, fièrement infidèle, mais tu sais que je t'appartiens plus souvent qu'à Salomé. Que tentes-tu de me faire comprendre ? Qu'Adèle m'attend, Adèle et d'autres surprises, là-bas, au manoir ? Tu veux être le témoin des événements qui surviendront, tu veux te glisser, invisible, dans chaque pièce, pour en surprendre les secrets, les mondes qui s'inventent, en permanence entre deux possibles, immatériels et pourtant tangibles…

Poser un pas après l'autre, malgré l'arrachement, malgré mes larmes, maintenant, qui se mêlent aux tiennes et que tu voudrais assécher sans que je m'en aperçoive. Sois calme, comme moi. Je sens un trou dans mon cœur, certes, mais je le colmaterai, ce n'est ni le premier ni le dernier, et entre le monde et moi, il y aura toujours assez de fantasmagories pour que je puisse me tailler un manteau protecteur dans l'étoffe du mystère…

Plus cornue que jamais, Adèle incarnerait à merveille un modèle de damné pour quelque peintre désireux de représenter les effets de l'Enfer aux pécheurs impressionnables. Son teint verdâtre me rappelle la lueur qui découpe les pectoraux de Jim, dans sa cellule.

Ses traits sont si tirés qu'il suffirait qu'elle pose la main sur sa joue pour s'arracher le visage. Sous ses doigts, il aurait la texture du gruau. Cette idée me plaît. Je la range dans ma tête, afin de pouvoir la ressortir, un jour de spleen.

— Tu as faim ?

Elle me jette un regard dont même un mendiant ne voudrait pas. C'est visible : elle est dégoûtée.

— Tu veux que je te jette dehors ? Il y a de gros chiens qui t'attendent pour te manger. Ils ont faim, eux.

J'ai lancé ces phrases pour qu'elle y suspende sa lassitude, mais elle laisse passer le filet sans s'y prendre. Elle est si corrodée que même l'humour acide ne peut la défigurer davantage.

J'ai été patiente jusqu'à maintenant, mais mon stoïcisme n'est pas celui des martyrs. Je m'approche d'elle et lui touche le front. Il est plus ferme que je ne l'aurais cru. Impossible de traverser les os pour m'emparer de son cerveau et le lancer contre le mur. Dommage ! J'aurais pu le regarder glisser par terre, en compagnie d'une Adèle décérébrée dont les facultés intellectuelles réduites à néant auraient au moins justifié l'apathie.

— Adèle, il faudrait que tu manges et que tu boives. Je t'assure, c'est le meilleur remède pour te remettre. Ensuite, on pourra recommencer comme hier.

Sa voix tombe en morceaux quand elle répond :

— Je ne veux pas manger. Suis malade. Laisse-moi tranquille.

Adèle, sa constante autorité, son habitude de donner des ordres. Ma patience clignote, proche de s'éteindre.

Je regarde la table. Adèle n'a pas touché à beaucoup d'aliments. Leurs vertus fascinantes devraient pourtant lui plaire. Je m'empare d'une garance. Cette plante produit un effet réconfortant, en cas de maladie et de malaise. Je tends la garance à mon hôte : pas question d'en tirer une décoction, il faut la consommer telle quelle.

— Tiens, mange ça !

Elle repousse ma main, excédée.

— Tiens, mange ça !

Elle repousse encore ma main. Un pan de ma gentillesse s'éloigne, déplacé par son geste. Je ne le retiendrai pas.

— Adèle, tu vas m'obéir et manger ça.

Mon ton rend toute protestation impossible. Il est incassable. N'importe quelle résistance s'y heurterait. J'aperçois des larmes couler sur les jours d'Adèle, sur ses joues aussi. Elle me fait l'effet d'une vieillarde couchée dans son lit de mort, pleurant devant l'ingratitude de sa progéniture qui attend qu'elle crève pour toucher l'héritage. Son sentiment doit être un mélange d'effroi, d'impuissance et de tristesse. Puisque les libations de la nuit dernière ont épuisé les forces de la mère maquerelle, il lui reste un choix : ou elle se soumet, ou je lui enfourne de force la garance jusqu'au gosier.

Après s'être essuyé le visage d'une main tremblante, Adèle porte la plante à sa bouche, non sans avoir essayé de m'attendrir en me décochant un œil réprobateur. Mauvaise idée : j'aime beaucoup les yeux réprobateurs, j'en ai d'ailleurs une jolie collection que j'ai mise sous verre, pour la protéger. Je la garde dans une pièce adjacente à ma salle mathématique.

Adèle grimace – toujours cette expressivité qui fait d'elle la candidate rêvée pour mon théâtre fixe. J'encourage la malade à poursuivre sa dégustation forcée. D'ici dix minutes, elle me remerciera. Le problème, c'est que je n'ai pas envie de patienter aussi longtemps, alors je me demande si tu ne pourrais pas m'épargner cette attente. Tu avais, je crois, des facultés de ce genre, jadis, non ? Ou alors je me trompe sur ton compte ? Je te confonds peut-être avec ce colporteur dont je t'ai parlé, celui qui vendait d'étranges objets triangulaires. Ce que je ne t'ai pas dit, c'est que sa valise était remplie d'autres babioles, dont l'une avait la possibilité d'accélérer les moments ennuyeux. Il la recommandait aux diplomates qui devaient se rendre dans des réceptions fastidieuses, aux hommes d'affaire qui détestaient jouer au golf, mais que leur profession forçait à pratiquer ce sport. J'aimerais savoir où ce colporteur s'approvisionnait, mais, malheureusement, son cadavre a servi à enrichir mon mortier, quand j'ai dû me livrer à certains travaux de réfection, à l'étage. Je n'ai pas eu de choix : c'était ça, ou j'habitais dans un endroit laid et en mauvais état. Dommage que j'aie épuisé le contenu de sa valise depuis longtemps.

Me voilà donc seule, dans le manoir, avec une vieille cornue et malade.

Je vais fermer ma pensée.

5 : Le mot « limite »
n'aura plus de sens

Rassure-toi : tu n'as pas manqué d'événements importants. Très vite, Adèle a retrouvé le sourire, un sourire retors. Elle a voulu prendre un bain, je l'ai envoyée au fond du couloir. Je me suis restaurée et je suis allée dans ma chambre pour me changer. J'étais fatiguée des cuissardes et du reste.

J'ai choisi une longue robe décolletée. J'ai l'impression d'être un roseau d'étang qui marche, un roseau sorti des ténèbres. Le jour où tu poseras ta main sur moi, ton sang se changera en anthracite liquide. Alors, tu mourras une deuxième fois, en suffoquant, et on te trouvera, calciné de l'intérieur, sans comprendre comment tu as péri.

La brosse à monture d'ivoire erre dans ma chevelure solaire. Elle s'y perd, hésite, surgit, disparaît et revient. Les mouvements sont aquatiques, réguliers comme la pluie, insaisissables comme l'eau dans les mains d'un baigneur. Je ferme les yeux en m'abandonnant à ce rituel quotidien, mes épaules s'allègent, et mon souffle s'apaise.

Je m'immobilise en silence pendant quelques instants, puis…

Un regard dans le miroir. Souris, ma fée ! Le diable t'aime…

Leste, je m'avance dans le couloir muet. Bonjour, général Marcel. Comment allez-vous ? Voyez-vous comme moi la clarté qui enflamme le corridor ? Seuls ceux qui le méritent peuvent la percevoir. Vos lèvres s'étirent en un sourire de vacancier. Il me semble que votre teint s'apparente à celui d'un touriste égaré depuis des jours sur une plage sans fin. Sans trop hésiter, j'irais la parcourir avec vous si vous me le demandiez, mais je vous sais réservé...

Permettez-moi de poser un chaste baiser sur votre joue peinte, cher général. Je ferme les yeux sur votre image pour mieux m'en imprégner et l'imprimer dans ma mémoire. Voilà ! Vous y êtes conservé à jamais.

Après avoir rempli deux bols d'eau et un plat de fruits, je descends au sous-sol. Clé, pêne, gâche et gâchis. Il n'a pas fière allure, ce prisonnier verdâtre. Ses chaînes, plutôt longues, lui permettent au moins une liberté de mouvement convenable. En ce moment, Jim est assis contre le mur, renfrogné. Son expression change lorsqu'il m'aperçoit. Il ne m'étonne pas en commençant à protester, exigeant d'être libéré. Sans dire un mot, j'écoute ces ordres, chérissant leur absurdité, par ailleurs loin d'être exotique en ces lieux.

Je referme ensuite la lourde porte, en emportant l'un des deux seaux hygiéniques. J'aviserai plus tard. Je solliciterai l'avis d'Adèle, non pas que j'en aie besoin, mais pour mieux l'évaluer par rapport à sa capacité de proposer des solutions originales.

Je m'installe au soleil, un livre à la main, le *Manuel des horribles lambris*. L'auteur de cette monographie divertissante a passé des années à étudier les revêtements des maisons hantées, afin de mesurer leur taux d'irradiation maléfique et d'évaluer la part active qu'ils prennent dans l'épouvante qui règne sur les lieux dont ils font partie. Dans ma tête, un pianiste de jazz joue une bossa-nova.

Je suis concentrée, plongée dans ma lecture depuis un long moment, au point d'avoir de l'eau de mer partout sur le corps lorsque Adèle surgit, un insolent cigare pointé vers moi. L'odeur boisée m'emprisonne entre des troncs imaginaires. Cette forêt me donne faim : il sera bientôt temps de nous restaurer.

Appuyée contre le mur du manoir, derrière moi, Adèle fume en regardant le ciel. Ses cornes ont disparu, elle a de nouveau sa coiffure en vagues figées. Elle ne m'a pas remerciée pour mon remède. C'est grâce à mes soins, pourtant, qu'elle peut ainsi profiter du paysage. Sans mon intervention, elle serait encore souffrante, malade des excès de la veille, excès qui recommenceront dès ce soir.

— As-tu faim ?

— Un peu, mais j'aimerais d'abord aller me promener, répond Adèle.

— Vas-y.

Après avoir posé le livre sur le sol, je m'étends sur ma chaise longue, les yeux fermés. Le soleil fera le reste. Je souhaite qu'il m'inspire des rêves d'apocalypse. Tu le savais, toi, que, d'ici des milliards d'années, le diamètre du soleil se sera multiplié par cent et que la Terre ne sera plus qu'un vaste désert, un immense four ? Je voudrais me réveiller à ce moment-là, et, vêtue d'une combinaison spéciale, fouler un sol brûlant jonché de crânes blanchis. Il me semble que mon appétit de nihilisme serait comblé. Pour l'instant, mes rêves s'en chargent. Puissent-ils être âpres et sans concessions !

L'obscurité a plaqué son encre solidifiée contre les vitres. J'ai allumé les chandelles noires en sifflotant le *dies irae*. Je te l'aurais dédié, mais tu n'étais pas là pour l'entendre.

Adèle fume sans toucher à son assiette. Je ne la savais pas ascète.

— Tu te flagelles aussi, de temps en temps ?

Elle lève les yeux vers moi, intriguée, mais moins surprise que je ne l'aurais voulu. Elle s'habitue. Cette idée me déplaît. L'habitude, c'est l'ennui.

— Non. Pourquoi ?

— Je t'offre un bon repas, constitué d'une nourriture rare et de boissons uniques. Tu fumes sans prendre quoi que ce soit, sans m'adresser la parole. J'ai pensé que tu t'exerçais en vue de ton ordination prochaine.

— Je n'ai pas très faim.

Sa voix et son visage ne manifestent aucune émotion.

— Tu as peur des effets, c'est ça ? Pourtant, je t'ai bien montré, aujourd'hui, que j'avais des remèdes, si jamais c'était nécessaire.

Adèle ne répond pas, concentrée sur son cigare.

D'un bond, je me lève, marche jusqu'à elle, le lui arrache et le lance au loin.

— Maintenant, tu as faim ? Qu'est-ce que tu bois ?

Inexpressive – mais soumise –, elle tend la main vers l'alcool illustré. J'en verse dans sa coupe. Elle la laisse devant elle.

— Bois.

Elle trempe ses lèvres. Elle mériterait que je lui donne à boire cette fameuse eau piquante qui fait hurler mes invités. Soyons clémente, pour le moment.

— Bois plus.

Elle obéit. Je souris. Nous y venons enfin ! Pour fêter cela, je me verse du vin de sable. C'est encore ce que je préfère pour accompagner un bon repas. Aujourd'hui, je ne me suis pas autant souciée de préparatifs qu'hier. C'est mon ordinaire, un ordinaire extraordinaire, les mêmes fruits et légumes, les mêmes aliments naturels, froids ou chauds. À ce propos, les propriétés thermiques de certains aliments surprennent parfois mes invités. J'ai beau leur dire qu'avoir un four est inutile, ici, ils en doutent jusqu'à ce qu'ils soient forcés de le constater.

Adèle prend un pain. Je les cueille chaque semaine dans l'une des cellules : ils poussent sur les murs, il suffit de tirer sur eux pour les extraire, à la manière de champignons qu'on arracherait à la terre. Ils n'ont pas de vertus particulières, mais ils accompagnent agréablement les repas.

Je souris à mon hôte, dont la bonne volonté (la soumission ?) me réjouit. Nous trinquons à quelques reprises : ses joues se colorent – fraise, ma fraise, je voudrais te mordre –, sa coiffure s'affaisse, sa posture se ramollit ; voilà comment je l'aime, cornue et inconvenante. Je ne sais pas si elle s'en est rendu compte, mais, tout à l'heure, elle a failli mourir à cause de ses refus. Je ne reçois pas des gens afin qu'ils m'ennuient en guise de récompense pour mes efforts…

Après un moment passé en discussions oiseuses et en chants d'oiseaux, Adèle revient à la charge. Depuis qu'elle est arrivée ici, une seule idée la préoccupe, ce qui explique pourquoi elle semble si distante : elle est en exil dans ses pensées, se projetant déjà dans le monde idéal qu'elle souhaite construire avec mon aide.

— As-tu pensé à ma proposition d'hier ? demande-t-elle sans préambule. Je suis comme toi : je m'ennuie quand je ne fais rien. On pourrait mettre un peu de vie dans ton manoir. On gagnerait aussi de bonnes sommes d'argent. Si un jour tu en as assez, on se séparera les montants gagnés, et je te laisserai tranquille.

Elle pourrait se montrer plus subtile ! On voit bien qu'elle a trop mangé de fruits bleus ! Son intention transparaît : se refaire une petite fortune grâce à moi et ensuite me plaquer afin de se lancer à son propre compte avec son pécule. Néanmoins, je feins la naïveté en répondant :

— Oui. Je te l'ai dit : ça pourrait être amusant, mais je veux des détails.

— C'est simple : on doit d'abord recruter des femmes... et des hommes. Il sera important de bien les choisir, mais j'ai l'habitude. Je sais ce que les clients veulent, je m'y connais en lingerie, je suis capable de distinguer les menteuses des filles honnêtes et, surtout, j'ai de l'expérience. Avec moi, les choses se passent comme elles doivent.

— Et on les recrute où, ces gens ?

— Les cabarets, les boîtes à strip-tease, les tavernes, les théâtres populaires, les quartiers chauds...De toute façon, pour commencer, on n'aura pas besoin de cinquante employés.

— Il n'y a pas de boîtes à strip-tease dans le coin. Je le saurais ! En plus, je n'ai pas envie de trop m'éloigner du manoir, ça m'épuise. Je dois rester ici. J'accepte quand même de t'accompagner pour recruter une ou deux filles au Cabaret des requins. Ce n'est pas trop loin, et on ne serait pas parties longtemps. On pourrait profiter de l'occasion pour trouver un ou deux clients, histoire de faire un essai. Jim pourrait aussi en bénéficier, à moins que je décide de l'empoisonner dans les prochaines heures. Si ça se passe bien, il faudrait ensuite trouver d'autres filles…

— Mon amie Marthe peut s'en occuper, si tu acceptes qu'elle habite avec nous ensuite. Tu sais, je t'ai parlé d'elle hier. Elle a envie d'une vie retirée, sans problèmes. Elle s'arrangera pour contacter des filles et les emmener ici.

— Bonne idée. Si elle veut nous emmener d'autre monde des grandes villes, je n'ai rien contre. Une rabatteuse, c'est utile. Ta publicité, tu la faisais comment ?

— Tu te doutes bien qu'on ne place pas d'affiches géantes… Il y a des codes, des annonces subtiles, dans les journaux… puis, en se promenant dans les boîtes de nuit, il est facile de repérer des clients qui ont de l'argent et de la classe. Ceux-là, ils ont parfois des goûts compliqués, mais, en général, je parviens à satisfaire tout mon monde.

Cette discussion me laisse pensive. Ce qu'Adèle ne sait pas, ce qu'Adèle ne saura pas, c'est qu'on ne trouve pas mon manoir par hasard. Si je le voulais, personne ne viendrait chez moi, jamais. Pour qu'on arrive ici, il faut d'abord que je le permette, que je le souhaite. Un blocage sélectif me permettra d'éviter les indésirables : plaisantins, escrocs, aventuriers, maîtres chanteurs et autres filous. Leur compagnie me plaît, de temps en temps, mais s'ils sont trop nombreux, ils deviennent difficiles à contrôler.

Cela dit, la pointe de l'iceberg me séduit beaucoup. Au sein de la pagaille à venir, je saurai tirer mon épingle du feu, de sorte que mon incendie ne manquera pas de piquant. Déjà, je m'imagine en héroïne masquée et énigmatique, me faufilant dans les coulisses du Cabaret des requins. Dans la main, je tiens une fiole remplie de cet aphrodisiaque incolore, inodore et dépourvu de saveur dont je t'ai déjà parlé… J'en ai assez pour atteindre le résultat que j'imagine : plonger le manoir dans une immense bacchanale, une fête rouge et démentielle. Ce sera une cérémonie transitoire, une fête de passage entre deux règnes. Quand j'en aurai assez, j'y convierai Salomé. Alors, tous mourront dans l'extase, et je pourrai passer à l'étape suivante de mon existence. *Exit*, Adèle et Marthe ; *exit*, libertins et libertines.

Un autre rêve commencera, un autre rêve dans lequel j'aurai vaincu le spleen dont je souffre depuis un moment. Ensuite, je serai neuve, prête à te recevoir, à t'attendre si tu désirais mourir une deuxième fois. Ton sang baptiserait ma nouvelle vie. Compte tenu de ta fidélité, tu mérites cet honneur, non ? Tu te rappelles quand j'entaillais tes veines parce que je n'avais plus de grenadine ?

En souvenir de cette époque, je coupe mes pensées en cubes. Ces cubes sont ensuite placés dans une grille qui me permet de les regarder comme si je les survolais. Tous les cubes sont semblables, parfaitement carrés, aucun d'entre eux ne dépasse de mon schéma mental.

— D'accord, Adèle. Tu finis ta lettre à Marthe, tu lui dis de venir ici.

— Tu as l'adresse ?

— Il n'y a pas d'adresse. Donne-lui simplement le parcours que tu as suivi pour arriver chez moi.

— Mais je me suis perdue !

Patiemment, j'explique à Adèle comment se rendre chez moi, à partir d'Alkenraüne.

En m'écoutant, la diablesse prend un cigare dans sa poche. À l'aide d'un petit instrument tranchant, elle en coupe le bout, avant de l'allumer. Sur son visage, la béatitude succède à la perplexité. Je la préférais perplexe. C'était plus nuancé, plus intéressant à regarder. Au moins, je sais qu'elle obéira ; j'aime plier les métaux durs. Je me demande comment sa correspondante réagira. Si les deux femmes sont unies par un lien d'amitié aussi fort qu'Adèle le croit, Marthe n'hésitera pas à venir ici.

La paraffine d'une idée fond sur mes pensées.

— Écris-lui maintenant. Je ne veux pas perdre de temps. Et fais vite !

Satisfaite par mon approbation, Adèle prend le crayon que je lui tends et obéit. Je m'occupe en songeant aux événements qui prendront place ici, sous peu, mais il n'est pas question que je t'en parle, pour l'instant. Je veux aussi te réserver quelques surprises…

Adèle a enfin terminé sa lettre. Elle me l'a lue (tu l'as entendue, tout comme moi), le résultat me convient.

Je décide de fêter l'occasion en portant un toast. Nous entrechoquons nos deux verres.

Du vin de sable, du vin de sable et du vin de sable. Plus diablesse que jamais, Adèle rougeoie, femme-braise au futur de suie.

Tout à coup, je me lève, abattant mes cartes à défaut d'abattre Marthe (ce sera plus tard).

— On y va !

— Où ?

— Au Cabaret des requins !

Une lueur subite sème le désordre dans les prunelles de mon hôte. Elle ne pensait pas que nous agirions ce soir. C'est comme ça. Parfois, je n'aime pas attendre. Je n'ai pas voulu en parler plus tôt à la vieille, de peur qu'elle refuse de festoyer avec moi. Comme je le supposais, Adèle proteste. Montée sur des ressorts verbaux, elle parle très vite, d'une voix bizarrement aiguë. Sans l'écouter, je bois quelques gorgées de vin de sable, avant de lui suggérer :

— Tu devrais faire comme moi !

Elle se tait, prend soudain la bouteille et boit au goulot. Elle la repose ensuite d'un geste brusque, en cognant le fond de la bouteille contre la table. Le choc est d'une telle force que je n'aurais pas été surprise que le verre éclate en morceaux. Hélas ! rien de tel ne se produit, mais cette manœuvre éclabousse néanmoins le visage de la diablesse, qui reçoit du vin sur le menton. D'un geste mâle, elle l'éponge à l'aide de sa manche, avant de répondre :

— C'est d'accord. On y va.

Je dois admettre mon étonnement. Toi, es-tu surpris ? Prévoyais-tu, comme moi, des contestations, des plaintes que j'aurais dû essuyer d'un chiffon menaçant, sur lequel j'aurais écrit : « Obéis, sinon le manoir ne deviendra pas une maison close » ?

Au lieu de m'affronter, Adèle capitule sans combattre ! A-t-elle peur ? Elle commence à me connaître, elle a dû songer, tout à coup, que résister serait inutile, puisque c'est chez moi que son projet doit avoir lieu. Tu penses aussi que, tout à coup frappée par la lucidité, elle a décidé de cheminer avec moi, désormais complice de mon parcours, au lieu d'être une comparse qui s'agite en vain sur une route parallèle ? Ses cornes sont de bon augure. Si elle est capable de modeler les filles pour qu'elles se soumettent à sa personnalité, je peux en faire autant avec elle. Je serai la marionnettiste qui dirige la marionnettiste. Commençons par l'instruire :

— As-tu regardé dans la penderie ? Il y a beaucoup de vêtements. Je te suggère de te changer. Porte quelque chose de neutre, qui n'attire pas l'attention. On va chercher des filles, il ne faudrait pas qu'on s'intéresse à nous. Tu trouveras des enveloppes timbrées dans la table de nuit. Prends-en une, pour la lettre, on en profitera pour la poster là-bas.

Chandeliers en main, nous nous rendons à l'étage, cette gueule d'ombre.

Je la laisse se rendre à sa chambre, je suis seule derrière elle, happée par les ténèbres, devant le général Marcel. Il dort. Pas moyen d'en savoir plus. Tant pis ! Pendant quelques secondes, je savoure l'étreinte de la noirceur, m'emplissant les veines de nuit, faisant provision de pensées inavouables. À première vue, le silence du couloir correspond à son obscurité, mais puisque je me sens apaisée, mon calme l'irrigue d'une lumière estivale qui me rappelle celle que j'ai jadis savourée dans l'île de Madère, entre deux promenades paradisiaques et trois expériences mystiques, des lézards couchés sur mon épaule.

Une fois rassasiée, je marche jusqu'à ma chambre.

Regarde comment je vais me donner une allure banale et fade. Si le maquillage peut mettre en valeur des traits ingrats, il peut aussi enlaidir un beau visage. Mettons un peu de poudre ici, un mascara maladroit ailleurs, un fond de teint blafard et un rouge pâle sur les lèvres. J'éprouve un certain plaisir à me dissimuler, amusée à l'idée de cette tromperie peu fréquente, contrairement à son opposée, si commune. Il me coûte de quitter ma robe décolletée, mais elle épousera mon corps assez tôt. J'ai mes plans ; ils balisent la déviation que je me force à suivre. Puisque nous allons dans le monde, l'heure est désormais au conformisme.

Prise d'une excitation grandissante, je veux m'en aller le plus vite possible, partir à l'aventure. Je me sens deux fois grisée, par le vin de sable et par la certitude de mettre enfin *un terme à cette inaction qui me paralyse*. Mes veines se resserrent sur mon sang, la sensation de pression augmente, proche de l'éclatement. Agitée, je choisis la première banalité qui me tombe sous la main : un chemisier crème et une jupe austère, beige. J'ai attaché mes cheveux, en espérant ressembler à une maîtresse d'école revêche.

Un regard dans le miroir. Souris, tu es moche. Moche comme Jim, que je vais visiter brièvement dans sa cellule. Comme à un bon chien, je lui laisse deux bols d'eau qui contiennent une bonne dose d'aphrodisiaque. Il sera prêt à nous recevoir, au retour de notre expédition au Cabaret des requins… Dès qu'il me voit, il proteste, me menace, se lamente, sans que je lui accorde un regard ou une parole. J'ai bientôt enfermé ses vociférations à clé.

Me revoilà dans le couloir sombre et silencieux. Je monte au rez-de-chaussée, m'arrêtant pour contempler les tentures noires qui ornent les murs, à la fois mortuaires et élégantes. Je me rends ensuite dans la salle à manger pour attendre Adèle en méditant. Dis-moi, comment me trouves-tu ? Est-ce que je t'aurais séduit, si je t'avais accueilli comme ça, jadis ? Aurais-tu autant perdu la tête ? C'est pour cette raison que je t'ai décapité après ta mort, tu sais, je trouvais que ça conférait une finale symbolique à notre relation. Jusqu'au bout, tu auras basculé.

Lorsque Adèle survient, je viens de boire de l'alcool des marais. Enlisée dans mon engourdissement, la langue pâteuse et les mouvements pénibles, je la vois arriver au ralenti, absurde dans sa lenteur.

La diablesse a investi le couvent. Adèle ressemble à une religieuse ! Elle a choisi une robe noire d'une sobriété à faire pleurer. Ses longs plis emprisonnent son corps comme autant de barreaux, et le tablier relevé qui fleurit sur sa poitrine achève de sonner le glas. Pour couronner le tout d'épines, un cordon blanc entoure la taille de la mère maquerelle. À moins d'avoir un fétichisme pour les nonnes très âgées, je vois mal comment un homme pourrait s'intéresser à la vieille. À la rigueur, son austérité risque de la faire remarquer...

Toujours au ralenti, je lève un doigt hésitant vers Adèle. Un sourire déliquescent étire mes lèvres, sans se presser. J'éclate de rire à retardement, un rire profond, grave. Le démon doit rire de cette manière quand il contemple, du fond des Enfers, les abominations qui souillent le globe abject sur lequel nous nous perdons de plus en plus chaque jour.

Enjambant cette hilarité sans y toucher, la mère maquerelle me parle, mais ses paroles sont énormes ! Les mots qu'elle emploie sont si longs que je ne parviens pas à les décoder ; où commencent-ils, où finissent-ils ? C'est l'abîme de part et d'autre.

De plus, je visualise ce lettrage imposant qu'elle utilise pour s'exprimer, de grosses lettres noires et gothiques qui n'auraient pas déparé un livre d'heures. Je voudrais demander à mon hôte de se taire, de patienter, mais le délai entre la volonté et la parole s'est accru.

J'ouvre la bouche, un son traînant rampe entre mes dents pour s'échouer contre le mur du silence. Il s'y écrase dans un bruit flasque. Un autre rire prolongé le suit. Ensuite, dans un mouvement tranquille, je tente de m'adosser au dossier de mon fauteuil. Des kilomètres m'en séparent, qu'il me faut parcourir un à un.

Il y a longtemps qu'Adèle est là, en train de me regarder ? Tu me dis, je pense, qu'elle existait déjà à l'époque des pyramides, qu'elle a même assisté à la construction des statues de l'Île de Pâques en conservant cette attitude solidifiée, les bras croisés contre la poitrine, sœur Adèle, immuable, figée dans une posture qui me rappelle la femme de Loth. Adèle, statue de sel, tout s'éclaire maintenant. Depuis des siècles, je n'ai pas bougé, paralysée dans ce manoir, m'inventant un monde afin de ne pas devenir folle.

Toutes deux, nous sommes des statues condamnées à nous contempler jusqu'à la fin des temps : moi, immobilisée dans un mouvement impossible à terminer ; elle, la bouche ouverte sur un commentaire informulé, les mêmes paroles géantes au bord des lèvres, avec ce même lettrage gothique, ces lettres aux aspérités tranchantes, sur le relief desquelles un lecteur imprudent pourrait se couper.

Ma pensée se ralentit maintenant, elle correspondra bientôt à mon corps, gisante, vide. Le temps n'aura plus d'emprise, c'était ce que je voulais. Personne ne franchit plus le seuil du manoir sans être privé de mouvement, prisonnier de cet univers immuable. J'y vois un préambule à la grande brûlure solaire, celle dont je te parlais tout à l'heure, qui surviendra quand la terre ne sera qu'un désert calciné.

Ma joue brûle. Je crois qu'elle fond.

Tout à coup, le mouvement reprend son cours, je sens craquer l'image, la fixité n'est plus. Une chaleur lancinante continue d'élancer ma joue : Adèle m'a giflée. J'ai vu la paume me frapper. Maintenant, Adèle se tient debout devant moi, la tête penchée vers la gauche, à la manière de certains animaux lorsqu'on leur parle.

Bien sûr, elle prétendra que c'était pour m'arracher à mon hébétude, mais je sais qu'elle y a pris beaucoup de plaisir. C'est équitable, je suppose, vu le plaisir que je prendrai moi-même à la sacrifier, dans un futur à déterminer.

— Qu'est-ce que tu as ? demande-t-elle, énergique.

— J'ai bu trop d'alcool des marais, mais ça va, maintenant. Je m'ennuyais, j'ai voulu me divertir. Tu n'avais pas besoin de me frapper : les effets de cet alcool-là ne durent jamais longtemps. Tu t'en souviendras à l'avenir.

Ce n'est pas un ordre, c'est une affirmation. Affirmer, c'est plus fort qu'ordonner. C'est dire : « Cela est », au lieu de « cela sera ». J'affirme donc.

Je contemple Adèle de la tête aux pieds. Il ne manque décidément que la coiffe, la croix et le voile pour compléter le tableau, une icône édifiante. Sans ces éléments, mon alliée ressemble à un chaperon prude. Si tout se passe bien, on nous prendra pour une fille et sa mère. Rien en nous n'attire l'attention, et les clients qui fréquentent le Cabaret des requins ont d'autres centres d'intérêt : leur propre plaisir, l'alcool, les filles, les chansons, les amis.

Je passe une main moite sur mon front. Il fait chaud. J'espère que nous n'aurons pas à souffrir de la chaleur pendant le trajet. Je m'en ouvre à Adèle.

— Ça ira, dit la vieille.

Je lui tends un sac muni d'une courroie, que j'ai pris dans la chambre, pour elle. J'ai le mien. J'y ai mis de l'argent et des fioles d'alcools spéciaux qui devraient rendre le trajet plus agréable. J'ai aussi pris soin d'y ajouter un flacon d'aphrodisiaque qu'elle devra utiliser pour convaincre sa proie de venir au manoir avec nous. En verser le contenu dans le verre de sa victime ne devrait pas être compliqué.

— Tu es prête ?

Elle acquiesce. En route, alors !

6 : La mendiante qui voulait qu'on la frappe

Voilà un moment que nous avançons sans un mot, en direction du village voisin, qu'il nous faudra traverser avant d'atteindre le bourg suivant, Alkenraünc. Des oiseaux nocturnes piquent le silence d'interventions subites et bizarres. Tout autour de moi, je sens une présence que je ne saurais qualifier. Elle a quelque chose de féerique et d'immonde à la fois, mirage faisandé qui ne demande qu'à céder sous nos pas.

À la dérobée, j'observe Adèle. Massive, elle ahane sans dire un mot. Son attitude de cheval me donne envie de m'installer sur son dos et de me laisser porter. Malgré son souffle court, elle fonce dans la nuit, son corps est un grand couteau qui dépèce les ténèbres et les laisse inertes, le long du chemin. J'en ramasse quelques morceaux de temps en temps : j'en ferai une infusion.

Je fouille dans mon sac, j'y prends une fiole de vin de sable condensé. Une gorgée équivaut à un quart de bouteille ordinaire. C'est bon !

— Tu en veux, Adèle ?

La vieille s'empare du contenant.

— Fais attention, c'est très fort.

Elle arrête son geste et tient compte de la recommandation. Après avoir bu, elle s'essuie les lèvres, me redonne la bouteille et s'immobilise. Quoi ? Elle veut déjà se reposer ?

Non, elle a besoin de stimulant. Cigare, décapitation, feu ! La voilà qui fume encore l'un de ces
cylindres dont l'odeur boisée absorbe les fragran-
ces nocturnes qui m'enchantaient jusque-là.

La chaleur liquide continue de me donner l'impression d'être une nageuse en train d'avancer à
la verticale dans une piscine trop chaude. Ça me
donne soif, je dois être prudente, je me sens déjà
grisée. À côté de nous, de grandes étendues
d'herbe se dressent vers la lune. Il ne faut pas quitter la route, ce pré a des propriétés imprévisibles.
À l'époque où j'avais un chien, il s'était mis à y
courir, se roulant par terre, surexcité. Ce pauvre
Vil était revenu dans un état inexplicable : sa sensibilité était maintenant telle qu'un effleurement lui
faisait pousser des hurlements de douleur. Peu de
temps après, il était devenu sourd, muet, aveugle,
insensible, perdant ses poils. Sa chair avait pris
une méchante coloration rougeâtre, et d'étranges
parasites l'infestaient, des parasites pourvus de
pinces qui entraient dans ses oreilles et en ressor-
taient en portant une substance gélatineuse qui
semblait les faire grossir. Après un certain temps,
j'avais brûlé Vil, car ces insectes ne m'inspiraient
pas confiance. J'avais bien fait : devenus grands
et lumineux, ils se seraient logés dans mon cerveau, pendant que ma peau se serait effritée. Je
sais, tu n'as pas connu Vil. C'est bien dommage,
je sais qu'il aurait aimé te mordre.

Soudain, comme ça m'arrive souvent quand
j'évoque mon passé, j'ai le cœur dévasté, les larmes
au bord des yeux. Ariane, ressaisis-toi. D'autres
vies t'attendent.

Nous continuons à foncer dans la nuit. Adèle
fume, je me plais à penser qu'elle est une volaille

qu'on sort d'un four, une volaille fumante, prête à être dévorée. Je prie mes amies les ombres de ne pas festoyer tout de suite. Pour l'instant, j'ai besoin d'Adèle au Cabaret des requins.

Une vague de chaleur humide monte sur mon visage, en terrain conquis. Des mèches de cheveux me collent à la peau, la pression s'intensifie entre mes cuisses. Si Adèle n'était pas là, si je ne devais pas me rendre au Cabaret des requins, je me déshabillerais ici, maintenant, je me coucherais sur la route, nue, prête à laisser les ténèbres me lécher jusqu'au matin !

Boire, boire encore pour oublier. Adèle ne se soucie pas de moi, elle me devance sans me prêter attention. Son insolence me donne une idée de violence, de violence gratuite, bien sûr, puisque je n'ai pas dû la payer. Je me concentre sur l'arrière du crâne d'Adèle. Je rassemble mon énergie psychique pour provoquer chez elle une série de démangeaisons intenses. Mes yeux convergent vers un point précis. De toutes mes forces, je dirige mon regard sur lui. Fixer. Fixer. Fixer. Mon effort mental s'accroît. Désormais, je ne vois que ce point, le reste n'existe pas, il n'y a plus d'Adèle, plus d'Ariane, plus de chemin, juste un point éclairé par la lune, une minuscule parcelle d'univers qu'il convient de tourmenter. Je le fixe, je le fixe encore. Mes yeux commencent à brûler. D'invisibles rayons en sortent peut-être, des rayons qui piquent la nuque d'Adèle comme autant d'hameçons. Lancer l'hameçon, le planter, le ramener vers moi, le lancer encore, l'enfoncer et le ramener.

Au bout d'un moment, ma stratégie fonctionne. Un premier geste nerveux d'Adèle me récompense. Elle se gratte. Bonne chienne, Adèle, bonne chienne !

Je recommence. Lancer l'hameçon, le planter, le ramener vers soi. Adèle se gratte plus fort. Je souris, la nuit s'engouffre dans ma bouche, elle m'emplit, c'est bon, ça goûte les mûres. Je pourrais poursuivre ce petit jeu longtemps, jusqu'à ce qu'Adèle en ait la chair à vif, jusqu'à ce qu'elle soit prête à se brûler la peau au fer rouge pour que cesse enfin cette douloureuse sensation. Sa ténacité m'étonne, elle continue d'avancer sans se plaindre. Faut-il qu'elle y tienne, à son projet de maison close !

Allez, on reprend. Lancer, planter, ramener. Adèle se gratte encore plus fort. Le trajet commence à être divertissant.

Une dose d'alcool animé me permettra de voir tout cela à la façon d'une série de dessins. L'idée me plaît. Sans quitter ma cible du regard, je tâtonne dans mon sac pour trouver la fiole, dont mes doigts reconnaissent la base hexagonale. J'avale le liquide capiteux. Je continue ensuite à saboter le bien-être d'Adèle. Peu à peu, les effets de l'alcool se font sentir. Dans ma tête, une musique tribale rythme la routine de mon action / lancer / planter / ramener / lancer / planter / ramener, un coup de caisse claire résonne chaque fois, j'avance en dansant dans la nuit, silencieuse comme un mercenaire qui rampe vers une tente pour égorger ceux qui y dorment.

Les images deviennent syncopées, puis figées. C'est un gros plan sur un hameçon. Ensuite, la page se tourne sur une mère maquerelle cornue, habillée en fausse religieuse, la main immobilisée dans un geste interrompu. Ses doigts déployés ont des allures de serres. Tourner la page. Une jeune sorcière, sourire aux lèvres, mord dans l'obscurité afin d'en arracher la moelle. Tourner la page. De hautes herbes entourent une route déserte, rendue blême par la lueur de la lune. À bien y penser, ne s'agit-il pas plutôt d'une forêt d'ossements plantée là par un tueur fou qui croit pratiquer un nouveau genre d'agriculture ? À force d'être cajolés par les rayons du soleil, ces vieux os ne finiront-ils pas par se couvrir de chair, peu à peu… Qui sait si, en revenant dans un mois, on ne découvrirait pas une forêt d'écorchés vifs, des ex-morts en train de se reconstituer peu à peu ?

Tiens, j'en vois déjà un, à la page suivante. En fait, c'en est plutôt *une*, une vieille femme coiffée d'un bonnet noir, duquel des mèches de cheveux blancs tentent de s'enfuir en vain, balayant son front ridé et ses yeux bleus. Elle se tient près d'un arbre, à l'endroit où le pré s'arrête. Ensuite, derrière elle, la route continue de tirer sa langue noire pendant un ou deux kilomètres, avant de traverser Lierrebrisé.

Ai-je trop bu d'alcool illustré ? L'image est saisissante, si réelle. Si j'osais la toucher, je sentirais la peau humide de l'apparition qui luit bizarrement, je pourrais palper son menton osseux et sa tunique détrempée. S'agit-il d'une noyée ressuscitée ?

J'ai parfois de la difficulté à trier la réalité de *ma* réalité. Est-elle vraie ? Je m'arrête sur la route, imitée par Adèle. Alors, je n'ai plus de doutes, la femme est vraie, même si l'alcool déforme ma vision. Les tambours continuent de résonner dans ma tête, tout est à la fois flou et précis, trop près ou trop loin. Les paroles de la vieille femme se superposent à son visage, en gros plan.

— Aidez-moi, je vous en prie !

Comme sur une gravure d'époque, elle joint ses mains dans une posture implorante, tandis que des larmes acides sillonnent ses joues dont elles fendent l'épiderme. C'est une mendiante de la nuit, réduite à attendre ici quelque rare promeneur charitable. Cette idée me paraît invraisemblable, je me méfie.

Toujours impassible, Adèle ne lui fait même pas l'aumône d'un regard. Elle continue son chemin, image de maquerelle maintenant libre de l'hameçon qui la taraudait. Dans le dessin suivant, l'inconnue se tient à côté d'Adèle, les mains jointes. Elle a donc bougé, entre-temps. Je peux lire ces paroles, au-dessus de sa tête :

— Aidez-moi ! Aidez-moi !

Je patiente, pendant que l'image change.

Cette fois-ci, Adèle a tourné son visage excédé vers la vagabonde. Sa bouche est ouverte sur une grimace. Elle dit :

— On n'a pas d'argent, laissez-nous tranquilles.

Sur le dessin suivant, on distingue, en arrière-fond, l'arbre que les promeneuses ont dépassé depuis un certain temps. On m'aperçoit, aussi, les yeux ronds, médusée. J'ai l'air malade ou hébété. Au premier plan, la mendiante répond :

— Je ne veux pas d'argent.

Sa bouche ouverte me permet de constater qu'il lui manque des dents. Au milieu, l'une d'entre elles se dresse au-dessus de sa lèvre inférieure, pointue, similaire à un menhir. Ça lui fait une bouche curieusement ésotérique, ce que démentent ses paroles utilitaires.

Adèle s'arrête. Je m'en rends compte parce que ma vision redevient normale. La succession de vignettes dessinées vient de laisser place au mouvement. La main droite de ma compagne ébauche un geste impatient. Je m'avance vers elle, contente que les illusions de l'alcool illustré soient dissipées.

— Qu'est-ce que vous voulez, alors ? demande Adèle.

— Je voudrais que vous me frappiez.

— Qu'on vous frappe ? Ça ne tourne pas rond dans votre tête. Laissez-nous tranquilles.

La mendiante pose sa main droite sur l'avant-bras d'Adèle. Celle-ci se débat, tente de faire lâcher prise à l'inconnue, mais ses efforts sont vains, l'autre se cramponne.

— Frappez-moi, frappez-moi ! répète-t-elle.

Cette situation m'engloutit dans une eau glaciale. J'évolue, inquiète, dans ce tableau vivant. Immobilisées sur un sentier désert, rendues blêmes par l'éclairage de la lune, les deux femmes valsent au bord d'une catastrophe. D'où viendra-t-elle ? Que sera-t-elle ? Je l'ignore. Je balaie rapidement la scène : derrière moi, les hautes herbes ne bougent pas, rien ne paraît s'avancer vers nous sur le sentier. Le silence maintient son emprise crapule, si l'on excepte les cris d'oiseaux déformés qui continuent d'enrober d'une musique dissonante le théâtre où se débattent les deux femmes. Rien, je ne vois rien d'autre autour de nous. Le danger vient de la mendiante elle-même, de cette femme dont les yeux bleus luisent curieusement dans la nuit.

— Frappez-moi, frappez-moi ! répète-t-elle sans arrêt, de plus en plus insupportable.

Adèle va perdre patience, je dois l'avertir de ne pas obéir à cette demande louche, j'ouvre la bouche pour parler, mais la maquerelle me devance, excédée. Sa main droite se lève et, après avoir décrit une courbe rapide, assène une violente gifle sur la joue de l'inconnue. Ses ongles griffent même le visage ridé, y laissant un sillon sanglant dans lequel la nuit s'engouffre. Aussitôt, la vieille mord le bras d'Adèle, qui se met à crier, interrompant les cris des oiseaux.

Je bondis sur la vieille, mais en vain, elle s'accroche, tenace. J'arrache son bonnet, je tente de la tirer par les cheveux ; elle tient bon. J'ai des cheveux blancs et sales dans les mains, ils s'agitent comme des vers entre mes doigts, ils sont vivants, grouillant les uns par-dessus les autres, tentant de s'introduire sous mes ongles pour ronger ma chair. J'agite violemment mes mains pour m'en débarrasser, je vois les lombrics tomber sur le sol et s'enfuir vers les herbes hautes.

La vieille s'accroche toujours au bras d'Adèle, je serre son cou entre mes doigts pour l'étrangler, c'est inutile, elle continue de mordre Adèle, qui hurle encore et encore, sous la lumière implacable de la lune, blanche et indifférente. Il me semble même – mais c'est mon imagination – voir la lune coupée en deux par une plaie sanglante.

Adèle est prise de spasmes, elle tombe à genoux sur le sol caillouteux. La vieille mord et suce le bras, telle une…

Je viens de comprendre. La vieille est l'une de ces sangsues qui sillonnent les routes désertes en quête de proies. Il me faudrait du feu pour l'éloigner, mais j'ai une idée plus simple : les sangsues détestent l'alcool. J'ouvre un flacon de boisson forte, en verse quelques gouttes sur le crâne luisant. Aussitôt, elle lâche prise. Son visage se crispe dans une expression épouvantée. J'ai le temps de voir sa dent pointue palpiter, puis elle se lève, recule, chancelle, pousse un hurlement et s'enfuit sur le sentier, dans la direction contraire de Lierre-brisé. Pendant quelques secondes, nous entendons encore ses cris s'éloigner en diminuant, puis, de nouveau, le silence nous enrobe de sa chape morne.

Je m'ébroue, chassant la torpeur moite qui ruisselle sur mes pensées. Toujours agenouillée, Adèle ne dit pas un mot. Sur son bras, je distingue une curieuse blessure cruciforme. Le combat contre la sangsue s'est déroulé vite, elle n'a pas pu soutirer beaucoup de sang à ma compagne. Cependant…

Je lui tends un flacon d'alcool sucré, qu'elle prend sans demander d'explications. Après avoir bu, elle se lève, tentant de paraître sûre d'elle-même, mais je ne peux m'empêcher de remarquer le tremblement nerveux qui agite sa main. Pendant quelques secondes, j'hésite. Devrais-je dévoiler ce que je sais ? Je finis par dire la vérité :

— Adèle, quand ce genre de sangsue te mord, elle ne se contente pas de te prendre du sang. Elle t'injecte aussi une substance qu'elle sécrète, une substance qui va produire des effets sur toi.

— Je vais devenir une sangsue comme elle ? s'alarme Adèle.

Comme j'aime te voir épouvantée ! Comme j'aime contempler tes traits dénaturés par la terreur. Tu deviens une gargouille aimable, baroque, d'une jolie complexité. Si j'en étais capable, je t'immortaliserais en statue de cire. Tu serais d'un bel effet, dans la salle à manger, pas trop loin de la table.

Descendue de ton piédestal, tu t'animes, moins hiératique, tu cesses de vouloir diriger le monde. Dans ces moments-là, tu es ma petite sœur, je serais presque prête à te remettre la clé de mon cœur. Bien entendu, je te connais trop pour me risquer. Tu y entrerais, masse en mains, contente de tout dévaster, de tout réduire en pièces sur ton passage, car, Adèle, je te sais sans pitié, je l'ai su dès que je t'ai vue.

Moi aussi, j'ai hâte d'être sans pitié à ton égard, même si, une fois couchée sur ton cadavre encore chaud, je sentirai des flocons de neige tomber sur moi, des flocons qui, à la longue, pourraient nous enterrer toutes les deux, toi, la morte, moi, la vivante, dans cette communion si longtemps attendue. Enfin sœurs… Je nous visualise si fort, indétectables sous une montagne de neige protectrice, figées là jusqu'à ce qu'un jour, le soleil décide de nous brûler, nous et le reste de ce maudit globe, dans des milliards d'années…

— Je vais devenir une sangsue ? Réponds ! s'exclame Adèle.

Je vrille sur elle un regard joyeux. Avec peine, je retiens ce sourire qui veut s'épanouir sur mes lèvres depuis la fuite de la sangsue. J'ai une moue adorable – regarde comme je suis belle – et je réponds, bien à regret :

— Non.

La maquerelle soupire de soulagement. C'est le moment d'asséner le dernier coup :

— Je ne sais pas ce que tu vas devenir, en fait. Tu as son venin dans tes veines, maintenant. Ceux qui ont été mordus par la sangsue peuvent en subir les conséquences.

— Quelles conséquences ? (Sa voix chevrote.)

— Ça varie d'une personne à l'autre, c'est très mystérieux. Chez certaines, rien ne s'est produit, selon ce que m'a raconté un commis-voyageur qui a déjà vécu avec moi au manoir. J'ai aussi appris d'autres histoires. Par exemple, une victime est devenue sauvage, peu à peu. C'était comme un apprivoisement inversé : chaque jour, elle se méfiait plus de ses amis, de sa famille, de ses voisins. Dès qu'on voulait lui parler, elle se sauvait et allait se cacher sous son lit. Elle a fini par s'enfuir de son village. J'imagine qu'elle vit maintenant dans les bois, en soupçonnant les animaux. Une autre femme mordue par la sangsue n'était plus capable de dire « non » à personne. Tu connais le mépris des humains envers leurs semblables : le mot s'est vite passé, dans le quartier où elle vivait. Tout le monde abusait d'elle. Elle est morte dans un caniveau, nue, en sang, après avoir donné tous ses biens. Je me souviens aussi d'un dernier cas, celui d'un homme qui s'imaginait entouré de précipices de plus en plus profonds. Il passait ses journées à crier, pris d'un vertige qui lui glaçait le sang. Il ne pouvait pas faire un pas sans pleurer, bouleversé par ses illusions. Puis, il s'est mis à apercevoir des champignons toxiques qui jaillissaient des précipices, avant d'éclater en libérant des vapeurs mortelles. Il disait manquer d'oxygène, jurait qu'il avait de violents maux de tête et de cœur. Un matin, on l'a découvert mort dans sa chambre, le visage violacé, tordu par une grimace d'horreur. Ceux qui l'ont trouvé ont dit qu'ils n'oublieraient jamais cette vision-là, qui revient encore les hanter chaque jour.

J'ai pris plaisir à raconter cette dernière anecdote de façon théâtrale, en espérant terroriser Adèle. Ma stratégie fonctionne, car ses mains continuent de trembler, ses yeux sont remplis d'eau, on dirait une grosse gibelotte gélatineuse plus ou moins fraîche.

— Et pourquoi elle voulait qu'on la frappe ? m'interroge Adèle.

— Les sangsues n'attaquent jamais sans être provoquées auparavant, c'est dans leur nature…

Elles savent comment s'y prendre pour être obligées de se défendre. Tu aurais dû attendre avant de la frapper. Mais c'est trop tard maintenant.

J'ai martelé ces derniers mots, afin de bien enfoncer ce clou rouillé dans les replis de sa cervelle. Qu'ils l'accompagnent à jamais, contribuant à changer sa vie quotidienne en Enfer. Si c'est le cas, Adèle ne connaîtra plus la paix d'esprit : elle sera une belle exposition permanente ; on pourra observer de subtiles altérations sur ses traits, s'amuser à supputer son degré de perturbation, parier sur l'intensité de son malaise. Je m'en réjouis.

Pensive, Adèle pose son poing contre ses lèvres. Un oiseau choisit ce moment pour hurler, ce qui fait sursauter la maquerelle. Je le remercie en pensée, de même que la sangsue. En fin de compte, son attaque me permet d'affermir mon emprise sur Adèle.

Cette dernière regarde le sentier désert, derrière moi. C'est clair : elle redoute que la sangsue revienne. J'ai envie de me jeter sur elle pour lui mordre le bras, afin d'accentuer sa peur par cette action irrationnelle et injustifiée. Je pourrais ainsi l'enraciner dans un monde paranoïaque qu'elle ne pourrait jamais plus quitter : elle aurait la crainte d'être entourée de sangsues. Malheureusement, je ne veux pas me rendre seule au Cabaret des requins, il me faut donc renoncer à cet alléchant projet. Tant pis ! La vie est faite de renoncements, tu le comprends, toi qui as dû renoncer à vivre après m'avoir rencontrée.

La meilleure façon d'oublier cette séduisante idée, c'est d'agir.

— Alors, Adèle ? On continue notre chemin ?

Elle tourne ses grands yeux de gibelotte vers moi. Ils sont déjà moins gélatineux. Elle a du cran, cette vieille. Un jour, ce sera moi qui aurai du cran auprès d'elle. Un cran d'arrêt.

Nous tournons le dos au pré, franchissons sans dire un mot l'espace qui nous sépare de Lierrebrisé. Je me concentre afin d'éloigner les importuns. Rencontrer la sangsue fut amusant, mais nous avons un but à atteindre. Trop de distractions comme celle-là finiraient par nous retarder. Je solidifie ma pensée, créant autour d'Adèle et de moi une grosse bulle qui nous protégera, si elle ne fond pas à cause de la température pesante et moite.

Nous voilà à Lierrebrisé : même la nuit, cette bourgade est fort ennuyeuse. Rien n'y fait peur, rien n'y meurt. Les habitants forment une communauté monotone, conformiste et routinière. La boulangerie, la boucherie, l'école, le café, l'église, la mairie et d'autres bâtiments grisâtres se succèdent, gros cubes frileux que je pointe du doigt, en espérant que mon geste leur jettera un mauvais sort.

Nous traversons Lierrebrisé, toujours sans parler. On ne rencontre personne, sans doute grâce à ma bulle protectrice. Une fois le village derrière nous, Adèle s'arrête, blême sous la lune blême. Va-t-elle encore m'interroger au sujet de la sangsue ? Ce serait une bonne occasion d'inventer une histoire, j'aurais dû le faire tout à l'heure, imaginer des maladies graves et bizarres provoquées par la morsure : des enfants qui pleurent des insectes ; des vieillards combustibles dont les doigts incendient ceux qu'ils touchent ; un ouvrier dont les bras se multiplient, se scindant sans cesse jusqu'à ce qu'ils forment une prison au milieu de laquelle il finit par agoniser, seul, après avoir fait fuir ceux qui l'aimaient, trop dégoûtés par le spectacle de sa monstruosité pour rester plus longtemps près de lui. Vas-y Adèle, questionne-moi, je prodiguerai pour toi des trésors d'inventivité, des récits qui t'arracheront le cœur et s'incrusteront dans ton âme jusqu'à la fissurer de partout.

Sans se tourner vers moi, la maquerelle fouille dans son sac. Déçue, je crois deviner ce qu'elle s'apprête à faire, et la voilà qui confirme mon intuition : cigare, décapitation, feu ! L'odeur boisée me nargue. Dans la fumée, je sens mes désirs de malfaisance se consumer…

Me voilà dépitée. Pour me calmer, je vais m'enfermer dans mes pensées, les murer d'un feuillage solide fait de souvenirs, d'espoirs et de spleen entrelacés. J'y taillerai une porte dont les ramures incassables interdiront l'accès à quiconque voudra entrer dans mon château fort. Moi seule serai capable d'y aller et d'y venir. Attends-moi dehors, marche avec Adèle. Observe-la, tu pourras peut-être en soutirer quelque bénéfice. Je reviendrai lorsque nous aurons atteint le Cabaret des requins, après avoir posté la lettre adressée à Marthe.

7 : Quatre femmes et un taxi noir : début d'incendie

Tu as vu l'enseigne, dehors, n'est-ce pas ? Deux requins en train de dévorer un homme qui boit à même une bouteille de whisky. Au-dessus, en lettres sanglantes, se trouve l'inscription *CABARET DES REQUINS*. L'ensemble ne laisse aucun doute : les propriétaires du cabaret ont le sens des valeurs. J'aimerais les rencontrer pour discuter avec eux et les empailler ensuite.

Pour mon théâtre fixe ? Non, pas du tout ! Franchis donc avec moi le seuil de ce sanctuaire, tu vas saisir. Regarde autour de toi et dis-moi ce que tu vois sur les murs. Tu vois de la fumée partout ? Oui, bien sûr, on fume beaucoup ici, mais tu éludes ma question.

— Des animaux empaillés ! souffle Adèle.

Elle a répondu à ta place. Tant pis pour toi. En guise de représailles, je ne t'adresserai plus la parole pendant la prochaine heure…

La vieille et moi nous frayons un passage au sein du décor pittoresque du cabaret, dont le climat est plus agréable qu'à l'extérieur, entre autres à cause de ventilateurs installés au plafond, qui créent des courants d'air tiède. À notre gauche, une foule d'animaux immobiles grimacent et nous menacent. Près de l'entrée, on aperçoit une mini-fresque mettant aux prises un requin et un léopard empaillés. Un taxidermiste s'est amusé à simuler ce combat invraisemblable. Face à face, le léopard et le requin se dévisagent, féroces. Si j'avais le temps, je me promènerais en contemplant les autres œuvres délirantes qui décorent le cabaret... Pour parfaire le tableau, il ne manque que les propriétaires empaillés, nus, attaqués par un ours, afin de mieux circonscrire les possibilités de cette adorable chaîne alimentaire dont on peut occuper le sommet ou un maillon insignifiant.

Le bruit qui provient des conversations et d'une musique déconcertante m'enveloppe au point que je conçois l'idée d'en ramener un morceau pour tapisser le silence, de retour au manoir. Oublions ce projet et avançons plutôt parmi la foule dense, entre les tables surchargées d'alcools capiteux servis dans des verres baroques. J'en suis presque jalouse. Partout, des buveurs disparates se côtoient : femmes plus ou moins fatales dont certaines manient le fume-cigarette d'une main experte, hommes d'affaires à la recherche de sensations, jeunes couples soi-disant libérés en quête d'encanaillement à bon marché, pépères fatigués s'abreuvant à la grande coupe du vice dans l'espoir d'y trouver une jouvence idéale, célibataires dont l'œil insistant trahit la volonté de traquer des proies jusqu'à l'épuisement, groupes de mâles bruyants dont l'allure varie du puceau libidineux au matou en quête d'une virilité à prouver. Au fond du cabaret, un barman prépare des cocktails iridescents derrière son comptoir, en discutant avec des clients assis sur des tabourets en fer forgé.

Lacérant ma contemplation, Adèle me signale une place bientôt libre. Deux buveurs s'apprêtent à partir, ils se lèvent sans hâte. Lui, c'est un homme dont l'œil au beurre noir laisse supposer une bagarre récente. J'aimerais lui enlever son beurre noir à l'aide d'un couteau pointu et en tartiner une tranche de pain qui aurait le goût complexe de la douleur. Elle, c'est sans doute l'une des filles du cabaret. Elle me donne faim, j'aurais envie de mordre son bras droit. Ils quittent les lieux dans l'indifférence générale.

Non loin de nous, au fond d'une large scène surélevée, un petit orchestre de jazz joue une samba onirique dont chaque note semble difficilement émerger d'un autre monde. La musique s'interrompt déjà, car un employé du cabaret se présente sur la scène, micro en main. Est-ce un débutant ? Son attitude trahit une certaine nervosité. En parlant, il se promène de long en large, esquissant des gestes qu'il ne termine pas, déclarant d'une voix hésitante :

— Le Cabaret des requins vous en offre toujours plus ! Le prochain spectacle mettra en vedette l'impudique Laïka, dont les charmes exotiques ne vous laisseront pas froids. Accueillons-la chaleureusement et soyons attentifs à son numéro, *Le kidnapping palmé*.

Une salve d'applaudissements mitraille cette intervention. Gêné, le présentateur s'éloigne après une révérence raide, l'air d'un guérillero obligé de marcher sur des nuages. L'éclairage change, devenant bleuté et mystérieux. Un silence relatif s'étend dans la salle, mais il se relève vite : d'une part, les musiciens entament un blues lascif ; d'autre part, ce morceau provoque une série de hurlements chez un groupe de jeunes hommes excités au fond de la salle. Oh ! comme j'aimerais les stériliser et les bâillonner ! Ils me rappellent ce quatuor de médecins que, dans une vie antérieure, j'avais rendus fous de désir, à Copenhague, avant de les abandonner dans une salle souterraine secrète construite à l'effigie du dieu Pan. Qui sait s'ils en sortirent jamais ?

Pendant quelques secondes, la scène demeure vide, puis, par la gauche, Laïka surgit. C'est une Asiatique assez adorable, tant elle semble facile à casser en morceaux. Lui jeter un bock en plein visage la fêlerait probablement, et elle s'émietterait sur le sol avec un grand bruit de verre brisé. Sa peau s'imprègne de lumière bleue dont elle paraît se gorger. Laïka avance d'un pas assuré qui contraste avec son allure de poupée de porcelaine. Elle porte une robe rouge assez originale – j'en devine la couleur, puisque, sous les projecteurs bleus, elle paraît mauve. En bas du bustier décolleté, la jupe n'est qu'un amas de franges qui bougent et qui se dispersent au fil de ses mouvements, laissant apparaître le ventre, la culotte miniature, rouge elle aussi, et les jambes. Malgré ce costume intéressant, les mains de Laïka retiennent surtout l'attention. Elle porte des gants inusités : d'immenses palmes de nageur sous-marin huilées qui lui confèrent une allure de monstre séduisant. Les yeux perdus sur un point énigmatique, au fond de la salle, Laïka ondule au rythme de la musique. Son bassin bouge de droite à gauche, elle ferme les yeux et rejette sa tête vers l'arrière, pendant que ses palmes recouvrent sa poitrine, comme si, possédée par une bizarre bête aquatique, elle se laissait caresser en appréciant chaque moment de cette union sacrilège. De temps en temps, d'un mouvement de tête saccadé, elle renvoie sa longue chevelure noire devant ses yeux.

Jeu de mains derrière son dos : je m'attends à la voir dégrafer son bustier, en songeant qu'il est trop tôt pour se dévoiler. Une créature de l'eau ne devrait rien ignorer de la montée du désir, qui, comme les marées, progresse en subtilité, régulière et insinuante. Laïka me donne raison, puisque, sans toucher au bustier, elle lève ses coudes audessus de sa tête, et ses palmes soulèvent soudain sa chevelure, y jetant des éclats lustrés.

En douceur, le groupe de jazz accélère la cadence. L'orgue amorce une mélodie sinueuse qui s'enroule dans l'air, semblable à celles des charmeurs de serpents. La danseuse se retourne vers les musiciens, leur adressant une moue triste. Toujours en ondoyant, elle marche jusqu'au trompettiste et tend vers lui un bras mince dont les mouvements circulaires provoquent une hypnose visible chez le soliste. L'homme – un gaillard barbu qui porte des lunettes – tente de résister, regarde ses collègues, qui l'ignorent. Lorsque la femme l'enlace en se lovant à lui, il pose son instrument et suit Laïka jusqu'à l'avant de la scène. Ses pas sont ceux d'un dormeur qui se voit, en rêve, avancer sur la corniche d'un édifice étroit et très élevé.

Posant ses mains palmées sur ses épaules, Laïka le force à s'agenouiller devant elle, jusqu'à ce qu'elle puisse le dominer. Elle prend alors sa tête, s'en approche, chuchote quelques mots à son oreille et s'éloigne ensuite, toujours au rythme de la samba onirique.

Se retournant brusquement, elle passe un gant sur le visage de musicien, dans un geste violent qui laisse une trace noire sur sa joue. La palme produit-elle quelque substance corrosive, est-elle pourvue de griffes minuscules ? Dans un mouvement lent de rêveur, l'homme recule en grimaçant, portant la main à sa joue blessée. Visiblement dans un état second, il tangue, avant de s'écrouler sur le dos. Laïka enjambe le musicien inconscient, alors que le tempo de la musique s'accélère. Chaque membre du groupe de jazz joue maintenant des percussions, qui soulignent la nature païenne et primitive du rituel. Ça y est, face à la salle, Laïka fait glisser les bretelles du bustier, découvrant des seins de petite taille, des seins de prêtresse ingénue, sans tenir compte des hurlements qui proviennent de certaines tables. J'ai le temps de constater qu'un videur s'approche des trublions pour leur intimer l'ordre de garder le silence.

Les palmes massent les seins libres qui disparaissent sous l'étreinte, Laïka semble en transe. D'un mouvement sec, elle se défait de la robe rouge dont les franges ressemblent à une flaque de sang durcie et taillée en lanières. Son bassin s'agite d'avant en arrière, on la dirait prise par un amant invisible, ses reins sont secoués d'étranges mouvements spasmodiques, sa tête renversée vers l'arrière semble sur le point de se détacher. La musique s'accélère de plus en plus, le musicien couché demeure immobile, Laïka se trémousse au-dessus de lui, pleine d'une énergie sauvage. Ses mouvements se font plus rapides, les palmes griffent sa peau, laissant des sillons noirs semblables à ceux qui assombrissent sa joue. Je suis envoûtée, la terre chavire, tout se met à bouger. Un séisme secoue le cabaret, la scène est ébranlée elle aussi. Accompagné par la musique frénétique, le cadavre du trompettiste se déplace de lui-même vers la droite dans une série de mouvements épileptiques, sous le regard possédé de Laïka, plus bête que femme, désormais, qui ouvre les bras vers moi. J'ai l'illusion d'être projetée contre elle, de sentir ses petits seins se presser sur les miens, ses lèvres se confondre aux miennes, alors qu'elle chuchote des paroles à mon oreille, des paroles qui me font songer à Salomé, Salomé/Laïka, la même étreinte bestiale, la même impression de sortir de mon corps et de ne plus jamais pouvoir le réintégrer, car la sensation, trop forte, émousserait toute sensibilité, le laissant mort et vide, mort et vide comme ce trompettiste qu'une simple palme a vidé de sa substance, maintenant ingérée par Laïka, qui se nourrit de l'énergie de sa victime mâle, des musiciens, de la salle entière, pour décupler sa puissance encore et encore, la décupler jusqu'au moment où il n'y aura plus qu'elle, jusqu'au moment où les yeux vitreux de chaque personne présente ne verront plus que son visage, immense, se substituer à tout le reste.

Se substituer à tout le reste.

Rien ne subsistera, sauf la brûlure originelle, cette brûlure sèche et cuisante qui me fait exploser le visage.

C'est encore une gifle d'Adèle qui m'a tirée de ma torpeur. La maquerelle me regarde, satisfaite de son intervention. Difficile de protester : j'étais plongée dans un état hypnotique qui justifie son geste. Sans Adèle, qui sait ce qui aurait pu m'arriver ? Aurais-je été absorbée par Laïka ? Me serais-je perdue dans son esprit ?

Il faudra toutefois que la vieille ne prenne pas l'habitude de me frapper. Je ne lui reproche rien, mais je la giflerai à mon tour avec un gant garni d'épines, le moment venu.

— Tu étais en transe, explique Adèle. Le numéro est fini depuis déjà deux minutes. Je n'ai pas eu de choix, tu risquais d'attirer l'attention.

Elle grimace en posant une main sur son bras meurtri par la morsure. Sur la scène, le groupe de jazz s'est remis à un jouer un autre air, une rumba, cette fois, et, autour de nous, je n'aperçois que des trognes joyeuses, rougies par l'alcool et les passions. Sous les tables, les mains de certains hommes se font entreprenantes, allumant leurs sens au feu humide de leurs compagnes.

Encore indolente, je l'interroge :

— Mais le musicien ? Celui qui jouait de la trompette ? Qu'est-ce qu'ils ont fait avec son corps ?

Adèle plante un rire fléché dans la cible de ma question. Pour elle, l'occasion est trop belle – elle l'épouserait même, si elle pouvait se marier avec une abstraction.

— Le musicien ? répond-t-elle. Mais il s'est levé et il est parti, voyons ! Tu ne pensais tout de même pas qu'il était mort ?

Non, bien sûr. Ce serait trop beau pour être vrai. Si j'étais propriétaire d'un tel établissement, j'instaurerais des règles différentes, mais les patrons de l'endroit n'ont pas voulu pousser l'enchantement jusque-là. Ici, on ne tue pas les gens comme ça pendant un numéro de cabaret… Tout n'est donc qu'illusion. Cette perspective doit réjouir la faune superficielle qui peuple les lieux.

Un serveur s'approche de nous, plateau sur la main. Surplombé de cheveux blonds en bataille, son visage allongé et rubicond, et cette manie qu'il a de tirer la langue lui donnent une allure de déficient intellectuel. C'est d'ailleurs d'une voix traînante qu'il nous demande :

— Qu'est-ce que *ze* peux vous servir ?

— Vous avez une carte ? demande Adèle.

L'escargot pousse un soupir et fait volte-face. Je suppose qu'il reviendra avec la liste des boissons disponibles, à moins qu'il n'ait décidé d'entamer une grève. Pendant ce temps, Adèle entame un cigare. Ses gestes secs et vifs garnissent son aura masculine. Son attitude de matrone blasée contraste avec sa tenue stricte, mais je me suis inquiétée pour rien : puisque notre attitude, notre apparence et notre habillement n'ont rien d'aguichant, nous n'intéressons personne. On nous livre une concurrence impérieuse et parfois caricaturale, d'ailleurs. Hormis les femmes fatales, je note aux alentours un bon nombre de fausses ingénues, ces vierges professionnelles qui attisent le désir en ayant l'air de ne pas s'en rendre compte. L'une d'entre elles, costumée en écolière, suce une sucrerie alcoolisée d'un air entendu. Je repère aussi une blonde très maquillée dont les regards languissants se posent avec insistance sur les hommes seuls ; une femme ivre en robe de mariée ; une autre, affublée d'un costume de coccinelle dont l'attache du soutien-gorge rouge retient une paire d'ailes dans son dos. Je surprends Adèle en train de lui sourire. La vieille diablesse me laisse perplexe…

Notre serveur rubicond réapparaît, cartes en mains. Adèle s'en empare sans même le regarder, me tend la mienne dans un geste dont je salue la teneur démocratique. Un coup d'œil rapide me conforte dans mes doutes : les alcools qu'on vend ici manquent d'originalité. Bière, vin, pastis, champagne, porto, xérès, martini et autres… Ils ne sont pas mauvais, mais quand on est habituée au vin de sable, à la liqueur historique, au mordicus, à la boisson cervicale ou au jus multicolore, on ne se sent pas choyée. Si au moins j'avais le choix du décor, Madrid, l'Indonésie ou l'Europe centrale auraient pallié la banalité des choix offerts, mais je dois me contenter d'animaux empaillés, de clients endimanchés et de volutes de fumée.

J'arrête mon choix sur l'hydromel, cette boisson dorée qu'un de mes anciens amants qualifiait de « vin de gonzesse ». Plus conservatrice, Adèle commande une bière noire, non sans avoir adressé un clin d'œil à la fille-coccinelle. Où veut-elle en venir ?

Je continue à observer les gens autour de moi, en quête de candidates pour le manoir. Qui seront-elles ? Cette gueuse pâle habillée d'une robe médiévale de velours noir ? Sa voisine de table, qui mise sur sa robe paysanne et ses tresses de gamine ? Cette autre, flamboyante dans sa robe bleue et rouge qui laisse admirer ses bras nus ? Une fois que le serveur a pris notre commande, je me penche vers Adèle :

— Il faudrait se décider. On ne passera pas la nuit ici

— Pas trop vite. On risquerait de se faire remarquer. Pourquoi ne pas regarder les filles qui t'intéressent ? Laissons-les venir à nous, ce sera beaucoup plus simple, tu ne penses pas ?

C'est pour cette raison qu'elle couvait la coccinelle d'œillades invitantes. J'aimerais toutefois valider le choix de mon hôte : je n'ai pas envie d'héberger n'importe qui au manoir, prisonnière, esclave ou libre. Cette intrigante costumée ne me dit rien qui vaille, je la sens pimbêche et hystérique.

— D'accord, mais pas elle. J'aurais préféré Laïka.

— La danseuse ? Tu n'y penses pas. Il faudrait demander à un employé de la conduire ici, on se ferait remarquer.

J'ai envie de rétorquer que j'aime me faire remarquer, qu'on ne nous retracera jamais de toute manière, mais il est vrai que ce serait plus compliqué.

Pleine d'aplomb à défaut d'être criblée de plombs, Adèle reprend :

— Dis-moi qui tu veux, je te dirai ce que j'en pense. Tu en choisis une, je choisis l'autre.

Cette répartition équitable m'éperonne désagréablement. En politique, je préfère la dictature, en particulier quand je suis au pouvoir. On parle d'aller chez moi, non ?

Je m'efforce d'étouffer mes protestations. Puisque j'ai l'habitude du meurtre, ce n'est pas trop difficile, mais j'avoue que j'aimerais mieux étouffer quelqu'un, notre serveur, par exemple. Son teint n'en serait que plus écarlate. Il s'agencerait mieux avec sa chemise blanche.

Agacée, je libère mes pensées de ce personnage insignifiant, pour concentrer leur faisceau sur les femmes du cabaret. Celle-là, avec sa jupe de dentelle noire, son corsage violet et ses ongles peints d'une couleur métallique, me semble amusante. Accompagnée d'une amie ou d'une collègue, elle ponctue ses paroles de mouvements saccadés, semblables à ceux d'un automate. Son visage s'enorgueillit d'une expression impassible, dénuée d'émotion. Il me plairait de donner des ordres à ce pantin falsifié, de le forcer à accomplir des actes insensés. J'atteindrais vite les limites de sa prétendue indifférence.

Plus loin, je repère une autre ingénue, convaincante, celle-là, dans son tailleur vert pomme : on aurait envie de la suspendre à un arbre afin d'avoir l'illusion de la cueillir avant de la dévorer, un jour de fête. Ses jolies bottines de cuir vernies à hauts talons Louis XV réveillent mon goût du fétichisme, d'autant plus qu'une cheville d'apparence douce s'en échappe. Elle est seule, assise devant un verre rempli d'un liquide vert et chatoyant – serait-ce de l'absinthe ? Je ne me rappelle pourtant pas en avoir vu sur la carte. Je m'étonne que personne n'ait encore repéré cette friandise vivante, mais je ne l'avais pas aperçue auparavant, elle doit venir d'arriver. Je vais agir vite.

Je la chatouille du regard avec assez d'intensité pour qu'elle me prête attention. Elle m'accorde un joli sourire, le genre de sourire que j'encadrerais pour le contempler les jours de pluie. Nous continuons à nous regarder, ouvertes. Un courant invisible nous unit.

Sans tenir compte des suggestions d'Adèle, je me lève et vais m'asseoir près d'elle.

— Bonjour, je m'appelle Ariane.

— Moi, c'est Carmelia.

Sa voix est flûtée, mais elle conserve un registre enfantin. Une rougeur délicate colore ses traits. Soit c'est une simulatrice de premier ordre, soit je tombe sur une oie blanche que j'aurai tôt fait de peinturer en noir. Je choisis la deuxième option. Je l'interroge :

— Tu bois de l'absinthe ?

— Tu es nouvelle ? Je ne t'ai jamais vue.

— Je ne travaille pas ici. Je suis de passage avec ma tante Adèle. On était fatiguées, on a décidé de s'arrêter avant de reprendre la route. Tu veux goûter à mon hydromel ?

Je lui tends mon verre, elle m'offre le sien. Cet échange me semble prometteur. Nous trinquons (je propose un toast « à l'amour »). Elle plonge ses lèvres dans mon verre, je fais de même avec le sien. L'alcool a un goût étrange. Il s'agit d'une liqueur anisée, comme je le pensais, mais légère et aromatisée d'une subtile touche d'orange brûlée. Est-ce une variété rare d'absinthe ? Considérant le mystère dont Carmelia entoure cette boisson, je n'insiste pas. Il me faut maintenant faire boire cette jolie potiche, afin de l'exciter assez pour qu'elle accepte de me suivre au manoir. Je pose son verre sur ma cuisse droite, sous la table. Ces quelques secondes me suffisent : j'ai le temps de verser l'aphrodisiaque sans qu'elle ne s'en rende compte. Je lui redonne son verre en la remerciant.

Je prends une gorgée d'hydromel, afin de susciter chez elle un mimétisme utile à mes projets. La stratégie fonctionne. Ses lèvres rouges s'entrouvrent pour laisser passer l'alcool vert. Je suis heureuse de songer qu'elle boit ma sueur. Elle commence à m'exciter avec son allure candide. Je n'ai pas besoin d'aphrodisiaque, moi.

Calmons-nous ! Afin de ne pas effaroucher ma candidate, je m'applique à dissimuler mes sentiments. Je me compose une attitude amicale, épicée d'un zeste d'oisiveté qui justifie que je me sois jointe à elle pour bavarder. J'engraisse ce numéro d'actrice par quelques paroles insipides :

— Je suis contente de t'avoir rencontrée. Ma tante est bien aimable, mais je m'ennuie avec elle, à la longue. On n'a pas beaucoup de choses à se raconter.

J'avance ma tête vers elle, simulant une curiosité subite :

— Mais toi ? Tu ne m'as rien dit à ton sujet. Qu'est-ce que tu fais ici ?

Elle soupire.

— Oh ! J'attends Carlos, mon amoureux. Il devait avoir une permission ce soir. Je suppose qu'*ils* l'ont encore retenu. Pourvu qu'il ait une bonne raison et qu'il ne soit pas juste parti boire avec ses amis, comme l'autre fois.

Peu importe la raison, j'espère qu'il n'arrive jamais. S'il est en route, je lui souhaite de périr dans un accident de voiture, de mourir dans une attaque à main armée, d'être enseveli par un tremblement de terre ou brûlé dans un incendie. J'ignorais que cette pucelle solitaire avait un rendez-vous. Si l'homme survient, j'aurai perdu du temps, mais je me débrouillerai pour abréger le sien.

Je m'imagine déjà le séduire en douce. Je le frôlerais sous la table, puis je l'entraînerais dans un coin sombre, à l'insu de Carmelia, en invoquant le premier prétexte venu. Ensuite, je le tuerais avant de revenir auprès de ma proie, feignant de m'inquiéter de l'absence de son bonhomme. J'en profiterais pour la faire boire, et, en définitive, mes projets ne changeraient en rien. Une déviation aurait eu lieu, mais j'aurais corrigé la trajectoire sans délai.

Je bois une gorgée d'hydromel, mais, cette fois, la biche ne m'imite pas. Dans l'espoir de la stimuler, je lui demande :

— Tu ne bois pas ? C'est pourtant bon, ton…

— Mon pastis spécial ? Oh ! je sais, c'est Carlos qui me l'a fait connaître, mais je ne veux pas trop boire. Carlos n'aime pas ça, ce n'est pas conve-

nable pour une fille seule et ça pourrait me donner des migraines. Je vais plutôt demander un
verre d'eau. J'aurais dû y penser quand le serveur
a pris ma commande, parce qu'il met du temps à
revenir, une fois qu'il nous a apporté nos boissons.

Merci, Carmelia, de me fournir des armes
comme celle-là. Continue de m'en offrir d'aussi
belles, et j'aurai tôt fait de te fusiller.

— Ne t'inquiète pas, lui dis-je en me levant,
moi aussi, je veux de l'eau. Je vais aller en chercher
deux grands verres, au bar. Attends-moi, ça ne
sera pas long.

— Merci, tu es gentille.

Enveloppée par la rumba des jazzmen, je marche entre les tables sans regarder personne : ce
n'est pas le moment d'être interrompue par des
buveurs. En plus, je n'aime pas laisser Carmelia
seule. Un bellâtre pourrait essayer d'aller lui parler, et je la crois incapable de protester. Après avoir
conclu l'armistice entre ma sensualité et moi (plus
tard, chérie, plus tard), je me fraie un passage
jusqu'au barman. Ce rouquin jovial remplit deux
grands gobelets d'eau. Tout en le remerciant et en
échangeant quelques banalités avec lui, je glisse
le premier verre sous le comptoir, y versant une
bonne quantité d'aphrodisiaque. Je commence à
me méfier de Carmelia, de ses réticences et de sa
retenue. Il faut que j'évite de repenser à ses propos
sur la tempérance : ce genre de paroles me rend
agressive. De toute façon, ma mixture mettra un
terme à ce comportement inacceptable.

De retour à la table, j'ai le soulagement de
constater que Carmelia est demeurée seule. Elle
persévère dans la candeur, ses grands yeux absorbent le contenu de la salle sans le filtrer. À lui seul,

son sourire naïf de bonne fille bien éduquée trahit sa nature inhibée et peureuse. Elle mériterait que je lui tire les cheveux et que je l'attache à un poteau avant de lui asséner une cinquantaine de claques. Cette solution l'aiderait à prendre conscience des cruautés du monde et à changer d'attitude.

En m'apercevant, elle perd néanmoins une partie de son allure innocente, allant même jusqu'à manifester une certaine inquiétude.

— Carlos n'arrive pas, soupire-t-elle. Je vais être obligée de m'en aller, comme la dernière fois.

— Mais voyons ! Tu peux rester avec moi ! lui dis-je avec un sourire languissant.

— Être seule dans un cabaret, sans Carlos, ce n'est pas convenable. Je préfère aller me coucher pour être en forme demain matin.

Et être informe demain matin, ça te dirait ? Continue sur cette voie pavée de blanc, et je te garantis que tu auras mérité ta correction. Si on était seules, voilà longtemps que ce vieux chat à neuf queues aurait zébré ton échine pâlotte. D'ailleurs, j'ai été négligente ces temps-ci, avec Jim, Adèle et tous les autres. J'ai manqué d'imagination et de vigueur. C'est ce maudit spleen qui en est la cause ; l'ennui me rend indolente. J'aurai l'occasion de me racheter, mais je dois gagner cette occasion.

— D'accord, lui dis-je, mais reste au moins un moment avec moi et bois un peu d'eau. Je ne voudrais pas que tu aies mal à la tête !

— Merci, tu as raison.

Elle boit une grande gorgée d'eau. Voilà comment on se retrouve en Enfer, alors qu'on pensait arpenter le chemin de Compostelle ! Les effets de l'aphrodisiaque ne devraient pas être trop longs à l'ébouillanter. D'ici cinq minutes, elle se sentira troublée par moi, sans comprendre pourquoi. Ensuite, le plaisir prendra le pas sur la raison. J'aurai gagné. Ce que je dois gagner, pour le moment, c'est du temps. Une question idiote me permettra d'y arriver :

— Alors, tu travailles où ?

Carmelia se lance dans une longue réponse dépourvue d'intérêt. Elle est bonne dans une famille bourgeoise. Depuis peu, elle redoute les assiduités de « monsieur », qui lui adresse des propositions plus ou moins voilées. À mon avis, d'ici quelques jours, le patron la coincera dans un coin sombre pour la trousser. J'imagine la situation et je me retiens de pouffer de rire pour ne pas alarmer cette petite catin en devenir. Elle sera vraiment plus belle à voir et plus plaisante à fréquenter lorsque la débauche aura stigmatisé ses traits.

Carmelia poursuit son monologue ; sachant que l'aphrodisiaque se propage à chaque mot qu'elle prononce, je feins d'y prendre un intérêt invraisemblable. De plus, elle continue à boire de l'eau entre deux anecdotes. Pleine de détachement, j'y prends un plaisir lointain, contemplant son horizon en train de flamber sans qu'elle s'en rende compte.

Elle s'interrompt soudain au milieu d'une phrase, passant une main moite sur son front.

— Je ne sais pas ce que j'ai, je me sens étourdie !

Elle se met à rire, découvrant des dents dont la blancheur s'ajuste à sa vacuité. Je lui adresse un gentil sourire, rehaussé d'une teinte de perversité.

— Toi, t'es vraiment drôle, reprend-t-elle.

Elle se lève brusquement, se penchant vers moi pour m'embrasser. Je n'aurais pas pensé que sa conversion serait si subite. J'entends des cloches sonner dans ma tête. Il s'en faudrait de peu pour que je la couche sur la table, que je la déshabille devant tout le monde pour la changer en une délicieuse petite libertine dévorée par la luxure et soumise à mes ordres. Mes mains se perdraient entre ses cuisses brûlantes, je mordrais son cou sans cérémonial, je... je...

Je me recule sur ma chaise. Reprends-toi, Ariane, reprends-toi, ce n'est ni l'endroit ni le moment ! Carmelia ne perd rien pour attendre, mais pas ici, pas maintenant. Surprise par mon éloignement soudain, elle me décortique d'un regard ardent, s'attardant sur mes lèvres, puis sur mes seins, que mes vêtements ordinaires mettent pourtant peu en évidence. Une fois rendue au manoir, elle sera un beau feu d'artifice. Ce que j'ai surtout hâte de voir, ce sont ses regrets, le lendemain.

Adèle pose une main sur mon épaule.

— Ariane ?

À côté d'elle, la rousse en robe bleue et rouge s'enivre à nous dévisager, Carmelia et moi. J'imagine qu'Adèle s'est plu à lui échauffer les sens. La vieille a dû commencer sa conversation en nous pointant du doigt, puis, au fur et à mesure qu'elle sentait sa victime affectée par l'aphrodisiaque, elle s'est mise à enflammer l'autre par des propos de plus en plus détaillés, lui promettant une nuit mémorable. Je me dépêche de répondre :

— On y va, Adèle.

Elle se penche vers la rousse pour lui chuchoter quelques paroles à l'oreille. L'autre sourit. Je pose une main sur le dos de Carmelia, qui frémit à mon contact.

— Tu viens chez moi ? Je n'habite pas tellement loin. On serait mieux là-bas toutes les deux.

Nul besoin d'en dire plus : ma proposition galvanise les yeux de Carmelia. Elle prend ma main, non sans effleurer mes fesses au passage. La voilà déjà fort entreprenante, pour une novice. Ces créatures-là ont souvent un imaginaire débridé, qu'elles n'osent jamais avouer ni concrétiser, mais qui doit leur valoir un bon nombre de rêves coupables.

Après avoir laissé quelques pièces de monnaie sur la table, je tends à Carmelia son verre de pastis spécial.

— On finit ça ?

Comme moi, elle en boit le contenu d'une traite. Voilà qui me conforte dans mes certitudes. J'ai hâte de la dévêtir, de contempler cette prometteuse inconnue dans sa rare nudité avant qu'elle ne me satisfasse et que je la livre à Jim. Quant à la grande rousse, je sens une lumière m'éblouir à la perspective de plonger ma tête entre ses jambes écartées pour attiser l'incendie qui doit la dévorer.

Une fois levées, toutes les quatre, nous passons moins inaperçues que lors de notre arrivée. La rousse, en particulier, aimante l'attention des clients du cabaret. Elle polarise les regards à ce point que si je pouvais éborgner tout le monde, je n'hésiterais pas. Certains mâles doivent nous en vouloir de les priver d'un tel morceau. Je ne m'en trouve pas plus mal : à la rigueur, ils en tireront une leçon et comprendront mieux que la justice est plus souvent un concept qu'une réalité. N'empêche : j'ai hâte de sortir d'ici. J'accroche un dernier regard à la gueule du requin, près de l'entrée, puis je pousse la porte. Si d'aventure j'en ai le temps, il faudra que je trouve le moyen de revenir au cabaret, d'exterminer les propriétaires, de les empailler et de les suspendre au mur.

Nous voilà dehors, éclairées par l'enseigne et les réverbères. Fatiguée par la nuit, la chaleur est moins intense que lors de notre arrivée, mais ce climat estival stimule néanmoins les pulsions charnelles et les envies de naturisme. Mes vêtements lourds et humides pèsent trop fort sur ma peau. J'ai hâte de les ôter.

Derrière moi, les deux filles sortent en pouffant, déjà dans les bras l'une de l'autre.

Un taxi noir s'approche de l'entrée du cabaret. Son allure de corbillard déclenche une fête sombre dans mon cœur : j'y vois un présage. Il s'immobilise, ses portières arrière s'ouvrent, laissant sortir un couple déguisé à la mode polynésienne. Tous les deux portent des vêtements bariolés, des colliers et des couronnes de fleurs. Pendant un moment, ils me donnent l'envie d'abandonner Adèle et ses projets, de partir loin, très loin, de trouer mon ancienne vie et d'en remplacer les parties défectueuses… Une succession d'images parfume ma rêverie : îles volcaniques plongées dans le brouillard, jardin flottant qui porte mes pas, promenade ombragée à travers le marché couvert d'un village côtier, maisons vivantes coiffées de toits de chaume…

Je dois rayer ce kaléidoscope de mes réflexions : ces dernières années, j'ai été incapable de m'éloigner du manoir. Après quelques heures hors de chez moi, je deviens fatiguée, mal à l'aise, affligée par des nausées. Ces symptômes cessent de se manifester dès que je regagne ma demeure.

Carmelia se presse contre moi. Tout ne va pas si mal, à bien y penser. J'ouvre la portière du taxi pour demander au conducteur :

— Vous êtes libre ?

Derrière le volant, j'aperçois un homme blond dont le visage bizarre et asymétrique a l'air enduit de shortening à pâtisserie. Il hoche la tête. Je me retourne vers Adèle et les autres :

— On y va ? Adèle, tu t'assois en avant.

Sans répliquer, la vieille obéit, mais une grimace furtive rôde assez longtemps sur ses traits pour m'indiquer son agacement. Elle craint de perdre le contrôle. Cependant, elle se sent près du but, alors pourquoi risquer de tout gâcher en s'opposant à moi ? Il me faudra faire preuve de prudence envers elle... Je m'en méfie, à tort ou à raison.

Un rock instrumental dominé par un solo de flûte traversière sort des haut-parleurs bon marché du véhicule. La musique, à la fois joyeuse et sensuelle, est si enveloppante et appropriée que j'ai l'impression de vivre le générique du début d'un film. Je m'étonne de ne pas voir mon nom apparaître en grosses lettres devant mes yeux, alors que je prends une pose pour la caméra invisible. Je m'assois entre les deux filles, car je dois être le centre d'intérêt. La voiture démarre dans un crissement de pneus qui rosse les velléités du silence. Vite ! Trouver un titre au film !

Jalons sacrilèges sur la route du vice? Inconduite au volant? Tenue de route facultative? Trois coups de canif pour un trio lascif? La dépravation a bien meilleur goût?

Je me tourne vers la rousse :

— Comment tu t'appelles ?

— Marika.

Allons-y. Générique, en lettres gothiques :

Satania Distribution vous présente une production sulfureuse des Ténèbres Lascives: *Les sorcières dissolues*, un film baroque érotico-expressionniste écrit et réalisé par Ariane, basé sur ses mémoires *Je te tuerai après l'amour*, publiées aux éditions de la Roulette russe. Mettant en vedette: Ariane, Adèle Prévost, Carmelia, Jim et Marika. Directrice de la photographie mentale et occulte: Salomé. Montage démoniaque: Lucifer F. Costumes enlevés et déchiquetés par Ariane. Supervision technique d'outre-tombe et assistant fantôme à la réalisation: général Marcel. Conseiller en flagellation: le spectre du marquis de Sade. Musique de l'Orchestre psychotique et des oiseaux maléfiques de la salle à manger. Un film interdit aux mineurs et aux amis de la vertu.

L'histoire peut commencer.

Après avoir indiqué la direction à suivre au chauffeur, je chauffe les deux filles. Mes doigts ont tôt fait de s'infiltrer sous la robe de Marika, à ma gauche. Elle est chaude et humide, j'entre en elle en tourbillonnant. Ma recrue ferme les yeux et appuie sa tête contre la banquette. Un sourire invitant irradie son visage, son souffle chaud me donne envie de l'embrasser. À ma droite, ma main glisse sur les seins de Carmelia, qu'elle a fort attrayants, ni trop petits ni trop volumineux. Je prends plaisir à jouer avec les aréoles, en écoutant sa respiration saccadée. Elle languit, elle voudrait des attouchements plus précis et plus intenses, mais elle devra patienter. C'est ce qu'on mérite quand on a passé sa vie à se comporter en fille sage. Elle a déjà beaucoup de chance que je m'occupe de son éducation. J'en connais qui se contenteraient de prendre leur plaisir sans se soucier du sien. Je suis trop gentille… mais, en même temps, il est adéquat de lui faire savourer de délicieuses sensations avant de la plonger dans les affres de la souffrance ; il est bon de l'apprivoiser avant de la surprendre par une attitude hostile et cruelle.

Pendant que notre désir flamboyant jette des flammèches dans l'habitacle, la voiture traverse Alkenraüne. Je me plais à imaginer qu'elle contamine chaque maison devant laquelle elle passe, réveillant les habitants, désormais possédés par une luxure inextinguible. L'endroit ne sera bientôt plus qu'un immense lit taché et couvert de sueur. À ce rythme, nous avons tôt fait de quitter le bourg. Électrisée, Marika pousse tout à coup un gémissement qui s'enfonce dans la musique, à la manière d'un instrument incongru et voluptueux. Le conducteur veut se retourner, mais Adèle l'en empêche en se mettant à parler pour couvrir les râles de la femme rousse :

— Ne vous occupez pas d'elle. Il faut nous excuser : elle a trop bu, c'est ce qui arrive chaque fois. Elle n'a pas l'habitude de sortir, vous comprenez. Elle est malade, très malade dans sa tête et dans son corps. D'après le médecin, elle ne devrait jamais quitter la maison, mais on a pitié d'elle, elle est jeune, elle aime aller danser, aller voir des gens de son âge… Alors on finit par céder, et, à chaque fois, on le regrette. N'est-ce pas, Ariane ?

— Oh oui !

Ma réponse est ambiguë ; on ne sait trop si j'exprime mon plaisir ou si j'entérine les propos d'Adèle : c'est que les deux filles se sont mises à me griser. Leur odeur me transporte en même temps qu'une bouffée de chaleur m'enfièvre.

Inébranlable, la maquerelle continue à monologuer, cherchant à enrouler l'attention du chauffeur dans les spirales d'une histoire qu'elle invente au fur et à mesure. Je l'entends à travers les brumes de ma délectation… Elle affirme être la tante de Marika, en avoir la garde à cause d'une mère folle qui s'est suicidée, léguant à sa fille une lourde hérédité d'instabilité psychologique et à sa sœur la tâche de s'en occuper.

Je ne suis pas certaine que ce feuilleton convainque le conducteur. L'écoute-t-il seulement ? Dans le rétroviseur, j'aperçois son regard qui cherche à percer les ténèbres de la banquette arrière. Sa conduite est erratique, d'ailleurs : une embardée du taxi ponctue le récit d'Adèle, comme si le véhicule cherchait à imiter la prétendue instabilité de Marika.

Nous voilà maintenant de retour au village. Toujours silencieux, il se couvre d'écume dans mon regard embourbé. Les maisons sont enduites de varech, leurs toits d'algues brillent sous la lune ; les trottoirs prennent des allures de plages désertées, et les mouvements de Marika sous mes doigts s'apparentent au ressac de la mer. Une odeur marine monte des jambes écartées de ma compagne, que je respire à pleins poumons. Interrompant mon geste, je porte mes doigts à mes lèvres pour m'imprégner de ce goût, sans quitter la jeune femme des yeux. D'un coup de langue, elle partage sa saveur dont j'ai barbouillé mes lèvres. Les battements rapides de mon cœur dissolvent mes inhibitions.

Je me penche vers Carmelia, qui recueille le goût de Marika sur mes lèvres fermées. Elle se détend, alors qu'enfin je me décide à glisser mes mains entre ses cuisses. La respiration saccadée des filles se combine à la mienne. À nous trois, nous défonçons la tranquillité d'esprit du conducteur. Adèle a de plus en plus de mal à continuer son histoire rocambolesque. L'homme blond ne l'écoute pas, son regard intense use le rétroviseur.

À ce rythme, nous avons déjà traversé Lierrebrisé. Légères, nous planons sur la route qui sépare le village du manoir. Bientôt, je devrai demander d'arrêter le taxi ; nous parcourrons le reste du trajet à pied. L'homme en sera quitte pour des rêves inoubliables et une frustration plaisante à imaginer. Moi, je ne m'ennuierai pas en chemin. La terre se consumera sous nos pas, j'y sèmerai des jardins de feu. Pour l'instant, je me penche sur la gorge de Marika, que je couvre de baisers. Obnubilée, elle interrompt les caresses qu'elle avait commencé à me prodiguer – le plaisir est toujours égoïste.

Je n'ai pas besoin de dire au chauffeur d'immobiliser son véhicule. Celui-ci s'arrête tout à coup.

— Qu'est-ce que vous faites ? demande Adèle, adoptant un ton sévère.

— Me prends-tu pour un fou ? réplique-t-il, agressif. Tu penses que je ne vois pas ce qui se passe en arrière ? Depuis le début du trajet que vous vous amusez à m'exciter, et vous vous attendez à ce que je reste comme ça sans réagir ?

L'ouragan sort de la voiture, ouvre notre portière. Je m'attends à ce que les filles protestent, mais Marika laisse fuser un rire complice quand il s'empare d'elle. Je n'avais pas prévu cette lézarde dans mes plans. Carmelia et Marika doivent garder leur énergie pour moi, d'abord, et pour Jim, ensuite. Si le chauffeur était beau et doué, je pourrais revoir mes intentions, mais je n'aime ni ses manières ni son apparence. Je me vois mal en train de contempler son corps nu probablement squameux étendu sur celui de Marika. Elle n'aurait plus le même goût, ensuite, je devrais me débarrasser d'elle avant même d'avoir été assouvie. Je voudrais protester, m'interposer, épouvanter le bonhomme, cependant, je me sens trop étourdie pour résister.

J'ai la surprise de constater que le chauffeur ne s'intéresse pas à la belle rousse. Il la jette par terre et se précipite sur moi ! Très moche, il sent le mazout, et ses mains sont sales. D'un geste brusque, il tente d'arracher mon chemisier. J'essaie de récompenser ses efforts d'un coup de pied en plein visage, mais mes gestes manquent de vigueur. Indifférente, Carmelia continue de râler, la main entre les cuisses, tandis que Marika, à l'extérieur du véhicule, contemple la scène en riant. La logique se disloque.

Alors que je tâche de nouveau de le repousser, le chauffeur me gifle. Ce sont trois claques rouges, écarlates. J'ai l'impression que ma tête se fendille, elle rebondit contre le siège, ma conscience gicle hors de mon crâne, et je gémis. Ce n'est pas vrai, ce n'est pas vrai, ce n'est pas vrai ! Ce n'est pas possible que ce type nous maîtrise toutes les quatre ! Je me sens trop hallucinée pour me débattre. Marika continue de rire, un rire d'adolescente exaltée, désagréable et haut perché. Carmelia râle toujours.

Le mâle déchire mon chemisier pendant que je me mets à hurler ; mes cris se répercutent sur les vitres et le plafond du taxi, ils me reviennent en plein visage, gorgés d'illusions : îles volcaniques plongées dans le brouillard, jardin flottant qui porte mes pas, maisons vivantes coiffées de toits de chaume… Tout cela semble bien loin, maintenant.

Le visage convulsé du chauffeur se fige soudain dans une expression de souffrance. Il ouvre de grands yeux niais, tire la langue, puis s'écroule sur mes cuisses. Zéro. Derrière lui, je découvre Adèle, fière et droite, les lèvres crispées dans une moue blindée. Elle n'a pas l'air avenant. Entre ses mains, elle serre le Smith & Wesson que j'avais trouvé dans ses affaires ; elle a pris ses précautions. Un violent coup de crosse a suffi à calmer le bonhomme.

Adèle me regarde, éteinte. C'est ma chute : voilà deux ou trois fois qu'elle me tire d'affaire, et ça me déplaît beaucoup – j'ai contracté des dettes envers elle. Il faudra régler ça. Lorsqu'elle sera morte, je ne lui devrai plus rien. Dommage que j'aie besoin d'elle en ce moment, sinon je lui emprunterais son arme pour lui tirer une balle en plein visage. Ensuite, je boirais son sang, nue, avec les autres filles.

D'un coup de pied, je repousse le chauffeur assommé. Dans un bruit flasque, il tombe sur la route déserte. Il ne mérite même pas qu'on l'achève. J'espère qu'il sera dévoré par les vers que j'ai arrachés à la sangsue.

Assise dans le taxi, je tente de me calmer, de ralentir les battements de mon cœur. Mon pouls est trop rapide, j'étouffe, et une main invisible pèse sur mon ventre, comme pour pouvoir me déchirer et y entrer de force. Tout ça à cause de ce maudit chauffeur ! Je passe une main insensible sur mon front, une main étrangement glacée, malgré la chaleur qui envahit le reste de mon corps.

Ferme les yeux, Ariane, ferme les yeux. Respire lentement. Expire. Inspire. Expire. Inspire…

Peu à peu, mon rythme cardiaque devient plus lent, et la pression sur mon ventre se relâche. J'ouvre les yeux, tousse, regarde Carmelia qui se pâme, sa main droite glissée entre ses jambes. Depuis que j'ai cessé de la toucher, je ne présente plus aucun intérêt pour elle. Bientôt, nous serons quittes : j'éprouverai la même indifférence à son égard.

Ma peur se change en colère. Je prends mon sac, tombé au fond de la voiture pendant l'agression. J'en tire une fiole d'alcool fort, que je bois d'un coup. Cette déflagration salutaire me barde contre les filaments de crainte qui me prennent encore à la gorge. Je détends mes épaules, laisse échapper un soupir froid. Les mouvements de Carmelia sont de plus en plus frénétiques, rythmés par le rire de Marika, qui nous regarde, penchée sur la portière, pendant qu'une expression salace frelate son visage.

Refermant les yeux, je me concentre afin d'interdire au conducteur l'accès au manoir. Lorsqu'il reprendra conscience, il risque de vouloir nous retrouver. C'est hors de question qu'il y parvienne. Je pourrais le laisser venir à moi et l'enchaîner avec Jim, mais il me révulse trop pour que je m'attarde à son cas, même pour le torturer.

Malgré ma confusion, je parviens vite à créer un barrage mental. J'ai l'habitude. Voilà, c'est réglé, j'ai créé un immense dôme autour du manoir et de ses environs. Malgré la simplicité du trajet qui y conduit, l'homme ne pourra pas se rendre au manoir. Je peux sortir du taxi, maintenant…

Mes jambes tremblent encore, je pose mes mains sur le toit du taxi afin de ne pas tomber. Un frisson traverse la cuirasse dévastée de ma peau. Toujours impassible, Adèle m'observe. Son regard voudrait s'appuyer sur mes failles pour mieux les élargir, mais je ne le lui permettrai pas. Marika continue de rire bêtement, à demi plongée dans l'habitacle.

— On prend la voiture, décide Adèle.

Je m'interpose.

— Non ! On marche jusqu'au manoir. C'est plus prudent. Je ne voulais pas qu'il voie où j'habite.

— Mais il va vouloir nous retrouver quand il se réveillera.

Sans donner trop de détails, j'explique :

— Il ne réussira pas. C'est comme ça. Et si on retourne un jour à Alkenraüne, on sera prudentes, au cas où on le croiserait. De toute façon, on est presque arrivées. C'est l'affaire de cinq minutes. Allons-y !

Tu vas plier, Adèle, courbe l'échine, ou je la casse ! Je sens une rage se répandre en moi, n'en sois pas la victime. Peu m'importe que tu sois mécontente ou hilare, c'est moi qui décide. Tu ne seras jamais qu'une subalterne dont le plus grand accomplissement aura été de servir mes désirs impériaux et impérieux.

Je passe mon bras autour du cou de Marika, qui se retourne vers moi. Je la déplace doucement, prends la main de Carmelia, qui proteste.

— Allez, viens, on va chez moi, on sera plus à l'aise toutes les trois. Tu veux un peu d'alcool ?

Elle vide le contenu du flacon que je lui tends. Il ne me reste presque plus rien à boire. Je hausse les épaules. Pas besoin de mettre le plaisir en berne, la route sera brève.

Dans la chaleur ruisselante, nous nous mettons en marche. Sous la lune embaumée, l'attitude bizarre d'Adèle attire mon attention. Je la vois d'abord nous devancer, puis ralentir sans raison apparente. D'instinct, je comprends pourquoi : elle est angoissée, *elle a peur de la sangsue* ! J'enduis mes blessures de cette idée antalgique. Si j'ai souffert de l'attaque du chauffeur, la vieille, elle, ne s'est pas encore remise de celle de la mendiante. Tant mieux ! Ça la rendra moins arrogante.

Carmelia respire difficilement, elle se plaint de ses bottines, « pas faites pour marcher » selon elle. Marika se contente de rire. Les deux filles prennent leur temps, elles traînent les pieds, s'arrêtent de temps en temps pour s'embrasser en gloussant. Je dois les séparer à plusieurs reprises. Tout ça m'agace. L'incident du taxi m'a refroidie, je ne me sens plus autant attirée par ces deux gourdes. En plus, une ambiance bizarre alourdit la nuit ; des yeux l'habitent, des yeux impossibles à discerner. À un moment, je suis même certaine d'entendre quelqu'un siffler une mélodie bizarre, parmi les hautes herbes. Du coin de l'œil, je regarde Adèle. La vieille n'a rien remarqué. C'était une illusion… N'empêche : j'ai hâte d'être chez moi, de prendre le contrôle.

La route collante n'en finit plus de charbonner sous nos pas. J'ai l'impression que je vais bientôt rester prise, qu'elle va durcir sous mes pieds et me garder prisonnière, à la merci de je ne sais quel prédateur. Je me penche même pour la tâter, mais elle a conservé sa solidité habituelle. Je deviens folle, mais ne l'ai-je pas toujours été ? Malgré cela, je suis heureuse de parcourir ce sentier moelleux. L'air chaud se plaque sur ma peau par les déchirures de mon chemisier. Déjà, mes mains s'attiédissent. Je redeviens Ariane.

— C'est encore loin ? gémit Carmelia, rouge et décoiffée, laissant entrevoir la bacchante qu'elle se prépare à devenir.

— Non, regarde, on voit le manoir, là-bas, lui dis-je en pointant le doigt en direction de ma demeure.

Cette réponse prometteuse apaise mon ingénue en vert, qui éprouve une difficulté croissante à contenir ses pulsions. Bientôt, elle pourra se dévêtir. J'en profiterai pour me saouler, et alors, nul doute que l'envie de me joindre à elle me reprendra. Je me connais : même un cataclysme n'enraierait pas ma sensualité, alors il est impensable qu'un chauffeur de taxi y parvienne (j'aime cette phrase, qui a quelque chose d'impensable).

Sur ces pensées, nous atteignons enfin la cour avant du manoir. Ravivée par le bonheur d'arriver chez moi, je prends les devants, marchant jusqu'à la porte d'entrée.

8 : Des soubresauts avant l'éclipse

Ignition. Le décret du feu peut commencer.

Après avoir posé mes affaires dans la salle à manger, j'ai conduit les deux filles ici. Mécontente, Adèle s'en est allée je ne sais où. À vrai dire, ça ne m'intéresse pas pour l'instant, mais je punirai son insolence et son dédain plus tard. Pour le moment, je veux m'emplir de l'ambiance bleue et verte.

Dans le salon bleu, j'ai allumé les candélabres. Certains d'entre eux, posés sur le sol, changent nos ombres en fantômes festifs dont les mouvements épileptiques donnent à songer qu'ils viennent d'un monde où la sagesse n'a pas sa place. Au milieu de la pièce, mon narguilé égyptien invite aux voyages. En inhaler la fumée aromatisée m'a toujours galvanisée. Ma sensibilité s'en trouve décuplée, et le moindre effleurement produit sur moi des sensations multipliées.

Déjà nues près du narguilé, Carmelia et Marika caressent les motifs multicolores du vase, en m'invitant à les rejoindre, de leur index tendu. J'ai changé d'avis depuis notre retour : Carmelia n'a rien perdu de son charme ni Marika de son éclat. La mésaventure du blond huileux s'enterre dans les méandres de l'hypothèse. L'ai-je vraiment vécue ?

À travers le long col souple du narguilé, Marika inhale la fumée à la mangue. Elle ferme les yeux, béate. Sa main se perd entre ses cuisses, mais on jurerait que le geste est banal, tant il a un naturel désarmant.

En fixant les deux filles, je me dévêts lentement. Dans ma tête, des bongos résonnent, indiquant le tempo à suivre. Un orchestre invisible scande mon numéro d'effeuillage. Je me déhanche sans trop me presser, dissimulant mes seins avec les lambeaux de mon chemisier. Transportée, Marika scrute mon dos nu, une main entre les jambes. Près d'elle, Carmelia lèche le tuyau bariolé du narguilé, tapissant mes pupilles d'un spectacle prometteur. Ma jupe glisse sur mes hanches, se vrille en rêve au long de ma blancheur, tombe sur le sol. J'enlève ma culotte, que je lance à Marika. Elle la lèche, la hume avant de la tendre à Carmelia. Cette dernière l'embrasse.

Je m'empresse de rejoindre les deux jeunes femmes et de prendre un tuyau dans ma bouche. J'inhale, je sens la fumée me salir les poumons, la saveur de mangue brûlée m'ensoleille, l'apaisement déploie sa lumière, la catastrophe est loin, maintenant, si virtuelle que j'en célèbre l'invraisemblance en embrassant longuement Marika, savourant sa flaveur de fruit intoxiqué.

Affolée par ce spectacle impudique, Carmelia se joint à nous. Je lèche la langue de chacune des filles, récoltant sur mes papilles leur braise sucrée. Ma main court sur le sein de Marika ; elle frémit, sa sensibilité est à fleur de peau. Je savais la drogue efficace, mais, chaque fois, je m'étonne d'en redécouvrir l'impact. Carmelia se couche sur un coussin qui surélève son bassin, elle prend ma tête, la guide entre ses jambes. Son intention est transparente. J'avais hâte de m'en délecter, je savoure son goût profondément charnel, complexifié par une gamme de nuances qui se dispersent avant même d'avoir éclos, fuyant la nomenclature, rebelles à la capture ; ce sont autant de poissons qui fuient dans ma main, autant de particules en mouvement qui refusent d'être arrêtées.

Tout à coup, je me tends, car Marika a entrepris de m'imiter. Ses seins étranges se pressent contre moi, ils ont une texture à la fois élastique et compacte. Je me concentre sur le goût de Carmelia, mais, trop douée, Marika m'en détourne bientôt. Une succession d'images m'écartèle l'esprit, alors que je sens le plaisir s'intensifier, je revois le corps dur et les yeux bleus d'un ancien amant, je le sens presque sous ma main ; puis, c'est Salomé et ses étreintes mystiques, une odeur d'encens plane dans la pièce, toutes les dépravations passées auxquelles j'ai pris part se cristallisent dans cet instant, je ne veux pas que ça s'arrête, Marika et son talent, j'ai envie que cette vague me submerge depuis longtemps, depuis mon arrivée au cabaret, je savais que je ramènerais des filles, je savais qu'elles seraient les instruments de mon plaisir, et cette idée à elle seule me tourne la tête et me fait bouillir, deux délicieuses esclaves réifiées, Carmelia et sa candeur, Marika et son mystère, Marika la rousse qui ne parle pas, mais dont la chevelure de feu couvre mon corps, alors que le parcours concentrique de sa langue me rend folle… Marika / Carmelia / Salomé / Laïka et ses mains palmées, les visages de femmes et d'hommes se confondent dans ma tête en une seule vision métaphysique et globale, je monte, je monte toujours plus haut, c'est éthéré au point que je ne me sens même plus vibrer, Marika aspire mon âme, j'ai arrêté de toucher Carmelia, qui proteste, mais je n'en ai cure, ça monte, ça monte toujours, la dernière marée me submerge, elle écrase totalement ce que je suis, je ne suis plus rien plus rien que l'INCANDESCENCE ET L'IN-TENSITÉ...

Ensuite... Ensuite...

Ensuite, je redescends.

Ma conscience est délestée du délire. J'ai été comblée ; ça me suffit, il ne m'en faut pas plus. Après tout, j'ai visité Salomé récemment...

À présent, le travail commence. Établissons d'abord un plan : trouver Adèle. Conduire les filles dans la cellule de Jim. Contempler. Droguer. Quitter. Se coucher. Dormir.

Cette formalité vise à convaincre Adèle de l'efficacité de mon aphrodisiaque. Mérite-t-elle que je me déplace ? J'hésite, à cause de son attitude blasée. D'ailleurs, la vieille maquerelle a déjà constaté la puissance de ma concoction : les filles sont folles, elles ne savent même plus ce qu'elles font.

En ce moment, Marika lave les bottines de Carmelia à coups de langue, tandis que ma petite ingénue s'amuse en solitaire, couchée à plat ventre, en marmonnant des mots incompréhensibles. Puisque mon excitation est passée, je ne suis pas émue. À la rigueur, je trouve ce spectacle ennuyant. Adèle avait peut-être raison de s'éclipser... Cette idée m'agace : je n'ai pas à justifier la conduite de mon hôte par des circonstances atténuantes. Elle aurait au moins pu s'excuser. Nous aurons une discussion à ce sujet. Une discussion bardée de clous qui, je l'espère, lui laisseront des cicatrices dont elle se souviendra quand elle aura envie de se montrer suffisante.

Laissant les deux filles à leurs jeux (« Je reviens très vite »), je me rends à l'étage. Mon bougeoir à l'effigie du démon ébrèche les ténèbres. Je m'excuse de briser leur homogénéité en leur promettant, pour bientôt, un spectacle qui justifiera leur inconfort temporaire. Dans son cadre, le général Marcel dort toujours. Le changement de routine l'a sans doute fatigué : Adèle et toutes ces histoires de maison close l'inquiètent, je suppose.

Les ténèbres chaudes et collantes moulent encore ma nudité lorsque j'entre dans ma chambre pour me vêtir. Près de ma jupe, mon chemisier déchiré repose en paix dans le salon bleu. Marika et Carmelia président à sa veillée funèbre, une veillée funèbre épicurienne, semblable à l'existence qu'il a vécue en épousant mon corps et en s'imprégnant de mon odeur. Je le placerai dans mon extracteur à jus spécial, qui en tirera toutes les mauvaises vibrations pour en faire un breuvage amer que je servirai lors d'une occasion spéciale. Ceux qui en boiront éprouveront les émotions que j'ai ressenties lors de l'attaque du chauffeur de taxi – un mélange d'angoisse, de colère et d'arrachement. Peu soucieuse d'esthétique, j'enfile le premier chandail trouvé dans un tiroir. Un pantalon complète le tout. Voilà certes une tenue masculine, mais n'est-ce pas l'habillement idéal pour affronter Adèle ?

La maquerelle est dans sa chambre, attablée à un petit bureau en acajou, en train de fumer un cigare boisé. Coquette, elle s'est recoiffée en vague. Je me demande qui elle cherche à séduire comme ça. Un fantôme ? Un amant invisible ? La diablesse a encore disparu, j'en suis vexée. Ma désapprobation se dilue dans ma voix :

— Qu'est-ce que tu fais ?

Impassible, elle répond d'un ton neutre :

— J'allais me coucher.

Je soupire.

— Je ne te comprends pas. Je t'héberge, j'accepte de participer à ton projet, et, à la première occasion, tu vas t'enfermer dans ta chambre. Ce n'est pas ce qu'on avait prévu. Il faut les conduire à Jim. Tu voulais tester les effets de l'aphrodisiaque.

Elle tapote le bout de son cigare, toujours absente. Cette femme a-t-elle des sentiments ?

— Ce ne sera pas nécessaire. Je n'ai plus besoin de vérifier, maintenant. C'est clair, ça fonctionne. On n'aura même pas besoin de payer les filles, ce serait même l'inverse.

— Tu aurais pu me parler avant de t'en aller…

Adèle se mord la lèvre inférieure, témoignant enfin d'un sentiment, d'une vie intérieure. Elle regarde ensuite le mur derrière moi, hésitant à m'avouer quelque chose.

À sa place, je ne balancerais pas trop. Quand on est hors de ma sphère d'influence, on est en danger dans ce manoir. Par le passé, je me suis parfois désintéressée de quelqu'un sans avoir envie de l'exterminer moi-même. Alors, je le laissais sans protection en le recommandant au mauvais sort de cette maison. Les résultats ont été charmants. Je me rappelle en particulier d'un couple d'importuns, Jean et Yse. Lorsque j'en ai eu assez de ces deux intrigants, je les ai soustraits à ma protection. Yse a disparu, puis, son visage s'est mis à apparaître sur le carrelage d'une pièce. Chaque fois que je marchais sur lui, j'entendais un hurlement infime mais bien réel. Elle est d'ailleurs toujours vivante, mais je l'ai recouverte d'un tapis, car elle commençait à me fatiguer. Je croyais son mari Jean introuvable depuis des mois lorsque je l'ai aperçu dans l'un des tableaux qui ornent l'étage. Il était attaché à un bûcher, et une expression d'épouvante et de souffrance transformait ses traits en gargouille humaine.

Je devrais raconter leur histoire à Adèle, mais est-elle digne de cette récompense ?

Elle finit par opter pour la bonne solution :

— Sur la route, en revenant au manoir, j'ai eu un malaise. Je pensais à la femme-sangsue, j'avais hâte d'arriver. Quand je vous ai suivies au salon bleu, je pensais que j'irais mieux, mais ça ne s'est pas amélioré. J'ai préféré aller dans ma chambre.

Cette explication me convient. Elle confirme que derrière sa glace, Adèle n'est pas congelée, mais sa translucidité empêche de distinguer ce qui se passe sous la surface. Je la ferai fondre avec un lance-flammes, s'il le faut. Dans un élan de fausse compassion, je m'enquiers :

— Alors, tu vas mieux, maintenant ?

— Oui, ça va, ma morsure n'élance plus, mais je suis fatiguée. La longue marche m'a épuisée. Je n'ai plus vingt ans, tu sais.

— Bon, d'accord. Tu peux te coucher. Je vais laisser les filles s'amuser avec Jim. Cet aphrodisiaque finit par épuiser ceux qui en prennent : ils vont s'endormir jusqu'à demain soir. Ça nous donnera le temps de réfléchir à tout ça demain matin.

Un sourire pâle réorganise ses traits. Elle fait presque pitié, tout à coup. Que se passe-t-il dans son cœur de maquerelle autoritaire ? Feint-elle ? J'aimerais bien le savoir…

Je la quitte, rejoins les filles au salon bleu. Cette fois, Marika se frotte contre le corps de Carmelia, à la manière d'un animal en rut. L'impression produite matraque le bon goût avec une belle vigueur. Toujours couchée sur le ventre, Carmelia se laisse utiliser sans manifester de dégoût, d'ennui ou de réprobation. Je recueille leur sueur à l'aide d'un torchon bleu – je l'utiliserai dans ma prochaine décoction.

Je frappe mes mains l'une contre l'autre :

— Les filles ! Debout ! On s'en va voir quelqu'un.

Les enfants turbulentes m'ignorent, poursuivant leurs activités avec une conscience, une application et une énergie qui feront d'elles de remarquables professionnelles. Sans me presser, je me rends à la salle à manger. Les oiseaux m'accueillent en nouant dans l'air chaud les accords d'une mélodie compliquée. Je les salue. Je prends ensuite une fiole d'aphrodisiaque, puis le pichet d'eau piquante nécessaire à corseter la conduite des deux filles – j'aurais voulu en offrir à Adèle, mais l'occasion ne s'est pas présentée. J'irai le remplir demain, dans le jardin. Je devrai entailler le cactus multicolore, mais ça n'a pas d'importance… La blessure végétale se refermera vite.

De retour dans le salon bleu, rien n'a changé, j'entends les mêmes soupirs et je distingue la même frénésie. À ce rythme, mes recrues vont se désagréger à force d'être trop stimulées. Je m'arrête au-dessus d'elles, les scrute pendant un moment, puis, avec délectation, verse le contenu du pichet sur ces deux élèves récalcitrantes. Le résultat surpasse mes attentes : marquée par une expression de dégoût, Marika s'éloigne vivement de Carmelia en poussant de petits cris qui me rappellent les jappements des chihuahuas. L'ingénue en vert, elle, se relève, grimace et tente d'enlever l'eau de son corps en se donnant des coups du revers de sa main. En voyant cette improvisation, un spectateur naïf pourrait croire que Carmelia cherche à se punir d'une mauvaise action.

L'eau piquante provoque toujours une sensation désagréable : un mélange de picotements, de répulsion, de régression infantile et d'instabilité. Combinée à l'aphrodisiaque, elle plonge ses victimes dans un état de confusion temporaire qui les rend désorientées et plus dociles. J'interroge les filles :

— Vous voulez que ça arrête ?

Elles hochent la tête en chœur, telles deux gamines grondées par leur mère.

— D'accord. Vous n'avez qu'à me suivre dans une autre pièce. Dès qu'on sera arrivées là-bas, vous vous sentirez mieux.

Ce mensonge m'amuse : la faiblesse de l'eau piquante, c'est qu'elle perd ses propriétés après deux minutes. Les filles n'ont donc pas besoin de bouger pour dissiper leur mal-être.

Carmelia et Marika me suivent en traînant les pieds. Trop confuses pour s'effrayer du décor lugubre dans lequel elles évoluent, elles regardent autour d'elles, intriguées. Ensuite, évidemment : clé, pêne, gâche et gâchis. Pas si angoissé que je l'imaginais, Jim se réveille quand nous entrons. Loin de se morfondre, il dormait ! J'espère qu'il était libre, dans son rêve, afin que sa captivité lui pèse plus, maintenant qu'il a relevé sur le monde le couvercle de ses paupières.

Dans ses prunelles, un éclat louche indique qu'il accomplissait en songe des exploits d'une autre nature. Je jette un regard à son eau. Il l'a bue, bien sûr. Moi qui espérais le tourmenter, je remplace son monde imaginaire par une réalité encore plus séduisante ! Son expression licencieuse s'intensifie dès qu'il aperçoit les deux filles, radieuses dans leur nudité et dans les sourires coquins qu'elles lui adressent.

Je le laisse enchaîné. Je n'ai pas envie qu'il jette son dévolu sur moi, et il doit payer pour m'avoir si mal satisfaite lors de notre première rencontre. Cet inconfort relatif constitue un châtiment fort charitable.

Comme je l'avais prévu, les deux filles marchent jusqu'à Jim. Sans s'encombrer de préliminaires, inutiles à ce stade, Marika baisse le pantalon du prisonnier et, par des trésors d'inventivité, enivre son nouvel amant, si j'en juge par ses yeux exorbités et sa langue sortie de sa bouche. Carmelia, elle, laisse ses mains parcourir le corps de sa compagne. Ses gestes semblent toutefois patauds, comme les mouvements de Marika, qui paraissent manquer de coordination. Les filles sont moins énergiques, depuis quelques minutes. À mon avis, elles commencent à ressentir l'épuisement causé par l'aphrodisiaque. À l'horizon, leur inconscience se dessine. Dans le pire des cas, elles s'endormiront, et Jim s'amusera avec elles. Ensuite, ils formeront un charmant trio de dormeurs, unis par les liens oniriques.

Bon, j'en ai assez ! J'enferme à clé tout ce beau monde. Je remonte à ma chambre, passablement fatiguée. La journée et la nuit ont été longues. Il me tarde de m'endormir, de rêver à des leurres scintillants et inoffensifs.

9 : Faustine et son flegme

J'étais heureuse dans les bras de Salomé, mais le soleil jaloux m'a réveillée, m'arrachant au bonheur. J'ai alors consolidé l'enveloppe protectrice qui me garde des blessures physiques ou morales qu'on pourrait tenter de m'infliger. Maintenant, je ferme les yeux, ma respiration est lente, calme.

Un doux balancement berce mon corps, semblable à la sensation qu'on éprouve à bord d'un bateau. Ces vagues qui m'apaisent me rappellent mon enfance et mes parents, ces sorciers bohémiens trop vite enlevés à moi… mais pas avant que ma mère, agonisante, ne m'ait transmis ses pouvoirs et son savoir, d'une simple imposition des mains. Je me revois marcher jusqu'ici après leur mort et m'installer dans le grand manoir vide. Pendant des jours, j'ai pleuré et j'ai prié. Je me sentais creuse, vide à l'intérieur. Je passais des heures couchée sur les dalles froides, persuadée que ma solitude était métaphysique, qu'elle participait à une douleur universelle, immuable et infinie.

Un matin, avec ce trou dans le cœur, je suis allée dans le jardin. J'ai mordu dans un fruit bleu, et il m'a semblé que j'allais *un peu* mieux… Le reste, tu le connais, n'est-ce pas ? C'est l'histoire de mon monde magique et de ma révolte contre les conventions et les gens.

Ce souvenir, cette ouverture à l'émotion m'a permis de bien visualiser mon enveloppe protectrice. Nimbée de lumière, ondoyante et insaisissable, elle immunise le manoir contre les intrus. Ceux qui pourraient m'exposer au danger n'entreront pas ici, ils ne trouveront pas le chemin pour s'y rendre… Je me représente le manoir recouvert d'une bulle géante qui englobe les environs. J'en distingue à la fois l'ensemble et chaque parcelle, je m'imprègne de cette image afin de la rendre encore plus concrète et de la mettre au monde par la force de ma pensée. Il s'agit de méditer pendant quelques secondes encore…

Je peux sourire, maintenant. J'ai envie d'imiter la douceur, de boire un jus frais dans la salle à manger et de m'exposer aux rayons du soleil. Trop détendue pour me mettre en valeur, j'enfile les mêmes vêtements qu'hier – chandail et pantalon.

En m'arrêtant devant la chambre d'Adèle, je colle mon oreille au battant. Tu entends ? Elle ronfle encore, véritable mécanisme vivant ! Cette routine dans sa façon de dormir contribue, j'en suis sûre, au bon fonctionnement de tous les sabliers du monde, dont elle remplace le moteur.

Noble et réveillé dans son cadre, le général Marcel, lui, ne ronfle pas. Il préfère les horloges solaires aux sabliers. Je crois distinguer une lueur d'inquiétude au fond de son œil droit, ou est-ce une illusion ? Qu'en penses-tu, toi ? Regarde-le attentivement. Son flegme craque, l'entends-tu ?

Son attitude paraît si neutre qu'on le sent en train d'évaluer la situation : il n'a pas encore rendu son verdict. Je pose un baiser sur sa joue et je me rends à la salle à manger. Au loin, j'entends toujours son flegme craquer.

Dehors, j'apporte quelques fruits et ce livre au sujet du facteur-diable, tu sais, celui qui ensorcelait les enveloppes. Tu n'en as jamais entendu parler ? Les gens à qui il apportait leur courrier recevaient des nouvelles désagréables : annonces de deuil, de séparation, menaces… Un simple toucher du facteur suffisait à changer le contenu des messages et à modifier la réalité en conséquence. Ça t'intéresse, cette histoire, hein ? Alors lisons le premier chapitre ensemble, allez, on commence : *Franz Weltz était facteur, au sens large du terme : facteur rural, certes, mais aussi facteur de risques. Une gravure symbolique le représente au bord d'un gouffre sans fond, prêt à y pousser un adolescent frêle…*

Je suis absorbée dans ma lecture depuis un long moment, au point que mes bras se sont couverts d'encre d'imprimerie et que mon corps se divise en chapitres, lorsque Adèle surgit, un cigare insolent pointé vers moi, à la manière d'un doigt accusateur. L'odeur boisée fait naître en moi des visions d'inquisition, que la chaleur de l'air amplifie. Je me vois déjà attachée à un bûcher, livrée à la vindicte d'une populace ignorante et tarée, forêt humaine aux troncs couperosés.

Je remarque ensuite qu'Adèle a ses cornes. Volontaire ou non, ce choix esthétique contribue à me rendre une partie de mon bonheur perdu. Je décide d'entamer la conversation en abordant cet important sujet :

— Tu sais Adèle, je préfère quand tu te coiffes comme ça, avec les cornes sur ta tête. Ça te donne un côté démoniaque que j'aime bien. Tu me fais

143

penser à une version plus cordiale de Satan. Je suis sûre qu'en Enfer, les damnés seraient d'accord avec moi.

Concentrée sur son cigare, Adèle ne répond pas. M'a-t-elle entendue ? J'en doute. Elle me fait songer à un golem, immuable et monolithique. Or, un golem, ça ne parle pas… mais ça ne fume pas non plus.

Contre toute attente, après un long silence, elle marmonne :

— Je n'arrivais pas à me peigner, ce matin. J'ai mal dormi. Des rêves bizarres. J'habitais dans une sorte de château hanté, il y avait ce bruit de moteur en permanence, le moteur d'une machine bizarre…

Je ramasse ces paroles qu'elle a laissées tomber. Je les mets dans ma poche. Si jamais j'en ai besoin, elles seront à portée de ma main droite. Un peu de poivre changera ces songes en cauchemars, au cas où je les trouverais mièvres. À mon tour :

— Moi, j'aime les rêves bizarres, abstraits ou pas. Je les parcours avec délices. Il me semble que si ma vie quotidienne ressemblait à mes songes, j'aurais plus de plaisir à me réveiller, le matin.

Adèle grommelle quelque chose d'incompréhensible. Régresse-t-elle vers un état primitif ? Va-t-elle me lapider ou m'embrocher pour me faire cuire ? Elle n'est ni avenante ni articulée, ce matin – il n'en tient qu'à moi de la désarticuler. Ensuite, j'en ferai une poupée géante que j'assoirai dans un coin du salon bleu, en prenant soin de l'installer dans une posture grotesque.

Peu encline aux bavardages, la maquerelle leur préfère les conversations utilitaires, puisqu'elle aborde sans plus tarder l'unique sujet qui l'intéresse :

— Il faut discuter.

Discuter ? Je préférerais diaboliser. Adèle manque de poésie et de lyrisme. Il faudra lui graver quelques vers dans le dos, au fer rouge. Qui sait ? Ce serait peut-être pour elle le début d'une ouverture à l'art…? Un art convulsif à l'odeur de chair grillée.

— On a déjà deux filles, poursuit Adèle. J'en suis contente, c'est un début, mais je dois en savoir plus. Ton aphrodisiaque, c'est dangereux d'en boire trop ? Il y a des effets secondaires ? Il ne faudrait pas que les filles se mettent à mourir, à tomber malades ou à se comporter n'importe comment devant les clients.

— C'est sans risque. Après tout, l'ingrédient majeur, c'est l'eau de pluie tombée dans les environs. J'en ai découvert les vertus un jour où je me suis baignée sous une averse…

Je me tais pendant quelques secondes, trempée dans ces souvenirs humides jusqu'à les avaler. En pensée, je revois le manoir se dresser sous la pluie, à la manière d'un défi. J'entends les gouttes d'eau crépiter sur le sol, l'herbe fraîche givre mes pieds, et l'eau tiède improvise sa chorégraphie sur mon corps et autour de moi… Je m'étais dévêtue pour mieux m'offrir à cette douche céleste qui paraissait m'inciter à me dissoudre ; j'aurais souhaité devenir liquide, me fondre dans le sol, le fertiliser et donner naissance à un arbre étrange dont chaque fruit aurait eu mon apparence.

J'avais ouvert la bouche pour goûter cette eau réconfortante, j'aimais son arrière-goût subtil et sucré… Peu après, cette pulsion incontrôlable m'avait envahie. Je m'étais précipitée sur un arbuste dont la verdeur m'hypnotisait, et, lentement, j'avais utilisé l'une de ses feuilles dures et flexibles pour me donner du plaisir. Sa texture quasi humaine me rendait folle, on aurait dit que le végétal vibrait sous mes assauts, animé par des pulsations régulières. Ce fut une longue communion, au terme de laquelle j'errai dans un état d'hébétude profond.

Lorsque je m'étais réveillée, j'avais déraciné l'arbuste et je l'avais laissé se déshydrater au soleil.

Je remonte la pente du temps. Adèle me regarde, étonnée de mon silence subit. Je secoue la tête de gauche à droite pour expulser les lambeaux de souvenirs qui s'accrochent à moi, avant de poursuivre :

— Quand il pleuvra, il suffira de recueillir l'eau. Je laisse des barils ouverts en permanence, sur le côté du manoir. Tu n'avais pas remarqué ? Avec les années, j'en ai fait une bonne provision. Le reste, les ingrédients que j'ajoute, c'est pour donner une touche finale, mais ils n'ont pas besoin d'y être en grande quantité.

— Si on récapitule, il suffit d'en donner à quiconque pour qu'il soit plongé dans un grand état d'excitation… Après une ou deux heures, le « cobaye » s'endort.

— Oui. Je peux ajouter un tonique à l'aphrodisiaque, qui l'empêchera pendant trois ou quatre heures de causer la somnolence, mais pas plus. Ce serait dangereux d'en abuser. Ce sont les limites du produit, mais ce n'est pas un problème. Nos employés auront une vie rêvée : entre plaisir et sommeil, sans s'épuiser à la tâche.

— D'accord. Si un client veut rester longtemps, on fera une rotation, on lui enverra d'autre monde après trois heures, comme dans un quart de travail. De toute façon, je suis contre l'abattage des filles.

Elle se rembrunit, soudain pensive. Ses sourcils froncés s'agencent bien avec ses cornes. Après un passage furtif, l'émotion se retire du visage d'Adèle. Je sens qu'elle va se verrouiller encore. Elle s'apprêtait à me révéler un secret, une clé utile pour comprendre et interpréter sa personnalité, mais sa méfiance reprend le dessus. Il faut que j'en sache plus, qu'elle me dise la vérité. Allons-y d'une question naïve, afin d'entamer sa cuirasse :

— C'est quoi, l'abattage des filles ? Je connais l'expression « vente à l'abattage », quand on liquide beaucoup d'objets de très mauvaise qualité…

Adèle a une moue dégoûtée. Elle crache presque sa réponse, comme si le fait d'articuler les mots du bout des lèvres allait les rayer du vocabulaire :

— C'est… C'est quelque chose d'affreux, de… *dégueulasse*!

Un tel mépris se lit sur son visage que je devine qu'elle a subi cette pratique, mais va-t-elle enfin me dire de quoi il s'agit ? Si seulement je pouvais plonger ma main dans sa tête pour lui arracher la réponse de force ! En vain, je l'encourage du regard, à l'aide d'un sourire de petite fille amicale. D'une voix posée, je dis enfin :

— Il faut que je sache, Adèle. On est associées, tu comprends ?

Elle baisse la tête et, sans me regarder, explique, la voix éteinte :

— Avant de diriger ma maison, j'ai travaillé pour d'autres. J'en ai connu, des matrones et des souteneurs. Ma pire expérience, ça a été dans une baraque affreuse. C'était dans un quartier pauvre, près d'un port. Les chambres étaient horribles, crasseuses… On devait servir jusqu'à quarante clients par jour, des hommes sales, puants, violents, sans aucun respect pour les filles. Ils nous frappaient, nous crachaient au visage, ils se servaient de nous comme d'objets. On n'avait même pas le temps de se lever entre deux passes. Heureusement, j'ai pu m'enfuir de là-bas, mais pendant les deux ou trois jours que j'y ai passé, j'ai vu des filles pleurer, hurler, se trancher les veines ou se cogner la tête contre les murs jusqu'à ce qu'elles perdent connaissance. Je me suis dit que *jamais* je n'imposerais ça à mes filles si je devenais « madame » un jour…

Elle relève la tête, presque fière, puis replace le cigare entre ses lèvres, refermée sur son mystère. Son visage a repris sa froideur coutumière, nuancée, toutefois, d'une colère lointaine qui assombrit son teint à la manière d'un nuage noir. Elle a dû beaucoup souffrir pour se blinder ainsi à la moindre occasion. Pauvre petite bête qui se cache dans son terrier, de peur d'être éventrée par un chasseur. Malheureusement pour mon interlocutrice, je suis une chasseresse. Cache-toi loin, petite Adèle, par crainte que je ne te déloge de ta tanière pour mieux te dépecer ! Ta souffrance me donne faim !

Puisque le silence creuse un trou entre nous deux, je le remplis en songeant aux propos d'Adèle, assez denses pour le combler. Je suis d'accord avec elle sur un point : des hommes, j'ai souvent détesté leur empressement, de même qu'une certaine brutalité. C'est pour cette raison que j'en ai tant tué, de toutes les façons possibles : pour rétablir l'équilibre. C'est une attitude écologique de ma part.

Est-ce des larmes que je distingue sur les joues de la mère maquerelle ? J'ai presque envie de les boire, mais c'est peut-être une illusion d'optique… Je m'apprête à m'approcher d'elle pour le vérifier, mais Adèle se remet brusquement à parler :

— Quand j'ai eu ma maison, j'en ai fait un endroit tranquille. Oh ! les filles râlaient parfois, c'est sûr, mais qu'est-ce qu'on peut y faire ? C'est le cas de tous les salariés. Je peux dire que je les traitais bien. L'endroit avait un côté familial ; notre clientèle, c'étaient de bons bourgeois qui venaient chercher chez nous ce qu'ils ne trouvaient pas chez eux. Je m'assurais que tout se déroule comme il le faut… C'est Francis qui a brisé l'harmonie. Je t'ai parlé de lui, un ancien souteneur qui travaillait pour moi. Il veillait à ce que l'ordre règne dans la maison, une sorte de police privée. J'étais un peu amoureuse de lui, comme une idiote. À mon âge ! Lui, il s'est entiché d'une autre, une jeune concurrente qui me déteste, madame Laure.

Perdant toute retenue, Adèle crache par terre.

— Tu connais la suite… La police et le reste. J'ai dû m'enfuir. Déjà que les autorités me voyaient d'un mauvais œil, on m'avait prévenue de ne pas faire parler de moi. Avec cette histoire-là sur le dos, j'ai pensé que j'étais bonne pour la prison des femmes, et, à mon âge, si près de la retraite, j'ai été prudente. Être enfermée, molestée, dominée par les détenues plus jeunes et les gardiennes, rabrouée, mal logée, mal nourrie après tout ce que j'ai vécu, non ! Je me suis enfuie, j'ai tout laissé derrière moi. Je me disais que je tenterais ma chance ailleurs, qu'il n'était pas trop tard pour recommencer et me refaire une nouvelle vie. Avec mon expérience, il me suffisait de trouver l'endroit idéal et…

« Recommencer et me refaire une nouvelle vie », « il me suffisait de trouver l'endroit idéal »! Elle m'agace ! Elle m'embête ! Je me retiens pour ne pas me précipiter sur elle et lui gratter le visage jusqu'à l'os ! Ensuite, je donnerais ces os à des chiens affamés et, une fois qu'ils auraient été dévorés, je brûlerais les chiens dans la fournaise du sous-sol.

Ce qu'elle veut, ce n'est pas s'associer à moi, mais profiter de mes ressources et de mon manoir, à la manière d'un parasite qui s'installerait ici pour vivre à mes dépens, un gros parasite cornu et inerte, comme ceux qu'on écrase parfois d'un coup de talon… Quand je pense que j'ai presque eu pitié d'elle, tout à l'heure, lorsqu'elle me racontait les mauvais traitements qu'elle avait subis dans sa jeunesse ! Elle aurait mérité pire ! Elle n'éprouve aucun intérêt envers moi, elle n'a jamais posé aucune question à mon sujet, rien ! Pour elle, je suis une riche héritière à demi-folle, la descendante tarée d'une famille de nobles dégénérés. Mes parents sont morts et j'habite ici seule en me créant un monde imaginaire ! Pourtant, sa rencontre avec la sangsue et l'aphrodisiaque que j'ai donné aux filles devraient suffire à lui prouver le contraire, mais elle préfère m'attribuer une identité fantasmatique, conforme à ses souhaits. C'est plus simple pour elle, je deviens sa création…

De toute manière, ça n'a aucune importance. Je ne voulais pas m'engager auprès d'Adèle ; je voulais juste vivre un fragment d'apocalypse à domicile, un projet amusant qui brise la routine, qui rompe ce maudit spleen et qui me permette d'entamer un nouveau cycle !

Plongée dans ses réflexions, Adèle savoure son cigare. Combien y en avait-il dans sa valise ? Dix ?

Cent ? Mille ? Ses réserves s'épuisent, en tout cas, sinon, j'y veillerai en les cachant quelque part.

Le cœur en berne, je regarde le décor immobile qui m'entoure, écrasé par la chaleur : le sentier, les hautes herbes, au loin, immobiles, presque immuables. Ce paysage figé me donne des envies de mouvement et de cataclysme. Pour amorcer la bombe, je demande :

— Alors, Marthe, elle va amener combien de filles ici, tu penses ?

— Trois ou quatre, pas tellement plus. Ma lettre ne donnait pas beaucoup de détails. On verra ensuite à augmenter le nombre. Une quinzaine de filles serait un bon début. On ajoutera deux ou trois hommes, pour ceux qui aiment ça et pour les femmes qui en veulent, même si, entre toi et moi, des clientes de maison close, il n'y en a pas tant que ça. Et s'il…

Adèle s'interrompt au milieu de sa phrase, paralysée. Sa mâchoire se met à pendre, lui conférant un air de vache parlante. Sa langue dépasse légèrement de sa lèvre inférieure. Ronds et humides, ses yeux inexpressifs complètent ce charmant portrait. Ils me rappellent la veille, lorsque la maquerelle ressemblait à une grosse gibelotte gélatineuse plus ou moins fraîche. Que se passe-t-il donc ? Est-elle frappée d'une attaque subite de débilité ? L'air égaré, elle ajoute en louchant, d'une voix blanche :

— De toute façon, les autres fourniront l'énergie nécessaire.

— Hein ?

Adèle s'anime alors de nouveau, comme au sortir d'une absence ou d'un songe.

— Hein quoi ? demande-t-elle de son ton habituel.

— Tu viens de dire : « De toute façon, les autres fourniront l'énergie nécessaire ». De quoi tu parlais ?

— Moi ? Je n'ai pas dit ça !

— Adèle, je t'assure que je t'ai entendue.

— Bah ! fait-elle avec un geste de déni, j'ai parlé sans m'en rendre compte, c'était une sorte de lapsus. Ça n'a pas d'importance. Ce qui compte, c'est de régler les détails pratiques : on a dit une quinzaine de filles, il faudrait aménager le manoir en conséquence. Il y a beaucoup de chambres à l'étage, et le sous-sol pourrait servir aux jeux de domination, avec son atmosphère sinistre. Le deuxième, lui, logerait les filles. Au rez-de-chaussée, on accueillera les clients.

J'abrite ma colère sous un auvent neutre. C'est de mon manoir qu'elle parle, et voilà qu'elle décide d'en attribuer les pièces sans même me demander mon avis ! Ce mépris suscite en moi un début de nausée. Je retiens un sourire maladif : elle me facilite la tâche. Je suis déjà peu encline aux remords, mais c'est avec une délectation de succube que je la massacrerai... Pour secouer la suie de son futur cadavre qui souille mes pensées – *Ashes to ashes, dust to dust* –, j'écoute Adèle, qui poursuit :

— À l'étage, on pourrait aménager une dizaine de chambres selon dix thèmes, dix concepts. Notre clientèle sera recherchée et exigeante, elle va avoir envie qu'on la surprenne, qu'on lui propose des décors et des idées originales. Chez moi, par exemple, on avait trois pièces à thèmes qui plaisaient aux clients plus sophistiqués : la chambre de bonne ; la chambre des tortures, pour les masochistes ; et la chambre exotique, avec un décor de jungle. Les filles qui travaillaient là s'habillaient en sauvageonnes d'opérette – elles portaient un costume à rayures, elles se barbouillaient le visage de maquillage rituel, tu vois le genre… Le reste, c'est l'imagination du client qui le complète. Il remplit les vides…

Ma réponse est sèche, sèche comme la douleur quand il n'y a plus de larmes pour pleurer :

— Bien. Je réfléchirai de mon côté. Je trouverai des idées.

J'ai planté Adèle là, comme on enfouit un légume dans la terre afin qu'il pousse en notre absence. Que le soleil la réduise en cendres !

Rentrée dans le manoir, je symbolise le spleen pendant une ou deux minutes, adossée à un mur froid. Puis, rompant les sutures qui me greffent ici, je décide d'agir pour mettre un baume sur mon errance. D'abord, noter mes idées de chambres thématiques sur une grande feuille blanche. Ce sera amusant d'ouvrir mon esprit et d'en laisser sortir des projets fous.

Idées de salles thématiques, par Ariane

— La salle d'horlogerie : deux filles couchées sur de grands coussins noirs et étroits simulent les aiguilles d'une montre. Partout dans la salle s'entassent des objets relatifs au temps : montres, sabliers, clepsydres, cadrans, métronomes, etc. Ils servent à donner la mesure, choisie par le client. Le tempo est rapide ou lent, mais, en payant un supplément, il peut se modifier, par exemple s'accélérer au fil des minutes. Les filles se synchronisent à ce rythme.

— L'escale : on recrée un aéroport. Un comptoir de renseignements sert à informer le client des escales possibles dans les capitales les plus dépravées. Notre voyageur peut aussi obtenir, grâce aux employé(e)s, un échantillon des spécialités locales. Notre globe-trotter souhaitera passer le temps de façon agréable avant l'embarquement. Un faux téléphone public lui permet de discuter avec une fille cachée derrière un paravent. La douane peut être intéressante : les clients soumis se font surprendre alors qu'ils tentaient de cacher quelque chose d'interdit ou de compromettant – punition ou tentative de corruption en perspective. Le bureau de change permet de monnayer certains fantasmes. Quant aux objets perdus, on risque d'y trouver des trésors fort stimulants.

— L'animalerie : les filles sont déguisées en bêtes de toutes sortes, que le client peut choisir sur une longue liste : les filles-chats et leurs vibrisses à plaisir, les lionnes qui rugissent et mordent la chair des chercheurs de frissons, les femmes-rats et leurs dents enduites d'une substance chauffante, les chauves-souris aux morsures sublimes, les serpents au corps lisse recouvert d'un collant visqueux et dont la langue est couverte d'une prothèse bifide, etc.

— La salle de classe (un classique) : pour élèves disciplinés ou non. Rôle de prof possible. Les manuels scolaires sont des livres d'images licencieuses dont on a changé la page couverture.

— La chambre western, avec ses cow-girls sexy, ses cactus en carton-pâte, ses femmes-juments bridées, son piano désaccordé dont joue une femme nue, son rodéo (pour les téméraires), ses hommes à figures patibulaires qui, en pleine partie de poker, peuvent se mettre à vous battre s'ils estiment que vous avez triché.

— La salle aux miroirs, pour ceux qui aiment regarder.

— L'asile : hommes et femmes y simuleront la folie, pour des amours au-delà des frontières de la logique. Prévoir des accessoires insensés, comme une trousse de médecin remplie de friture, des guitares sans cordes, des vêtements cousus de manière à ce qu'on ne puisse pas les enfiler, des verres sans fond, etc.

— La chambre « classique », pour les conformistes.

— La bonne aventure : une voyante vous promet de prédire vos fantasmes… et de les concrétiser ensuite. Prévoir une boule de cristal utilisable pendant la relation.

— L'éloge : pour les clients qui manquent de confiance en eux. On les traitera comme des rois, allant même jusqu'à se prosterner devant eux, alors qu'ils écoutent, assis sur un trône.

— Le commissariat, pour un interrogatoire mémorable : menottes, femmes policières aux méthodes inoubliables, petite prison, témoins corrompus, etc.

— Le ring : pour ceux qui aiment assister à de gentils combats. La perdante doit s'occuper du spectateur.

— La mante religieuse : simuler un accouplement avec cet insecte célèbre qui dévore le mâle pendant les ébats.

— Le musée : toucher les statues y est permis.

— En famille : pendant un repas familial, débauchez la fille ou la mère sous la table, alors que le père, vous parlant de politique, de sport et de voitures, ne s'en rend pas compte.

J'en ai assez. Quand je commence à ne plus m'amuser, j'arrête. De toute façon, Adèle aura sûrement des idées elle aussi, et nous n'avons que dix chambres à préparer...

Après être allée visiter Jim, Carmelia et Marika, qui dormaient, je vais retrouver Adèle à l'extérieur. Pas de chance ! La diablesse dort elle aussi. Il faut croire que le soleil de l'après-midi a quelque chose de soporifique. Qui sait s'il n'est pas ensorcelé ?

Les sourcils froncés d'Adèle forment un arc pointu assez troublant, semblable au haut d'un pentagramme. Si, à cet aspect, on ajoute ses cheveux cornus, elle est plus que jamais méphistophélique. Faustine, j'ai déjà entendu ce nom quelque part. Si je rebaptisais Adèle, elle serait maintenant Faustine, succube amnésique aux yeux verts, égarée sur cette terre pour accomplir sans le savoir les plus crapuleuses actions.

Je la réveille en pinçant sa joue.

Ses yeux s'ouvrent brusquement sur le monde, tels ceux d'une morte tout à coup ressuscitée.

— Ariane ? dit-elle, alors que la veille se superpose au rêve dans ses pensées confuses.

— C'est moi. J'ai fait ta liste. Toi, y as-tu pensé ?

L'espace de quelques secondes, ses yeux s'ouvrent grand, absorbant la lumière pour dissoudre les restes de sommeil qui menacent de faire dériver ses pensées. Elle tousse, se gratte la joue et finit par prendre un morceau de papier sous sa cuisse. Je le déplie et y lis quelques idées rédigées dans un style télégraphique :

— Le domaine du fouet : décor noir, accessoires punitifs et femmes sévères.

— Chambre de bébé pour clients régressifs.

— L'hôpital et ses infirmières, un classique.

— Le harem du sultan : avec des femmes parfumées étendues sur des coussins. Traiter les clients comme des rois.

— Le couvent : prévoir des costumes de nonnes et des accessoires appropriés.

— L'Enfer : pièce rouge, jolies diablesses armées de tridents, vêtues de tuniques ou de capes flamboyantes.

— La bonne à tout faire et sa chambre.

La banalité est-elle contagieuse ? Le conventionnalisme peut-il s'attraper ? Si oui, j'ai peur d'avoir tenu cette feuille entre mes mains.

Sans honte, Adèle récupère son travail d'élève appliquée. Je préfère attribuer son inconscience à son réveil récent. Elle est encore endormie, c'est ça ? C'est sans doute ce qui l'empêche de reconnaître la médiocrité de ses conceptions. Oui, Adèle est somnambule. Étourdie par les barrières floues du rêve, elle confond « excellent » et « exécrable ».

Après la grisaille, voici les couleurs : je remets ma liste à la maquerelle. Elle se racle la gorge, fronce les sourcils et entame sa lecture. Au fil de sa lecture, son visage se modifie de manière remarquable. On croirait voir une comédienne qui tente de passer en revue les stéréotypes propres à certains sentiments : confusion, surprise, doute, ahurissement, perplexité, réprobation...

Lorsqu'elle a terminé, elle ose me dire :

— Je ne sais pas ce que les clients vont en penser. Tu as des idées assez bizarres. En même temps… ça peut plaire à certains. Il faut préparer dix chambres. On peut retenir cinq de mes idées et cinq des tiennes.

Adèle, démocratique ? Je ne l'aurais pas cru. Désarçonnée par son cheval de bataille pacifique, j'en perds ma cravache. Je gis par terre sans trop comprendre comment j'ai pu m'y retrouver. Puis, finalement, encore étourdie de ma chute, j'acquiesce :

— D'accord. Je choisis la salle d'horlogerie, le musée, la mante religieuse, le ring et la bonne aventure. Si jamais je trouve les résultats trop ordinaires, je m'autorise à les changer, à essayer autre chose.

D'une voix monotone, Adèle répond :

— C'est ça.

Puis, ses yeux fixent un point invisible derrière moi.

— Il faudrait que j'aille chercher un cigare dans ma chambre, ajoute-t-elle après quelques secondes de silence.

Cette réplique synthétise son désintérêt d'une superbe façon. Je devrai la transcrire en lettres dorées, la faire encadrer et la suspendre au-dessus de la tête de la maquerelle, au moment où je l'exécuterai. Ces quelques mots ajouteront un piquant estimable à son agonie.

Sans plus de subtilité, Adèle se lève, en quête de ce qui la préoccupe vraiment : ses cigares. Je décide de la suivre, afin de vérifier où elle range ces cylindres à l'odeur boisée. Je n'aurai même pas besoin de fouiller pour les repérer et les jeter. J'aime commettre des crimes paresseux.

Nous entrons dans le manoir désert. Il fait plus frais qu'à l'extérieur, où même le soleil a chaud. J'ai à peine le temps d'observer le visage du général Marcel lorsque je passe devant le tableau. Il paraît soucieux, mais mon examen n'a pas duré assez longtemps pour que je puisse le confirmer. Sans s'occuper de moi, Adèle marche jusqu'à sa chambre. Elle y entre, ouvre le tiroir d'une petite commode, y prend une boîte, l'ouvre et se plaint, sans me regarder :

— Il faudra que j'en trouve d'autres. Il m'en reste seulement trois. Je suppose que Marthe en aura. Elle a toujours aimé fumer, elle aussi.

Je ne jetterai pas ces cigares. Il ne me servirait à rien d'en détruire deux. Pour qu'un vol soit intéressant, il doit être ambitieux, sinon, il n'a pas d'envergure – tel un oiseau sans ailes, il se contenterait d'exister. Or, moi, je veux *voler*.

Assise sur son lit, Adèle allume le cylindre, impassible et impossible. Pendant un moment, j'ai envie de la confronter, de l'ébranler, de l'ensevelir de paroles bizarres ou injurieuses, juste pour remodeler la cire de son visage... Et puis je laisse tomber (sans bruit, d'ailleurs). Elle m'enlève mon énergie...

— Oh ! dit-elle soudain, tu vois ça, dans le coin de la chambre ?

— Dans le coin de la chambre ?

Je regarde dans la direction qu'elle désigne du doigt. Je n'aperçois rien. Je demande :

— Qu'est-ce qu'il y a ?

— J'avais cru voir une jeep miniature... Mais j'ai dû me tromper.

Elle est folle ! Complètement folle !

Je retourne voir le général. Il a disparu du cadre. Je n'aime pas quand il s'en va. J'ignore où il se cache, j'ai toujours peur qu'il combatte je ne sais quelle armée, qu'il me revienne défiguré, amoché, ou qu'une pierre tombale remplace son visage.

Je retourne m'installer dehors, un livre à la main. Je suppose que je m'endormirai. D'ici l'arrivée de Marthe, je verrouillerai ma conscience, l'enroberai dans un cocon laineux dont elle sortira quand l'amie d'Adèle se présentera au manoir. Alors, il vaudra la peine de revivre et, à nouveau, de te confier mes impressions.

10 : Même en Enfer, dit-on, il faut préparer les supplices

Je n'imaginais pas Marthe ainsi. Toi, qu'en penses-tu ? C'est décevant, non ? J'avais pensé qu'elle serait grande et grosse, certes, quant au reste... (devrais-je dire *aux restes*, tant l'ensemble de sa personne me paraît impropre à la consommation ou à la fréquentation ? Elle ne me donne envie ni d'un festin cannibale ni d'une amitié). À quoi faut-il attribuer mes réticences ? À sa robe jaune qui moule trop son corps de Junon fanée ? Aux aspérités déplaisantes de son nez en bec d'aigle ? À ses cheveux très longs qui s'apparentent à de l'étoupe ? Voir pendre ce sinistre cordage derrière son dos doit réfréner les envies des clients.

Son sourire se veut chaleureux, mais je ne peux m'empêcher de penser qu'il semble en voie d'extinction. Quant aux longues boucles d'oreilles vertes qu'elle porte, on souhaiterait les lui arracher, tant elles agacent la vue. Elle dégage une odeur tenace et désagréable, celle d'un plat faisandé, aigre. Lorsqu'elle me tend la main, elle dit d'une voix trop aiguë :

— Bonjour, je m'appelle Marthe. Je suppose que tu es Ariane.

Bien supposé, la grosse.

Deux filles l'accompagnent, portant des valises vieillottes, aux couleurs passées – Marthe, bien sûr, n'en traîne aucune. Elles se déplacent autour de leur patronne, orbitant telles d'insignifiantes planètes. Elles sont jolies, au moins. J'attribuerais à la première, une blonde caricaturale aux lèvres très maquillées, des emplois d'espionne ou de traîtresse. Ses traits un peu froids et vulgaires plairont à certains. Sa façon de mâcher sans cesse un *chewing-gum* imaginaire lui enlève beaucoup de classe, mais elle promet d'autres plaisirs, plus rudes. Elle porte une mini-jupe de cuir noir et une veste moulante fermée jusqu'au cou par une fermeture éclair, qui met sa poitrine en valeur. Elle a eu le bon goût de leur adjoindre des cuissardes lacées en vinyle.

La deuxième employée est une jolie brunette, pimpante et joyeuse. Elle doit incarner la gentille fille de service, celle qui se vautre dans le vice sans en avoir l'air et qui ressort des pires passes avec un sourire ingénu. Elle formera un joli duo avec Carmelia. Sa tenue vestimentaire, plus quelconque, se compose d'un pantalon noir et d'un chemisier rouge.

J'ai à peine répondu à Marthe qu'Adèle surgit, un immense sourire aux lèvres. J'en suis confuse. Jamais je n'ai vu Adèle radieuse à ce point. Elle aime donc tant cette grosse entremetteuse malodorante ? La maquerelle a été morose et bizarre, ces derniers jours. Elle avait choisi l'instabilité comme mode de vie, elle devenait de plus en plus distante et étrange. Je l'ai même surprise en train de soliloquer, de dire des phrases du genre : « Ce sera moins long que je le pensais, il faut juste ne pas se tromper. Mais ça marchera, cette fois-ci, ça ne peut pas échouer, elle ne le lui pardonnerait pas...»

Quand je l'ai interrogée, elle a paru juxtaposer deux univers incompatibles dans sa tête. En haussant les épaules, elle m'a répondu qu'elle ne savait même pas à quoi elle réfléchissait. Je me suis fâchée. Sa réaction a été d'allumer un cigare… Au moins, elle a conservé sa coiffure cornue, mais je ne suis pas certaine que ce soit pour me combler.

Les deux bonnes femmes s'étreignent (j'aurais préféré qu'elles s'éteignent) en se complimentant et en exprimant leur bonheur de se retrouver. Que c'est émouvant ! Pour un peu, je vomirais une bombe par terre, que je leur lancerais aussitôt en pleine gueule. Au moins, j'aurais l'illusion de vivre ce moment pour une raison valable.

Je conduis tout le monde à l'étage. Les deux jeunes femmes regardent autour d'elles, étonnées. Leurs yeux se promènent partout, trahissant l'admiration, l'incompréhension et un respect mêlé de crainte. Qui sait quelles pensées obtuses se frappent aux parois étroites de leur cervelle ? Ont-elles peur d'être enfermées dans une forteresse vouée à l'assouvissement des perversions les plus rares ? Je le souhaiterais. Cela dit, j'ai hâte de sentir leurs corps contre le mien, surtout celui de la brunette.

Malgré la lumière qui filtre par les fenêtres, elles s'étonnent de l'obscurité de l'étage, cherchent un interrupteur. Je dois encore expliquer que l'électricité, ici, c'est comme la paille dans un nuage : il n'y en a pas. Même Marthe fronce les sourcils et ose dire :

— Mouais… Ça serait important de la faire installer, en tout cas. Ça coûte cher, mais ça rapporte beaucoup.

Adèle a l'audace d'opiner. Mes mains se mettent à trembler. Je les entends presque crier : « Ariane, laisse-nous l'étrangler ! Laisse-nous l'étrangler ! »

Je demeure sourde à ces appels. Je ferme les yeux, prends une grande respiration et réprime ma colère. Ces deux mégères se croient tout permis. J'aurai un immense plaisir à les supplicier. Mon sang se change en malfaisance liquide. Un véritable condensé de méchanceté me dynamise, crevassant mon calme. J'aimerais leur inoculer une maladie qui les réduirait à n'être que deux corps souffrants. J'en ferais une attraction pour les touristes, qui les regarderaient benoîtement en mangeant des fruits bleus.

Marthe entre dans sa chambre, laissant entendre qu'elle est « convenable ». Les deux filles, elles, logeront à côté ; elles découvrent la pièce et son grand lit en poussant des cris de joie. Je regarde Adèle :

— Alors, on commence les travaux quand ?

— On va laisser Marthe se reposer, dit-elle. On pourrait débuter demain.

Sa réponse me contrarie, mais je me tais. Plus le sacrifice est grand, meilleure est la récompense. J'ai déjà commencé à aménager mes pièces, de toute façon. Je demanderai aux deux nouvelles de m'aider.

— Tu as choisi tes cinq pièces, comme je te l'avais demandé hier ?

— Oui, répond Adèle. Ce sera le fouet, la chambre de bonne, le couvent, le harem et l'Enfer. J'ai visité le capharnaüm, j'ai trouvé pas mal d'accessoires.

— D'accord. Demain, après le petit-déjeuner, alors.

Je rejoins les deux filles dans l'autre pièce. Elles ont découvert la penderie et s'extasient devant les robes qu'elle contient. Ces objets ont étouffé la crainte que j'avais lue dans leur regard – comme s'ils pouvaient protéger quelqu'un ! Quelles gourdes…

Quand j'ai emménagé dans le manoir, j'y ai trouvé beaucoup de vêtements équivoques qu'on aurait crus conçus pour moi par un styliste décadent. Je n'en ai jamais manqué. Bien sûr, lors de quelques escapades en ville, j'ai fait l'acquisition d'autres jolies fringues ou de meubles, qu'on me livrait ensuite. Il faudra d'ailleurs passer par là pour décorer certaines chambres, mais j'enverrai Marthe : je ne veux pas retourner à Alkenraüne, pas après l'attaque du chauffeur de taxi. Je profite de ce souvenir pour canaliser mes énergies négatives vers cet énergumène : souhaitons qu'elles détraquent ses journées. Qu'il conduise des clients fous, agressifs, violents, névrosés et dangereux, mais qu'il ne meure pas tout de suite, car, « s'il mourait, on n'aurait pas plus tard l'aspect de ses misères », comme l'écrivait ce cher Lautréamont.

Les employées se présentent : Tina (la brunette) et Elke (la blonde). Je leur demande de me suivre dans les pièces que j'ai commencé à préparer, au deuxième étage. D'abord, la salle d'horlogerie. J'ai presque eu le temps de la terminer en réunissant un grand nombre d'appareils reliés au temps, fonctionnels ou non : horloges, montres, sabliers, cadrans, clepsydres, métronomes, gnomons, pendules, calendriers. Je me suis amusée à recouvrir les murs d'inscriptions et de citations.

Nous passons au musée. J'y ai entassé des statues lugubres, érotiques, ou les deux (mes préférées – par exemple, j'adore ce discobole nu et décapité, aussi sanglant qu'inconvenant, saisissant défi à la mort). Quelques objets bizarres reposent sous des cloches de verre, telle cette pompe à plaisir métapsychique (on affirme qu'elle matérialise les orgasmes sous formes de jolies fées lumineuses qui dansent en rond avant d'exploser) ou ce harnais hypnotique qui permet aux femmes de soumettre leurs amants à tous leurs désirs. J'ai rédigé quelques cartons explicatifs dans un style ésotérique et ampoulé, parfois atomisé par le désir. Mes commentaires sont-ils vrais ? Personne, sauf moi, ne le sait.

Pour la chambre suivante, il me faudra un costume de mante religieuse ; il sera possible de le concevoir à partir d'une longue robe verte, à laquelle j'ajouterai des antennes et des ailes. Il me faudrait aussi recouvrir le plancher de faux gazon et peindre les murs en vert. Je l'explique aux filles, qui m'écoutent en hochant la tête de gauche à droite, à la manière des chiens obéissants. Dommage que je n'aie pas de laisses pour elles. Je demanderai à Marthe de m'en acheter quelques-unes. Pour l'instant, j'irai chercher les pots de peinture verte et le nécessaire pour qu'elles s'activent.

La pièce de la bonne aventure est plus avancée, rendue vibrante par les objets qui s'y entassent. Dotée de vertus apaisantes, une grosse boule de cristal trône sur un écrin de velours noir. Quand on la touche, elle distend le réel, permettant d'en voir les confins fugitifs qui abritent souvent des choses impensables. En posant la main sur elle, je me rappelle avoir déjà vu, à l'extrême limite de mon champ de vision, une forme oblique qui n'avait rien d'humain. Sa présence bizarrement solaire m'avait harponnée d'un émoi indéfinissable qui s'était niché dans ma poitrine pendant des semaines. Un jour de pluie, j'avais été libérée de cette sensation, qui s'était évaporée dans la brume…

Le ring, enfin, est plus quelconque. Ce qui comptera ici, c'est moins le décor que les combats qui s'y dérouleront.

Les filles me suivent jusqu'à un réduit, près de la salle à manger, où je range le nécessaire pour la peinture. Nous remontons ensuite. Leur prescription : travail. Ma prescription : repos. Je supervise leurs débuts, que j'estime convenables. Je les quitte sous prétexte d'occupations.

Je ne sais pas pourquoi, je me sens prise d'une vague nausée, d'un malaise imprécis. Je devrais être contente, non ? Je hais les deux maquerelles, ce qui m'assure une vengeance exemplaire ; les filles peignent, le projet avance. Mais non, il y a cette main qui me serre le cœur, cette sensation d'angoisse indéfinissable, la crainte que la terre s'ouvrira sous mes pieds d'un moment à l'autre pour me précipiter dans un monde de souffrances…

Pour canaliser mon angoisse, je prends une feuille de papier blanc et j'y inscris les objets qui manquent pour mes pièces. Je suppose qu'Adèle ou Marthe iront en ville. Je leur demanderai de me rapporter le nécessaire. Nous nous reverrons ce soir, au repas.

Dès son arrivée dans la salle à manger, Marthe s'est installée à la place d'honneur, dans cette belle chaise ouvragée, au bout de la table, que je devrais occuper. Bien sûr, Adèle s'est assise à sa droite. À la gauche de Marthe, je fais face à son amie maquerelle. À ma gauche, Elke et Tina boivent ses paroles et leur verre en silence, laissant parfois échapper des rires d'enfants turbulentes.

Sans gêne, la grosse sort une boîte de cigares d'on ne sait où et en offre un à son amie. Adèle, les yeux ronds, s'empresse d'accepter. Et voilà, cette horrible fumée à l'odeur de bois pourri empeste l'air.

Le mistral se lève en moi. Son souffle froid balaie ma tristesse et glace mon spleen. Il neige dans mon crâne, une neige de résolutions qui enterre mon paysage mental, en attendant la fin du monde. Je sais que tu grelottes, je n'y peux rien. Même les oiseaux frissonnent, mais, devinant mon état d'esprit, ils se remettent à improviser une symphonie chaotique dont les lames suspendues au-dessus de nous attendent l'heure désignée pour choisir leurs victimes.

Tout à coup, Marthe éclate de rire. Elle se verse un grand verre de vin, qu'elle boit presque d'une traite, sans le savourer. Ses joues sont rouges, elle parle fort, interrompt Adèle, mange beaucoup, se croit intéressante.

Un regard en biais à Elke et Tina me révèle la soumission des deux gourdes. Si elles ne sont pas passionnées par Marthe, elles l'écoutent sans mot dire, à la manière d'étudiants qui n'osent s'avouer les lacunes de leur professeur, même s'ils les devinent. Tout à coup, alors que je me délestais de mon cafard en jouant aux mythes dans ma tête, Marthe se tait, fixant sévèrement Adèle.

Cette dernière ne l'écoute plus, ce qui m'étonne, compte tenu de sa vénération pour la grosse bavarde. Que se passe-t-il ? Son stoïcisme n'est donc pas illimité ?

— Adèle, tu rêves ! M'entends-tu ?

Ma diablesse ne se rend pas compte qu'on s'adresse à elle. Naviguant sur d'autres eaux, elle ne voit plus le port. Marthe l'interpelle de nouveau, ce qui tire brusquement Adèle de ses pensées. Froissée dans sa majesté, la reine lésée croise les bras sur sa poitrine qui coule à pic.

— Tu me fais perdre mon temps, se plaint Marthe.

Adèle répond en balbutiant, encore enchâssée dans sa rêverie :

— Je suis désolée, j'ai pensé à eux, ils ne savaient pas comment venir ici, ils voulaient savoir...

— Je te l'ai déjà dit : j'ai trouvé le manoir en suivant tes indications. Les clients réussiront aussi, avec l'itinéraire que je leur ai donné.

Sans plus s'attarder à ce sujet, Marthe entame un monologue sur la généalogie, sur les liens de sa famille avec celle de Franz Anton Mesmer. De manière inexplicable, Adèle se gave de ces propos, admirative, les mains croisées comme une fidèle qui écoute les paroles d'une déesse.

Pour oublier mon ennui, je bois du vin de sable. J'oublie un détail : on ne peut fuir quelqu'un si on l'emmène en voyage avec nous. Marthe me suit dans mon ivresse, plus agaçante que jamais. Ses longues explications s'étirent en idées fibreuses, le tintement de ses boucles d'oreilles m'assourdit, son visage devient si rouge que je l'imagine dans une arène, à la merci du taureau qui l'encornerait. Serait-elle encore capable de parler, ensuite ? Je ne suis pas certaine du contraire.

Elle parasite mes rêves de désert, boit l'eau de mon oasis, me recouvre de sable quand j'aurais besoin d'ombre, couvre ma tête d'un heaume que grille le soleil brûlant. Je sens des gemmes douloureuses s'incruster dans ma chair.

Je prends la carafe d'une boisson beige. En boire me donnera de l'assurance. J'avale l'alcool au goût de légumes poivrés, tâchant d'ignorer Marthe, qui continue sa saga généalogique en riant et en crachant autour d'elle sans s'en apercevoir. Je me lève pour remplir le verre d'Elke et celui de Tina.

— J'ai quelque chose de bon pour vous deux, à la cuisine, je reviens.

Évidemment, dès que je suis hors de leur champ de vision, je verse de l'aphrodisiaque dans les verres. J'en profite pour y mélanger une boisson aux fruits qui plaira à ces âmes simples.

Quand je reviens au salon, Marthe parle encore. Je trinque avec les filles, ce qui la frustre, puisqu'elle n'a pas l'attention de toutes. Trop heureuses d'échapper au contrôle de leur patronne, la blonde et la brune boivent en faisant claquer leur langue. Le goût leur plaît, comme je l'avais pensé. L'alcool rend les visages rouges, encore plus celui de Marthe, cette braise bavarde.

Divertis-moi, pendant que l'aphrodisiaque commence à enivrer Elke et Tina. Je suis incapable d'écouter Marthe une minute de plus. Raconte-moi quelque chose de fou, une histoire qui m'éblouira, qui m'arrachera le cœur ! Ne me dis pas que tu n'en connais aucune, c'est impossible. Au fond de notre mémoire, on a tous un récit infernal qui ne demande qu'à sortir pour barbouiller la blancheur environnante. Vas-y, je t'écoute.

Quoi ? Tu voudrais m'aider, mais tu ne le peux pas ? Je suis déçue… Je me débrouillerai, alors, en me concentrant sur une image plaisante, même si

mon ébriété rend cet effort plus difficile. Je vois…
Je vois… un crâne blanchi, je vois une terre calci-
née, friable, que la chaleur fait onduler devant mes
yeux plissés. Chacun de mes pas révèle un os qui,
aussitôt, s'émiette. Je vois un soleil si grand que j'ai
l'impression qu'il avance sans cesse vers moi, à la
manière d'un gros cercle d'énergie qui grossirait
de seconde en seconde. Je vois rouge. Je suis rouge.
Mes yeux bouillent, je les entends crépiter dans
mes orbites. Je voudrais les retenir afin qu'ils ne
fondent pas sur mes joues, mais ils brûlent mes
mains qui s'effritent, dispersées par une bouffée de
chaleur subite… Je ne vois… Je ne vois plus que
mon crépuscule intérieur, à présent… Même mes
sens perdent leur acuité… Tout devient terreux,
désagrégé, en morceaux. C'est ainsi que tout doit
se terminer, un jour, dans des milliards d'années…

Feu ! Une main de braise se pose sur ma cuisse.
Je tressaillis. Est-ce le soleil qui a pris forme humaine ? Non, c'est Tina. Elle me regarde, complice
épidermique. Cette ancienne enfant sage succombe
maintenant à des convoitises d'un autre ordre. Son
attouchement condense le poids de tous les désirs,
plein d'une ferveur fébrile et délicate. C'est une
aile plombée qui m'effleure, une chaîne nécessaire
qui m'entrave. Je sens la sève, sa pulsation dans les
poignets de la fille, alors que ses doigts s'aventu-
rent de plus en plus loin sur ma peau. Toutes les
deux, nous sommes sur la piste des désordres à
venir. Ma main se glisse entre mes jambes, en attendant celle de Tina, telle une bête embusquée qui en
attend une autre pour la mordre sans vergogne.

Alors que les doigts de Tina enlacent les miens
dans un contact électrique, j'entends une curieuse
marche funèbre dans ma tête, une marche en fa

dièse. Sonne-t-elle le glas de mon ennui et de cette peine qui colle à ma peau ? Je voudrais que notre union donne le signal d'une insurrection à venir, d'une révolte contre l'épineuse question du réel.

L'index de Tina s'insinue sous mes doigts, cherchant une chair plus intime. D'emblée, je n'ai plus de doutes : elle a de l'expérience. Ses gestes sont précis, « ni trop lents ni trop lestes », comme le chantait Gréco, celle-là même qui côtoya jadis Belphégor dans un monde idéal où le mystère avait valeur de loi.

Ces mouvements aquatiques rappellent ceux des marées… Je ferme les yeux, renverse ma tête vers l'arrière comme j'aime le faire dans ces moments-là. Je peux alors me concentrer sur mon plaisir. Le reste se terre en arrière-plan. Au loin, très loin, j'entends la voix de Marthe qui continue son déluge de paroles, mais ce n'est qu'une interférence estropiée, à peine perceptible sur la cartographie de mes pulsions. La marche funèbre s'est changée en concerto aérien.

C'est chaud entre mes cuisses, Tina se plaît à m'enduire du fluide que ses caresses provoquent. Sans tenir compte d'Adèle et de son amie, je veux me pencher vers elle pour l'embrasser, mais Elke m'a devancée. Je les regarde donc, la blonde et la brune, alors que l'index de Tina poursuit son enchantement, indifférent au long baiser qu'échangent les deux filles. Aimes-tu ce spectacle ? Aimes-tu m'observer, alors que je m'abandonne, fauve lunisolaire ?

Où Tina a-t-elle donc appris ces gestes ? Il faudrait que je coupe sa main et que j'y installe un moteur ; je pourrais passer mes journées, étendue dans la chaise, devant le manoir, à m'abandonner au plaisir qu'elle me procurerait et ne plus jamais penser à rien.

C'est rapide, parfois, le plaisir. Ça monte sans avoir été éduqué, ça surgit sans crier garce ! On sent ce tremblement naître dans les pieds, puis, fulgurant, il se propage, c'est un éclair, rapide et incandescent… Ensuite, il nous laisse une impression de flottement, plus rien n'est vrai.

Une curieuse plainte a dévasté mon silence, si forte que même Marthe s'est tue, me regardant, d'abord interloquée, puis les lèvres étirées par un sourire. Elle a donc déjà aimé ? Pour un peu, on croirait qu'elle va se joindre à nous. Tina se penche vers moi, m'adresse un sourire si touchant et sincère que je sens des larmes monter à mes yeux. Je la prends dans mes bras, je la serre contre moi, et mon cœur bat fort, si fort… Ce serait le temps de mourir, maintenant, ou d'errer dans cette émotion sans jamais atteindre l'autre rive.

Un silence sature la pièce, seulement bafoué par la respiration saccadée d'Elke, qui nous observe. J'ai le temps de m'apercevoir qu'elle se donne du plaisir, avant de fermer les yeux pour savourer le goût de Tina.

Lorsque nos bouches se séparent, un temps qui me paraît interminable s'enroule autour de mon cou, prêt à m'étrangler. Puis, tout à coup, Marthe reprend son monologue destiné à Adèle :

— Comme je te le disais, j'avais rencontré cet homme-là chez Lucille, et…

Je me lève, caresse les seins de Tina, prends la main d'Elke. J'invite les deux filles à me suivre au salon bleu, laissant les deux maquerelles seules avec leurs paroles. Libérant Elke, je m'empare de plusieurs bouteilles. Je veux en verser le contenu sur le corps des filles et le boire à même leur peau, jusqu'à la fin des temps…

Ma main en ébullition sur mes yeux gommés. Mon corps nu et poisseux, collé à celui de Tina, la jambe d'Elke sur mon dos. Une bouteille d'alcool renversée mutile la blancheur du plancher. Enchevêtrement. Sous mon ongle, une blessure d'origine inconnue. Je me sens loin du paradis.

Debout dans le vide du désir satisfait, je regarde les filles immobiles. Leur respiration régulière est apaisante. En ce moment, je croirais presque à l'amour éternel…

Tu es encore là ? As-tu dormi ? Je te sens plus petit, ce matin. Ta part d'enfance a resurgi dans ton sommeil. Tu viens avec moi dans la salle à manger ? Avançons, avançons, avançons. Nous y sommes. Ni d'Adèle ni de Marthe.

Je voudrais m'asseoir sur la chaise longue, dehors, mais les nuages ont capturé le soleil. Je vais aller me coucher dans ma chambre.

Le général Marcel est encore absent. Je mordille mon pouce en constatant ce manque. Je n'aime pas ça. Toi non plus ?

Trois grincements sans douceur : la porte qui s'ouvre soudain, la voix d'Adèle, le plancher sous le poids de Marthe.

— Tu nous rejoindras dans la salle à manger. Les filles sont déjà là. On est prêtes à commencer.

Pas assez lucide encore, j'enfile un chandail informe. Je suis épuisée des excès d'hier, et des images de désir me submergent. Je ne veux pas y penser : j'aurais trop envie de recommencer.

Après avoir constaté l'absence du général Marcel, je rejoins tout le monde. Marthe trône au bout de la table, comme hier. En m'apercevant, elle pousse un soupir agacé.

— Ah ! Te voilà enfin.

— Oui, me voilà enfin.

Puisse l'insolence de ma réplique la piquer jusqu'à la dégonfler… mais c'est impossible, Marthe pense trop à elle-même pour s'attarder au jugement d'autrui. Elle dit :

— On se met au travail aujourd'hui, comme prévu. Comme je le disais hier, j'ai parlé du manoir à certains clients réguliers de ma maison, quand j'ai reçu la lettre d'Adèle. Je ne serais pas surprise qu'ils arrivent plus tôt que prévu. Je pense au banquier Lemaire ou à Roland, l'avocat. Ces hommes-là ont besoin de leur dose régulière, et se déplacer ne leur fait pas peur. Ils passeront ces dépenses dans leurs frais de service. (Elle rit, persuadée d'être très spirituelle.) En chemin, j'ai aussi remis des cartons d'invitation à quelques hommes, des pratiques potentielles. Je les reconnais de loin, vous savez… Je pensais qu'ils se plaindraient de l'éloignement, mais le contraire s'est produit : il donnait un côté mystérieux et clandestin au manoir. Finalement, ça nous permettra de hausser les prix. J'ai écrit à des filles qui ont travaillé pour moi, à d'autres qui avaient voulu que je les engage et qui m'avaient laissé leurs coordonnées… Bientôt, on aura beaucoup de monde ici, laissez-moi vous le dire. Le bouche à oreille fera son effet. J'espère juste que la police ne s'en mêlera pas, mais je sais à quel point ces hommes-là sont corruptibles… On évitera de laisser des hommes remplir des fonctions importantes ici. Ils sont trop dangereux

Elle adresse un regard sévère à Adèle, qui baisse puérilement la tête.

— Donc, Tina, Elke et Ariane, vous continuez à décorer et à peindre. Avec Adèle, j'irai recruter des filles dans les environs. On marchera jusqu'à Lierrebrisé pour se faire conduire en voiture plus loin qu'Alkenraüne. Je connais une cousine qui tient maison. Elle se plaint toujours d'avoir trop de filles. On reviendra avec quelques-unes de plus. Je ferai aussi le tour des cabarets, des boîtes de nuit, des bars, etc. Avez-vous besoin de quelque chose ?

J'évoque la liste écrite hier. Marthe me dit d'aller la chercher, qu'elle s'en chargera, non sans adopter une expression de légère contrariété. Les filles demandent une avance de salaire. Je puise dans la petite bourse que j'ai avec moi. Il faudra que je pense à les droguer et à leur reprendre cette somme…

Après un passage rapide dans ma chambre, je redescends le grand escalier afin de remettre ma liste à Marthe.

Elle s'en empare, me soufflant sa mauvaise haleine au visage. Je laisse les deux maquerelles à leurs préparatifs. Je vais d'abord aller méditer, consolider le dôme protecteur du manoir. Seuls les gens inoffensifs pourront se rendre ici et entrer chez moi.

11: Arc-en-ciel en négatif : la monotonie du vice ordinaire

C'est Marthe qui parle, au rez-de-chaussée ? La vieille morue est donc revenue de son voyage en ville ? Oui, c'est bien elle, aiguë, aigre comme la chair d'un poisson mal cuit. Elle tente d'injecter une dose de vivacité dans son intonation acide. Tiens, as-tu entendu ? On dirait que des voix d'hommes pimentent la monotonie de celle de Marthe. Elle aurait ramené des visiteurs de la ville ? Des clients ? Déjà ? Il est vrai que, malgré ses défauts, cette matrone semble sacrément efficace. Allons voir ce qui se passe…

Instantanés : couloir, cadre du général (je suis rassurée – il est enfin revenu, mais je n'ai pas le temps de m'occuper de lui, je suis trop curieuse), escalier. Tu m'encadreras tout ça pour que je contemple ces clichés plus tard.

Dans l'entrée, deux hommes discutent en prenant des airs importants, l'œil conquérant. Dans la quarantaine, le premier porte un complet gris, une chemise blanche et une cravate bleu royal. Il s'évente à l'aide d'un vieux journal. Ses lunettes noires lui confèrent un air de vedette en vacances. Une moustache discrète, comme celle des puceaux, vient ombrager sa lèvre supérieure. Si je pouvais, je la lui épilerais pendant des heures, en prenant soin de le faire souffrir. Son compagnon, en costume beige et chemise blanche, a la manie de tirer sur son nœud de cravate marron. S'il tirait plus fort, peut-être s'étranglerait-il ? J'avoue que je l'aimerais mieux ainsi, rouge et convulsé, la langue sortie… C'est un grand blond suffisant qui se trouve très beau. Il doit avoir trente ans. Ses lèvres sont trop grosses. Si je l'embrassais, j'aurais peur qu'il ne me redonne jamais ma bouche. Quant aux dents, elles me rappellent les paroles du Christ à propos des sépulcres blanchis.

Trois nouvelles filles accompagnent le petit groupe. Elles sont d'une beauté assez typée : une vamp blême aux cheveux noirs, longiligne dans sa robe mauve décolletée ; une blonde à forte poitrine vêtue d'un T-Shirt et d'un short court qui dévoile ses fesses charnues ; une Asiatique moulée par une combinaison de cuir. Nous en serions donc à sept employées ? Devrais-je m'ajouter au nombre ? Peut-être. À vrai dire, si le client me plaît, pourquoi pas ? Je me réserve le droit de refus. C'est moi qui choisis. Certes, l'expérience ajouterait une couleur à ma palette de la perversion, mais j'en gère seule les pinceaux.

— Les autres, elles sont où ? demande l'homme aux lunettes noires.

— Je vais les appeler, minaude Marthe.

Elle m'aperçoit alors.

— Ah ! tu es là ? Va chercher Elke et Tina. On a du monde. Est-ce que les chambres sont finies ?

— Pas toutes, mais ça avance bien.

Je remonte quérir les deux filles. Vêtues de bleus de travail, elles finissent de peindre l'une des pièces. Surprises, mais contentes d'interrompre cette tâche répétitive, elles me demandent si elles doivent se changer. La nonchalance fleurit dans ma réponse :

— Non. Après tout, pourquoi ? Votre allure prolétaire pourrait les émoustiller.

— Ils sont beaux ? demande Tina.

— J'ai vu pire. Ils sont bien habillés, en tout cas. Pour ce qui est de la gentillesse et de l'expérience, on verra.

Peu importe, car je servirai à tous un cocktail de mon cru. L'apparence et l'attirance passeront au second plan. Je redescends avec les deux filles. Je m'efforce d'ignorer la lueur d'intérêt envers moi qui embellit les yeux du grand blond. Il se penche vers Marthe et lui chuchote quelque chose à l'oreille. Je ne suis pas bête : il pose une question à mon sujet. Marthe est perplexe, ébranlée dans sa nacelle mentale : nous n'avons pas parlé de mon travail possible auprès des clients, aussi elle ignore quoi répondre. Je jubile en constatant son embarras, elle qui veut tant avoir l'air en possession de ses moyens. Sous un prétexte mal décanté, elle m'invite à la suivre jusqu'à la salle à manger.

Une fois que nous sommes seules, elle n'aborde pas de plein fouet la question délicate – dommage, j'aime les fouets et les lanières. Au lieu d'une bonne zébrure, elle préfère s'encombrer de préliminaires, s'enquérant de ma journée, de mon humeur, etc. Pourquoi ne pas me demander des suggestions d'étrennes ou de lui enseigner quelques pas de danse ? On marquerait des points au grand jeu de l'absurdité.

Puisque le temps est compté, elle oriente ensuite la conversation sur les deux hommes : elles les a rencontrés dans une auberge, entendant leur discussion. Ces deux célibataires sont en quête de filles. Elle a décidé d'inaugurer le manoir en leur compagnie, ils paraissent « de bonne famille » et assez fortunés. Pour me convaincre d'accepter sa proposition à venir, elle remarque qu'ils sont jeunes et beaux. Puis, plongeant dans l'eau glacée :

— L'un des deux, le blond… Il s'intéresse à toi. Je sais qu'on n'en a pas parlé, toutes les deux, mais penses-tu que…? Serais-tu intéressée à…?

Je retiens une moue méprisante. Ses vieux trucs de maquerelle sont décrépits. Ils ont servi, servi et resservi à convaincre de générations de filles idiotes, pas trop difficiles à persuader. Avec Ariane, c'est autre chose. D'une part, *je* décide ; d'autre part, ce blond ne me dit rien. À la rigueur, je pourrais toujours m'abaisser à lui cracher au visage, mais m'en demander plus relèverait de l'inconscience. Je ne sais même pas si je perdrais mon temps à le regarder mourir. C'est ce que je dis à Marthe.

Vexée, elle se contente de dire : « Très bien » avant de me tourner le dos. Je reste seule dans la salle à manger, attentive aux paroles qui proviennent de l'entrée pendant que je verse l'aphrodisiaque dans des verres sales. Une fois remplis, ils seront propres. Je me félicite de berner doublement ces gens.

Le blond paraît déçu. Sans trop d'égards, il commente la tenue d'Elke et de Tina :

— Elles sortent d'où, ces deux-là ? Vous les avez trouvées sur un chantier de construction ?

Il rit de cette plaisanterie fine, imité par son compagnon. Marthe elle-même s'abaisse à simuler l'amusement. Vache !

Un silence, puis l'autre voix d'homme dit :

— Mouais, ça n'est pas mal, en effet (j'imagine qu'il tâte ou observe l'une des filles maintenant dénudée). Je prendrais celle-là et celle-là.

C'est à croire qu'il choisit des poireaux au marché. Si c'était de moi qu'il parlait, je lui arracherais les dents. Comme ce n'est pas le cas, je rejoins ces gens, verres en mains. J'en donne un au blond, qui m'adresse un regard de séducteur satisfait, en reluquant mes seins. Dans une autre vie, je l'enchaînerai au mur extérieur du château et m'amuserai à me pavaner nue devant lui, jour après jour, sans qu'il puisse jamais me toucher. J'emprisonnerai ses mains dans des menottes, afin qu'il soit incapable de se donner du plaisir...

Les deux hommes boivent leur verre d'une traite. Je remets les deux autres à Elke et Tina, promettant aux trois nouvelles filles de leur en apporter un en guise de bienvenue. Elles sourient, sauf l'Asiatique, qui me toise comme si je sortais d'un conteneur à déchets. Je m'en souviendrai.

Arrête de la reluquer et suis-moi à la cuisine ! Vous, les hommes, vous êtes tous pareils, vous avez toujours besoin de nouvelle chair. Quand je te vois agir ainsi, je mesure à quel point j'ai bien fait de t'assassiner, jadis. De plus, c'est une méthode contraceptive fort efficace. Je n'aurais pas voulu porter ton enfant.

Verres sales, mépris, cocktails aphrodisiaques. J'envoûte celui de l'Asiatique pour qu'elle fasse des cauchemars, des histoires de viol et d'abominations, qui, je l'espère, feront resurgir tous ses traumatismes. Qu'elle en pleure pendant des semaines !

De retour au salon, je donne son verre à chacune des filles. Allez, les gourdes, skoll !

Avant de boire, elles regardent Marthe, sollicitant l'approbation que leur pusillanimité rend nécessaire. La vieille chipie les encourage, d'un regard maternel. Soit…

Les verres se boivent, tous semblent apprécier. Dans cinq minutes, ce sera encore mieux. Adèle s'avance devant le demi-cercle que forment les hommes et les femmes. Avec l'air d'un apprenti serveur qui a mémorisé le menu, elle dresse la liste des possibilités, précisant toutefois que certaines chambres ne sont pas tout à fait terminées.

— Je veux la chambre de bonne, décide le grand blond. J'ai envie de me faire dépoussiérer…

— J'hésite entre l'Enfer et le fouet, marmonne l'homme aux lunettes noires.

Juste à l'entendre, on comprend que c'est un pervers qui s'éternisera sur la route du vice. Lorsqu'il se mariera, il donnera un bouquet de ronces à son épouse, des ronces rouges du sang conjugal.

Conduites par Adèle, les filles disparaissent à l'étage, pendant que Marthe entraîne ces messieurs à la salle à manger, leur offrant de se sustenter avant de se laisser tenter. Les oiseaux hurlent en apercevant les bonshommes, ce qui ne me déplaît pas. Personne ne paraît s'en formaliser, mais leur chant est d'une extraordinaire laideur. En revanche, le blond s'étonne des crânes qui ornent la table. Je prends plaisir à lui mentir :

— Je les ai trouvés dans une caverne environnante… Je préférerais que ce soient ceux des hommes qui sont morts d'amour pour moi, mais ce n'est pas le cas.

En professionnelle avisée, Marthe se fait payer. Quelques minutes s'écoulent en bavardages ridicules. Quand il ne parle pas de ses arnaques dans le milieu de la haute finance, le blond tente de me séduire grâce à une rhétorique molle qui fond sur ma détermination en me laissant poisseuse mais sceptique. Il affirme s'appeler Andy, un nom adéquat, puisque sa sonorité est assez proche d'«ennui». L'homme aux lunettes noires parle peu, si ce n'est pour laisser filtrer quelques expressions salaces ou pour exhaler son mépris à la face du monde. Marthe écoute le tout, extasiée. Si la bêtise avait un portfolio, elle lui servirait de page couverture.

Lorsque Adèle revient enfin, j'ai presque envie d'embrasser cette vieille diablesse. Certains enfers sont moins pires que d'autres. Elle invite « ces messieurs » à la suivre à l'étage. Ceux-ci posent sur la table leur verre d'alcool et la talonnent, décidés.

J'irai les épier dans quelques minutes, afin de voir comment ils se comportent. Jusqu'à maintenant, je dois avouer que cette morne transaction n'a rien de la luminosité que j'en attendais. Payer le vice, est-ce donc le condamner à la tristesse, au manque d'éclat ?

— Il était temps qu'ils s'en aillent, ces deux-là, grogne Marthe. Encore une minute et je perdais patience.

Surprise, je me retourne vers elle.

— À quoi tu t'attendais ? m'interroge-t-elle. Tu ne connais pas l'expression « Le client n'a jamais tort » ? Je ne pouvais pas leur dire ma façon de penser.

— Mais tu voudrais vraiment qu'ils deviennent des pratiques régulières ? On pourrait trouver mieux que ça.

— Ils ont beaucoup d'argent, je l'ai vu à l'auberge. Beaucoup d'argent !

Les yeux de Marthe s'agrandissent. Si l'argent n'a pas d'odeur, il a certainement une apparence, que la vieille morue contemple en pensée. Après sa mort, il faudra recouvrir son cadavre d'une chape d'or. Comme les pharaons, elle aura de quoi s'occuper pour l'éternité.

Marthe entame un soliloque taillé à même l'étoffe de la platitude. Nostalgique de l'époque « où le plaisir, ça se payait », elle se plaint de la radinerie des clients, de leur manque de ressources et autres banalités. Je la laisse parler, l'écoutant distraitement : ce sera utile pour ma prochaine pièce de théâtre fixe. Elle racontera l'histoire d'une femme si ennuyeuse que même ses bourreaux s'endorment en la torturant. Dès qu'elle ouvre la bouche, certaines personnes meurent, terrassées par les lieux communs qu'elle formule comme autant de slogans annonçant la grande fête des poncifs. La pièce pourrait se terminer par son accession à la tête d'un gouvernement dictatorial qui instaurerait le conformisme sous peine de mort.

Pour la seconde fois aujourd'hui, je suis soulagée de voir Adèle arriver. La vieille indifférente fume un cigare boisé, visiblement satisfaite.

— C'est réglé, dit-elle à Marthe en esquissant un mouvement des épaules. Une fois que les clients sont entrés dans les chambres, l'aphrodisiaque a fait son effet. Ils n'auront jamais été aussi satisfaits des filles ! Elles se sont précipitées sur eux.

Elle se retourne vers moi :

— Ta boisson est très efficace. Si j'avais su qu'elle existait avant, j'en aurais fait bon usage.

— On serait riches, à l'heure actuelle, ajoute Marthe, s'allumant un cigare.

— Oui. On aurait notre maison, nos affaires…

Atterrissage forcé sur le terrain vague de l'insolence ! L'une parle d'argent, l'autre laisse sous-entendre qu'elle est ici par dépit, à défaut de trouver mieux. Qu'elles se comptent heureuses que les chambres soient peintes, sinon je me servirais de leur sang pour rafraîchir les murs. Tâchant de contenir le bouillonnement qui m'agite, je dis :

— Je vais aller les voir.

— Oui, mais sois prudente, m'avertit Adèle. S'ils t'aperçoivent, je ne réponds pas d'eux. Le blond, surtout… L'aphrodisiaque le rend fou, il ne faudrait pas qu'il t'attaque.

Je prends un couteau dont la lame très effilée s'enfoncerait sans doute harmonieusement dans le grand corps du client. Qu'il n'essaie rien ! Voilà longtemps que je n'ai pas tué…

J'abandonne les deux folles à leurs discussions, optant pour des aventures d'alcôves plus excitantes. Avant d'arriver à la chambre du fouet, je m'arrête devant le général Marcel. Je désire saluer son retour et évaluer ma situation. Première constatation : d'habitude si fier de sa personne, le général paraît négligé. Sa moustache grise a pâli. La voilà presque imperceptible, moins horizontale qu'elle ne l'a déjà été, comme déséquilibrée. Au lieu de son képi habituel, il porte un bonnet noir usé. Ses cheveux sont plus longs, et j'aperçois de la poussière sur sa tête. Son front plissé et ridé indique le souci, le vieillissement prématuré. Sa chemise déchirée laisse voir, sur son avant-bras, un pentacle inversé. Une larme coule sur sa joue… et surtout, dans ses yeux, je distingue une lueur implorante. Je songe à un muet qui tente de se faire comprendre par la force de son regard. Mais de quoi s'agit-il ? Qu'est-ce que le général veut me dire ?

Décontenancée, je pose un baiser sur sa joue glacée. Elle est d'un froid cosmique, tel celui qu'on doit ressentir quand on dérive seule dans l'espace, dans une nuit d'iceberg dont les limites sont abolies. Le général cherche à me prévenir, mais de quoi ? Adèle ou Marthe veulent-elles m'assassiner ? Cette perspective me semble impossible. De toute manière, je suis protégée. Les deux femmes ne seraient pas ici si elles pouvaient me blesser ou m'exposer au danger.

Que faut-il comprendre ? Que ce projet de maison close me rendra malheureuse à plus ou moins long terme ? Sans doute : l'allure négligée de mon ami (bonnet usé, cheveux longs, poussière) symbolise que cette situation est peut-être mauvaise pour mon estime personnelle, que je ne m'y épanouirai pas ; sa moustache déséquilibrée représente l'absence de stabilité ; son allure vieillie indique des tracas qui me rendront soucieuse ; sa froideur, ses larmes et le pentacle, eux, expriment le caractère néfaste de la situation. Je serai vigilante, pour m'éviter des souffrances. Si je m'estime insatisfaite, je congédierai tout le monde… Leur résistance ne m'effraie pas. J'ai beaucoup de ressources, dont des poisons spectaculaires. Tu te souviens de cette plante en forme de crâne qui ne pousse qu'à l'automne, n'est-ce pas ?

Perplexe, je quitte le général, me promettant d'être à l'affût et d'intervenir si la situation me rend malheureuse. Je changerai de projet, me lancerai dans une autre aventure fantasmatique.

Telle un frôlement sur un corps dénudé, je me glisse dans la chambre adjacente à celle qu'occupe Andy. Je colle mon œil au trou discret percé dans le mur. Plumeau en main, Elke a revêtu une tenue de soubrette transparente qui laisse voir son corps bronzé et ses seins lourds. L'homme a glissé sa main droite sous le tablier, pendant que l'autre erre près du string. Vêtue d'un costume semblable, Tina ajuste sa jarretière à côté d'eux, les yeux étincelants. Elke embrasse le blond, qui râle puisque Tina a entrepris de le caresser. La scène est convenue, certes, mais les filles m'excitent. Une chaleur familière m'envahit. Je voudrais sentir sur mon corps la bouche de mon amante Salomé, que j'imagine, appuyée contre le chambranle de la fenêtre de sa maison. Salomé, sentir sa langue qui parcourt ma peau, ses doigts... ses doigts ou ceux de Tina, dont je me rappelle soudain la texture et la précision dont j'ai profité hier. Je ferme les yeux, mais les rouvre aussitôt, pour savourer le spectacle du visage de Tina, rouge, échevelé, façonné par la luxure à l'image d'une indécence idéale...

La bouche d'Elke a relayé la main de Tina. L'homme émet des sons sauvages, on dirait un athlète qui fournit un effort immense. Son cri de plaisir devient de plus en plus intense puis... il s'arrête tout à coup en riant. Surprise, Elke recule brusquement, essuie sa bouche d'un air déçu, puis regarde Tina. Quoi ? C'est déjà fini ? Après à peine une minute ? Un véritable krach érotique...

Andy éclate de rire et s'étend sur le lit, tournant le dos aux filles, sans même leur parler. Son attitude indique à quel point il les estime... Elles se regardent, interloquées. Elke déglutit, s'approche de Tina. Est-il question d'entraver la course des passions, de donner à Andy le don démiurgique d'éteindre tous les feux après que le sien s'est étouffé ? Non : les deux filles s'embrassent... Elles n'ont besoin de personne. J'ai presque envie de les rejoindre, mais la goujaterie de l'homme m'a déstabilisée. J'aurais voulu plus, j'aurais voulu une fête intime mais démesurée ; je rêvais de positions impensables, de gémissements conjugués, lents, de draps froissés, de sueurs, de caresses audacieuses, de paroles inventives, délirantes ; je rêvais de l'amour – physique – fou, celui que chantaient les surréalistes, d'un grand brasier, d'une passion proche de l'Enfer... Et ce que j'obtiens, c'est un minable comparse qui s'écroule au premier moment et deux filles qui s'embrassent, joliment certes, mais dont je perçois le dépit. Je l'avoue quand même, le ballet de leurs langues est joli à contempler ; elles unissent leurs lèvres de façon outrée, presque expressionniste, comme si elles se donnaient en spectacle, compensant leur déception par la lasciveté du baiser. Chacune des deux touche l'autre, elles se connaissent bien.

Malgré cette chaleur, il y a quelque chose de fêlé dans mon désir. Peut-être aurais-je dû boire l'aphrodisiaque, moi aussi ? Je me sens froide comme le général Marcel. Autant aller visiter la deuxième salle, celle de l'homme aux lunettes noires... Peut-être y trouverai-je mon compte, mais je ne m'attends à rien de bon.

Couloir, portes, trou dans le mur. Nues, l'Asiatique et la blonde sont attachées de chaque côté d'une croix de Saint-André – tu sais, ces croix en forme de X. Leur peau se touche parfois. Lui aussi dévêtu, l'homme manie le fouet, un fouet plus décoratif que dangereux, comme tu le constates. Il n'est pas question « d'abîmer la marchandise », selon l'expression que Marthe a utilisée. Certains clients ont horreur des stries et autres lacérations. Le faux fouet claque mollement sur les chairs des filles, qui simulent assez bien des hurlements de douleur – je m'y connais à ce sujet, tu ne l'ignores pas. Je me sens morose. Tout ça a un côté pathétique, peu convaincant ; on dirait une pièce de théâtre maladroite, sans passion… Je me retire.

Tu as raison : cette collaboration avec Adèle et Marthe est inutile, je pourrais me contenter de bonheurs simples et plus délicieusement égoïstes, avec mes pensionnaires. J'y penserai. Le général a sans doute raison…

Je suis frustrée, sèche malgré la chaleur humide qui fait luire ma peau. Je pense à mon amour vent, même à toi ou à Jim… Faut-il que je suis tombée de haut pour songer à ce grand gâteau bronzé qui croupit dans sa cellule en ce moment ! Je vais aller l'embrasser, ça me calmera, de même que de voir mes petites Carmelia et Marika.

Bougeoir, couloir, encore, marches, j'allonge mes jambes, cannes à pêche des ténèbres, je les remonte poisseuses d'avoir trop foulé d'ectoplasmes, je les voudrais poisseuses des fluides du plaisir. Malgré l'aridité de mon corps et ma frustration, je sens une rage sensuelle s'emparer de moi…

Quand j'ouvre la porte du cachot, le trio lascif est déjà en mouvement : Marika empoigne les seins de Carmelia à pleines mains, pendant que la tête de Jim s'agite entre ses jambes. Carmelia a le beau rôle : elle prend son plaisir, les yeux fermés, sans s'occuper des autres… Chanceuse. Les trois s'interrompent, me regardent, m'enjoignent de m'amuser avec eux. Après tout, pourquoi pas ?

Je m'occupe de Jim, j'ai envie de la dureté d'un homme entre mes lèvres ; je lui intime de prendre son temps, d'apprécier sa chance, sinon je ne recommencerai plus jamais. Trop heureux de son sort, Jim obtempère. Au bas de sa bouche, j'aperçois un peu de sang soutiré à Carmelia – j'aime qu'un homme boive mon sang, lorsque je me plie à ce cycle de la nature, douze fois par année...

J'en profite pour lécher ces sucs naturels, m'imprégner de cette saveur animale, secrète et forte. Et je reprends ma tâche auprès de Jim, mes mouvements sont aquatiques, avancer, reculer, tourner, mesurer... Je ferme les yeux, visualisant une constellation d'étoiles rouges qui palpitent...

Carmelia est une bonne fille : je sens sa main entre mes cuisses, voilà, tous les quatre, une immense machine à plaisir qui donne et qui reçoit, ambassadeurs du désir, les mains remplies de tickets à destination des excès. Tu aimes ce que tu vois ? Regarde mes seins dont Jim s'empare, vois comme il les malaxe, observe ma langue que je pointe vers toi, comme une femme-serpent qui ondulerait jusqu'à l'épuisement... Elle disparaît dans ma bouche, je reprends mes mouvements... Jim se pâme, il ne regrette plus sa captivité ; captif de la volupté, que demander de mieux ? Contrairement à Andy, Jim exerce un contrôle idéal sur lui-même. Si notre première union avait ressemblé à celle-là, je ne l'aurais peut-être pas enchaîné ici.

Je relaie Jim, emplissant ma bouche de Carmelia, de sa chair, de son odeur, de son goût, afin de la remercier de ne pas m'avoir oubliée... J'aime cette fille, elle a tellement changé depuis notre rencontre au Cabaret des requins. Ses gestes ont pris de l'assurance, ils sont plus sentis, rayonnants, enveloppants... Puisse-t-elle ne jamais s'arrêter !

Tout à coup, dérapage, perdre la page, déjà ! Mille soleils explosent en moi, la sensation s'intensifie, monte, tellurique, généreuse, violente comme l'abandon, assez pour croire enfin qu'une oasis existe quelque part où je pourrai m'abriter contre toutes les tempêtes. Mon corps se tend – cette raideur coutumière qui précède le saisissement, le spasme proche de l'électrocution, un long frisson... S'apaiser, puis recommencer... recommencer... encore... encore... encore... Jusqu'à l'abîme.

12 : J'oserais à peine vous raconter certains sabbats

Dis-moi que ce n'est pas vrai ! J'avais donc raison en prévoyant un lendemain bancal, décevant ?

Que retiens-tu de ton premier coup d'œil ? « Les trois hommes qui se tiennent sur le seuil sont des rustres. » Jolie synthèse. Le premier ? Un type malodorant, qui pourrait rivaliser avec Marthe dans ce domaine. D'une laideur affreuse – ce nez énorme, ces joues flasques, ces cheveux sales –, il veut probablement se venger sur les filles des humiliations qu'il subit chaque jour. On lui arracherait le visage que ça l'embellirait. Le second, un gros malotru, cure-dent fiché dans la bouche entrouverte, a l'expression hautaine et narcissique d'un homme violent pour qui seuls ses désirs comptent. Le dernier, enfin, un roux maigre à l'air maladif, possède le regard éteint de ceux qui ne vivent que par instinct, sans réfléchir. Au lit, il doit avoir l'intensité d'une nature morte.

La chaleur couvre les visages d'une pellicule lustrée, probablement visqueuse. J'ai une pensée émue pour les filles qui s'en chargeront. En comparaison, les pires corvées s'apparentent à des vacances. N'importe quelle nymphe sortirait éclopée d'une telle union. Les choix se font rapidement. Le premier n'en veut qu'une, l'Asiatique, qu'il couve d'un regard pénible. Voilà la pommade qu'elle obtient en guise de récompense pour avoir osé me mépriser. L'homme au cure-dent retient les services d'Elke et de Tina. Oserai-je les toucher à nouveau, en sachant qu'elles l'auront satisfait et se seront vautrées sur son corps nu ? Il me semble que j'en serais souillée… Le dernier mâle choisit la vamp longiligne arrivée hier soir. La fille ne se gêne pas pour grimacer, ce qui plaît visiblement au client : aime-t-il inspirer le dégoût, trouvant piquante l'idée que cette fille ne puisse refuser de s'offrir à lui ?

Adèle récite une nouvelle fois la liste des chambres. Dans l'ordre, on choisit le fouet, le harem et la chambre de bonne. Je suis déçue, mais le général Marcel m'avait prévenue. Mes concepts ne plaisent donc pas aux clients ? Ces brutes n'ont pas la sophistication requise pour apprécier la salle d'horlogerie, le musée, la mante religieuse, le ring et la bonne aventure, qui promettaient pourtant des jeux sensuels d'une belle inventivité. Au lieu de cela, on préfère des banalités…

Après les négociations d'usage, les hommes montent au deuxième étage. Sans me regarder, Adèle et Marthe accumulent les lieux communs, heureuses de leur bavardage déstructuré. Je revis la soirée d'hier, la nouveauté en moins. Il ne sera pas dit que je laisserai un tel ennui en liberté. Je le musellerai et, une fois qu'il sera à genou, j'aurai le loisir de le fusiller, continuant à lui tirer dessus bien après sa mort.

Après un certain temps, par acquit de conscience, je gravis l'escalier, décidant de vérifier la tournure des passes. Je me glisse dans la chambre adjacente à celle du malodorant. Mon œil plaqué contre l'ouverture découvre l'homme, qui fouette l'Asiatique en marmottant des paroles ridicules.

Passons. Dans l'autre pièce, le deuxième client a gardé son cure-dent. Sans joie, Elke et Tina lui procurent un plaisir qu'il commente en les insultant. Consternant. Je vais observer le troisième couple : le roux simule une entrevue d'embauche avec la vamp, que son costume de bonniche rabaisse à n'être qu'une jolie fille dépourvue de mystère.

Déprimée, je redescends. Dans la salle à manger, Marthe accuse Adèle de ne pas l'écouter (« Mais qu'est-ce que tu as, ces temps-ci ? On dirait que tu te perds dans tes pensées sans arrêt ! Tu divagues, tu oublies tout, tu es trop fatiguée ou quoi ? »). Adèle se justifie malhabilement (« Je ne sais pas moi-même, je fais des rêves bizarres, on dirait que j'ai des absences », etc.). Je les abandonne à leurs querelles domestiques, préférant m'asseoir dans ma chaise, à l'extérieur. Le soleil n'est plus là, un vent froid m'agresse… Je rentre voir le général Marcel. Il n'a pas changé d'expression depuis hier. *Statu quo*. Il n'en tient qu'à moi de sonner le glas de cette grisaille. Restons magnanime, laissons à ces pantins l'occasion de s'avilir une dernière fois. Je saoulerai tout le monde au souper, et, ensuite… il y aura du sang au dessert.

Cette fois, les chandelles noires n'ont pas seulement une valeur esthétique ; elles sont un symbole. En harmonie avec l'atmosphère funèbre que je déguste, les oiseaux tissent des motifs sonores d'une incroyable complexité.

Elke mord dans un carré croquant en fronçant le nez. Déjà bavarde, Marthe se verse du vin de sable, le prenant dans une carafe que j'ai préparée spécialement pour elle et Adèle. Je l'ai dénaturé en y ajoutant un soporifique à effet lent. Personne ne veut de salade prophétique ce soir, mais je n'en ai cure, la perspective du carnage à venir escamote ma colère. Un cigare entre ses lèvres gercées, Adèle écoute les bavardages de son amie, heureuse. Profite bien de ton dernier repas, diablesse ! Ce ne sont pas tes cornes qui te sauveront, elles ne m'amusent plus, elles ne représentent rien. Tu n'es qu'une maquerelle sans envergure. Quand je songe que, l'espace d'un instant, je t'ai prise pour ma sœur spirituelle, cette âme que j'ai cherchée longtemps sans jamais la trouver ! J'étais naïve…

Personne ne me complimente sur les légumes-grimoires que j'ai cueillis aujourd'hui ; j'ai quand même dû résister à la tentation d'en lire le contenu, ce qui est toujours difficile quand on veut les arracher aux arbres miniatures en forme de livres sur les branches desquels ils poussent. Marthe les dévore sans même les regarder. Quant au subtil beurre doré que j'ai mis à leur disposition, elles l'étalent machinalement sur leur pain. Au moins, les deux idiotes que Marthe a emmenées avec elle ne partagent pas notre repas. Elles étaient « fatiguées », selon leurs dires.

Sans même m'en rendre compte, j'ai resserré ma main droite sur le manche d'un couteau. Calme-toi, Ariane… Même si tu as envie d'en planter la lame dans le cœur de Marthe, il vaut mieux attendre encore quelques heures. Sois patiente, tu seras récompensée.

L'amie d'Adèle s'interrompt tout à coup, me dévisageant. Quoi ? A-t-elle lu dans mes pensées ? Un improbable sixième sens l'a-t-il avertie du danger qu'elle court ?

— Vous avez entendu ? demande Marthe à la ronde. On a frappé…

— Ils ont d'abord frappé dans ma tête, répond Adèle, d'une voix monocorde.

Peut-être à cause de cette réponse étrange, un silence s'installe grossièrement, sans même avoir été invité à table. Trois coups sur la porte d'entrée du manoir le chassent vite. Des clients ? Peut-être des hommes à qui Marthe avait laissé les coordonnées du manoir ? Je soupire, vexée. Cette arrivée impromptue complique mes plans. Adèle et Marthe voudront faire bonne figure devant les nouveaux venus. Elles boiront moins, tâchant d'être alertes au cas où les filles auraient besoin d'aide.

Chandeliers en mains, notre groupe se déplace vers l'entrée. J'aime les ombres grotesques que les flammes projettent sur les murs. Celle de Marthe est particulièrement absurde, encore plus laide que le modèle (ce que je croyais impossible, mais certains domaines ne s'encombrent pas de limites).

Nous ouvrons la porte. Sur le seuil, arrachés à la nuit chaude, un couple nous dévisage.

Lui, c'est un bel homme dans la trentaine, une valise sombre dans chaque main. Élégant dans son costume noir, il relève fièrement le menton. Ses traits fins et réguliers ont un caractère aristocratique que rehaussent ses yeux noirs. Leur densité et leur profondeur sont telles que j'ai l'impression de pouvoir y plonger sans être certaine que j'en ressortirais. On peut se noyer dans ce regard. C'est vers moi qu'il se dirige. Bêtement flattée, je réagis comme une midinette, presque au point de rougir. Allons, Ariane ! C'est un beau morceau, certes, mais tu en as mordu bien d'autres auparavant.

— Bonsoir, dit-il en posant ses valises, me tendant sa main droite qu'il vient de déganter pour l'occasion.

Je la prends dans la mienne. Elle est ferme, mais la douceur de sa peau lui donne un velouté troublant. Je ne peux m'empêcher de l'imaginer sur mon corps nu, pendant que ses yeux d'abîme m'emprisonneraient dans leur noirceur.

La personne qui accompagne cet inconnu sort de l'ombre. Je m'attendais à accueillir un autre homme, j'ai un choc. Aussi grande que lui, *elle* a de longs cheveux noirs qui tombent sur sa robe corsetée de brocart sombre. Son visage aux traits purs est d'une pâleur exquise, presque translucide – on dirait du marbre –, rehaussée par un subtil fond de teint blanc qui aurait ému les décadents du XIXe siècle. Accentué par du khôl, son regard est aussi noir que celui de son compagnon, mais, au fond de la prunelle, je distingue une dureté plus accrue. La pitié doit lui être étrangère. Je remarque son collier, qui retient un pendentif d'ébène en forme d'araignée.

— Bonsoir, dit-elle en me tendant la main.

Elle est glacée, malgré la chaleur du dehors. J'ai l'impression de toucher une morte. Après un contact bref, protocolaire, elle récupère sa main, en silence.

Pressée de s'interposer, Marthe décide de prendre les devants. En roucoulant de façon ridicule, elle souhaite la bienvenue au couple, lui demandant comment il connaît l'existence du manoir.

— Un ami nous en a parlé, répond évasivement l'homme. Je m'appelle Werner Steinmetz. Voici ma compagne, Tristana Ballester. Nous pouvons entrer ?

— Bien sûr, répond Marthe, s'effaçant avec un rire bête.

Je la sens intimidée par l'élégance et la distinction des deux clients. Elle suppute déjà l'argent qu'elle pourra leur soutirer. Je devine son raisonnement. Je l'entends presque penser : « Un homme comme lui doit pouvoir satisfaire toutes ses frasques… S'il s'est déplacé jusqu'ici, c'est qu'il en a de singulières, et ça se paie au prix fort ».

— Voulez-vous me suivre ? demande-t-elle.

Suis-je la seule à entendre la caisse enregistreuse que ses mots font résonner ?

— Volontiers, répond Werner.

Le couple nous suit jusqu'à la cuisine, valises en mains. Les deux visiteurs observent le manoir avec beaucoup d'intérêt, peu préoccupés par Elke et Tina qui, pourtant, tentent maladroitement d'attirer l'attention par des déhanchements et des poses qui visent à mettre leur corps en valeur. Les deux filles trouvent ces gens attrayants, et la perspective de prendre du bon temps en étant payées ne leur déplaît pas.

Un sourire de satisfaction rend hommage au contentement de Werner, lorsqu'il découvre la salle à manger. Même Tristana, qui paraît généralement impassible, imite son compagnon – à échelle réduite, bien sûr. Je suppose qu'ils apprécient la nappe et les chandelles noires, les oiseaux, les crânes et les fruits aux formes chaotiques.

Sans hésiter, Marthe s'installe à la place d'honneur. Adèle s'assoit à sa droite, inexpressive, comme absente, hypnotisée. À gauche de la grosse matrone, Werner adopte un air neutre mais distingué. Côtoyant Adèle, Tristana appuie son poing sur son menton, pensive. Je me place à côté de Werner, face à la femme en noir. Elke et Tina choisissent l'autre extrémité de la table, sans se mêler à nous.

Je prends la fiole d'aphrodisiaque, cette île luxurieuse et luxuriante au milieu d'une mer d'abstinence.

— Vous désirez boire quelque chose ?

— Non, merci, répond Werner.

Je n'aime pas qu'on me dise « non ». *Je* dis « non », pas les autres. J'insiste :

— Vous avez tort ! C'est une boisson rare de ma confection. Vous ne pourrez jamais en boire ailleurs.

— Merci, répète-t-il, peut-être demain. Je me contenterai d'un peu de vin, il a une couleur particulière. On dirait qu'il est coulé à même la pénombre. Il me rappelle cette bière noire que j'ai bue, jadis, à Athènes, en compagnie d'un chaman penaud. Ses dernières tentatives de guérison s'étaient soldées par des échecs spectaculaires...

Je remplis deux coupes. Lorsque Tristana prend la sienne en inclinant la tête en guise de remerciement, ses doigts glacés électrisent les miens. Les caresses de cette morte vivante doivent être délicieuses, lorsqu'on les reçoit sous un soleil brûlant. C'est une expérience que je n'ai pas encore tentée, et, je dois l'admettre, je prie pour qu'elle se produise, un jour de canicule.

En connaisseur, Werner hume d'abord l'alcool, avant d'en boire une petite gorgée. Son sourcil droit se lève légèrement, témoin d'une surprise (agréable ou non ? Difficile à dire, tant Werner tient à se contenir, à ne pas manifester d'émotion).

La grosse Marthe s'en mêle alors, d'une manière si ridicule que j'ai honte. C'est qu'il tarde à cette vieille poseuse de sonder la richesse de son client.

— Vous devez être un fin connaisseur de vin, monsieur Steinwitz ? Vous avez eu l'occasion de boire beaucoup de grands crus au cours de votre vie, je suppose.

Un soupir mental se promène en corbillard, dans ma tête. En plus de s'être trompée dans le nom de famille de l'homme, elle fait preuve d'une balourdise souveraine. Pourquoi ne pas dire « de grands crus *qui coûtent cher*», au point où elle en est ? Le portier de la subtilité ne la laisserait jamais entrer dans son royaume… J'ai honte !

Werner a deviné ses intentions, il s'amuse à répondre de biais :

— J'aime le vin, c'est vrai.

Puis, me regardant :

— Vous avez bon goût en décoration, mademoiselle…

— Ariane.

— Mademoiselle Ariane. L'alliance du feu et des chandelles noires me rappelle le dieu Moloch. J'ai encore en mémoire le sermon du père Bourdaloue à son sujet. Il menaçait les fidèles désobéissants de brûler dans ses «bras de feu». Ah ! ces jésuites ! Ils sont adorables, à leur façon.

Marthe, que cette digression énerve, tente de reprendre le contrôle :

— Alors, monsieur Steinwitz, comment peut-on vous aider ? Puisque vous êtes venus nous voir sur les conseils d'un ami, vous n'êtes pas sans savoir que…

— Oui, l'interrompt Werner. Cependant, nous sommes fatigués, Tristana et moi. Nous avons beaucoup voyagé aujourd'hui, vous comprenez ? Si ce n'est pas trop demander, nous préférerions dormir, ce soir.

Marthe fronce les sourcils. Il est facile de décrypter sa pensée : « Et l'argent, dans tout ça ? »

L'homme, qui a compris son souci depuis longtemps, finit par la rassurer :

— Ne vous inquiétez pas, nous vous dédommagerons des inconvénients causés par notre arrivée impromptue chez vous. Demain, nous serons mieux disposés à bénéficier pleinement des charmes de ce beau manoir.

Il n'en faut pas plus pour rendre sa sérénité à Marthe. Elle ne marchande pas, redoutant de demander un prix inférieur à celui que son client est disposé à payer. Quand viendra le moment de songer au plaisir, toutefois, elle n'oubliera pas d'y superposer quelques billets…

Tristana a terminé son vin de sable. Sans attendre qu'on lui en offre d'autre, elle remplit sa coupe. Cette transgression des conventions sociales n'offusque personne, tant l'attitude de la jeune femme paraît naturelle.

J'hésite. Devrais-je reporter au lendemain l'exécution de mes projets de massacre ? Ce couple énigmatique est-il le signe que j'attendais ? Faut-il quand même massacrer tout le monde cette nuit, y compris eux ?

Marthe commence l'un de ses monologues coutumiers, cette fois à propos d'un sommelier qui, jadis, avait été fou amoureux d'elle, au point de dérober des bouteilles précieuses dans la cave de l'établissement où il travaillait. Marthe s'enlise dans des considérations dépourvues d'intérêt, buvant, riant aux éclats, sollicitant l'approbation muette d'Adèle, persuadée d'être intéressante.

Je surprends le regard moqueur que Tristana adresse à Werner. Toujours imperturbable, ce dernier n'a aucune réaction. Qu'y a-t-il sous cette pelure affable ? Il doit partager l'avis de sa compagne. Je me demande comment ils ont entendu parler du manoir, et en quels termes. Par l'entremise de la « publicité » de Marthe ?

La grosse matrone parle, parle, parle. Sa voix aiguë suscite chez moi des envies de rentrer de force un piranha dans sa bouche. Au moins, elle aurait de bonnes raisons de piailler. Rouges et hilares, Elke et Tina se chuchotent des secrets à l'oreille, essayant différentes boissons. Qui sait à quels jeux s'adonnent leurs mains, sous la table ?

Mal à l'aise quant au futur à court terme, je n'ai toujours pas tranché la question. Dois-je comprendre qu'il ne faut pas agir ? Faut-il attendre demain ? Qu'en penses-tu ?

— Oui, vient de dire Marthe, comme si elle répondait à mon interrogation.

Tu l'as entendue… C'est peut-être un signe ? Ma patience sort quand même de ses gonds. Pour la calmer, je me promets qu'au terme de la journée de demain, si rien de notable ne s'est passé, je concrétiserai mes projets, peu importe qu'il y ait des clients au manoir ou non.

Pour l'instant, il faudrait trouver une façon de faire taire Marthe. Puisque je tombe sans cesse dans l'ornière de ses bavardages creux, je ne parviens pas à en apprendre plus au sujet de Werner et de Tristana. J'opte pour la simplicité. D'une voix calme, j'interroge l'homme :

— Vous avez connu un chaman ?

Marthe me lance un regard irrité. Sans paraître s'apercevoir de la situation, Werner répond :

— Je m'intéresse à ce qui sort de l'ordinaire. J'ai fréquenté des gens très particuliers au cours de ma vie. J'ai connu des voyants, un taxidermiste, deux adolescents dompteurs de lions, une famille de prestidigitateurs, un bourreau, un scaphandrier retraité, même un couple de fossoyeurs qui faisaient aussi office de gardiens de cimetière.

Marthe voudrait s'infiltrer dans la brèche laissée par la fin de cette phrase, mais je m'y engouffre avant elle.

— Vous aimez ce qui sort de l'ordinaire ?

— Oui, reprend-t-il. J'ai visité la Nouvelle-Calédonie en quête des derniers vestiges de la sorcellerie primitive. En Angleterre, voilà deux ans, je suis parvenu à confectionner une authentique main de gloire grâce à un pendu innocent. D'ailleurs, ces mains de gloire ne sont pas aussi efficaces qu'on le prétend, cela m'a même valu quelques ennuis.

Il s'interrompt, pendant que son regard s'embue dans l'humidité d'un souvenir déplaisant. Tâchant d'attirer l'attention, Marthe intervient :

— Une main de gloire ? Qu'est-ce que c'est ?

Un sourire ironique étire quasi imperceptiblement les lèvres de Tristana. Patient, Werner explique qu'il s'agit de la main d'un pendu, exposée à un traitement spécial, afin de transformer chaque doigt en chandelle d'un joli candélabre. La matrone grimace de dégoût. En somme, elle mérite le titre de petite-bourgeoise de la prostitution.

— La main d'un pendu, reprend-t-elle. Vous avez vraiment vu ça ?

— Oui, poursuit Werner, que je soupçonne de s'amuser, malgré son impassibilité. Il y a pire, vous savez. Même en sachant que vous avez dû être témoin de beaucoup d'extravagances au cours de votre vie, j'oserais à peine vous raconter certains sabbats auxquels j'ai assisté.

Le reste, tu l'entends comme moi. Contrairement à Marthe, Steinmetz est un conteur doué,
toujours surprenant, prompt à isoler des détails
significatifs, à rendre certaines scènes pittoresques.
C'est un plaisir de le regarder, on aurait presque
envie d'être un mot pour sortir fièrement de sa
bouche.

J'ai peine à croire que Werner et Tristana aient
besoin de recourir aux filles de madame Marthe !
Un homme de sa prestance ne devrait pas payer
pour satisfaire ses désirs, à moins qu'ils soient si
pervers qu'il se heurte à des refus… Cela dit, les
filles de Marthe ne semblent pas trop audacieuses. En comparaison avec certaines de leurs
consœurs, je leur concède une certaine classe, mais
leur imagination érotique n'est pas illimitée. J'imagine même Elke et Tina, interrompant la passe en
cours, descendant l'escalier en catastrophe, hurlant, à propos de Werner et de ses fantasmes :
« C'est une horreur ! »

Comment réagirait Marthe ? Elle penserait à
son profit en premier, mais jugerait aussi des exi-
gences de Werner…

Que pense sa compagne ? Énigmatique, Tristana écoute Steinmetz sans broncher. Elle m'a lancé
quelques regards, de temps en temps, que j'étais
bien en peine d'interpréter : désir, rivalité, intérêt ? On aurait cru que ses yeux essayaient d'absorber ma substance pour… m'assimiler. Étrange
sensation, peut-être causée par l'atmosphère crépusculaire de la pièce, que Werner renforce avec
ses histoires. Même Marthe a fini par se taire…

À propos de Tristana, si elle est aussi polyva-
lente que Werner l'affirme, je comprends qu'elle
n'éprouve aucun besoin d'intervenir dans les récits

de son compagnon : ses réalisations personnelles lui suffisent. Selon Steinmetz, elle a été comédienne, danseuse, musicienne, peintre, écrivaine et archéologue, animée par « une passion du macabre et de l'insolite ». Encouragée par Werner à s'expliquer, Tristana répond, d'une voix curieusement rauque, les yeux dans le vague :

— Je pense à ce peintre belge du XIXe siècle, Félicien Rops, qui disait avoir « la marotte macabre ». Il s'intéressait à l'érotisme et à l'occultisme. Avez-vous déjà vu sa série des « Sataniques » ? Il y représente des messes noires et des rites sabbatiques… Sa fille Claire fut illustratrice et l'épouse de l'écrivain Eugène Demolder.

La jeune femme évoque également son admiration pour le peintre surréaliste Clovis Trouille, dont les toiles pouvaient aussi bien représenter une religieuse italienne en train de fumer une cigarette, dans une posture plutôt lascive, que le célèbre Dolmancé de *La Philosophie dans le boudoir* du marquis de Sade, fouet en main, accoudé sur un crâne grimaçant. Décidément férue de généalogie, elle glisse un mot sur Alice Lambert, la fille de Clovis Trouille.

Elle semble posséder une intéressante culture, cette Tristana. Dommage qu'elle la garde pour elle-même, à la façon d'une riche excentrique qui refuserait de partager ses biens. Peu importe : laissons filer la soirée, apprécions le physique de Werner, ses histoires peut-être inventées, qu'importe ? L'important, c'est de meubler le temps de manière plaisante, cet espace vide entre la vie et la mort de Marthe que Steinmetz remplit par ses récits et son charisme…

Il est tard, trop tard pour improviser d'autres folies. Elke et Tina sont allées se coucher depuis un moment, déjà. Adèle dodeline de la tête, cherche-t-elle à donner des coups de cornes dans le vide ? Dans un demi-sommeil, elle balbutie des paroles incompréhensibles :

— C'est en place pour la nuit, elle va déchirer le tissu...

Une fois qu'il a terminé son récit à propos d'une commune française nommée Angoisse, célèbre pour sa léproserie, Werner rompt l'ossature de la soirée.

Dommage ! La description de cet endroit, qu'il prenait à tort pour un bourg envoûté, ne manquait pas de charmes. J'aurais pu l'écouter pendant des heures...

— Je croyais découvrir un portail vers un autre monde, où j'aurais senti craquer le réel, mais j'ai fait erreur, conclut-il en me regardant mystérieusement. Bien... Votre compagnie est très agréable, mais je ne voudrais pas en abuser.

Marthe commençait sans doute à s'endormir, puisqu'elle enchaîne, avec un enthousiasme trop visible :

— Parfait. Nous allons vous conduire à votre chambre.

On se lève. J'ai trop bu : je chancelle, je suis la flamme d'une bougie, instable, tantôt petite, tantôt grande, changeant de forme sans arrêt. En me retenant à ma chaise, je parviens à garder une certaine contenance. Personne n'a rien remarqué. Je soupçonne que l'alcool ait compromis la lucidité de tous.

Je laisse Marthe se charger du couple. Je me jette sur mon lit, dont les draps frais, vaporeux, ont une texture quasi cosmique. Je sais maintenant ce qu'on ressent quand on se couche dans l'espace, entre deux planètes.

J'ai oublié de souhaiter une bonne nuit au général Marcel. Il faudrait que je me relève, mais je ne m'en sens pas la force. La pièce tourne sur elle-même, le manoir est une toupie qu'un enfant géant s'amuse à manipuler. Je débauche ma rationalité, en quête d'une plus belle interprétation du monde. Débauche… Débauche. Les yeux noirs de Werner. Sa main douce dans la mienne. Werner, sa folie… Tristana, son mystère… Werner, ses mains sur mon corps… Sa folie… Sa prestance…

Mes yeux se ferment.

13 : Neuf chats noirs pour Adèle Prévost

Je fais ce rêve, je suis enfoncée dans ce rêve, les pieds ancrés dans une boue onirique, impossible de m'en arracher. Autour de moi, il y a la brume et un vieil ivrogne qui boit son grog dans un bock en peau d'agneau. Sa silhouette grince dans le brouillard, c'est un vieil ivrogne rouillé qui risque de tomber en morceaux d'une minute à l'autre.

Ça commence, son bras droit se détache, il éclate en touchant le sol – vacarme anarchique. Le deuxième suit, avec le même fracas. La voix paniquée de Marthe se superpose à ce bruit :

— Qu'est-ce qui se passe ? Qui êtes-vous ? Monsieur Steinwitz !

J'ouvre alors les yeux avec la certitude que *c'est en train d'arriver* ! Quoi ? Ce que j'attendais depuis le début, sans doute. Malgré tout, mon incertitude a la grosseur, la densité de tous les secrets. J'en voulais, des énigmes, je dois désormais me préparer à en trouver ; j'ai le sentiment que le manoir en déborde, que Steinmetz et Tristana ont apporté dans leurs valises une cargaison de mystères qu'ils viennent de relâcher dans les couloirs.

Je méditerai plus tard sur cette question. Par la fenêtre entrouverte, la pluie tombe, cette pluie matinale, aphrodisiaque, qui rafraîchit la journée en la couvrant d'un voile irréel… Elle emprisonne le manoir entre ses barreaux liquides. Je me lève, j'enfile cette robe rouge, tu la vois, rouge comme le sang, car il y aura du sang, n'est-ce pas, ce sang prévu depuis longtemps ? Lorsque tu chantonne- ras le *dies irae*, aie soin de moduler ta mélodie en te fiant aux hurlements qui résonneront près de toi.

Dans le couloir, j'entends des bruits qui ne par- donnent plus, des bruits de bottes... Perception empirique – une ambiance de guerre répand son ferment noir de tranchées et de champs de bataille. Mon intuition malaxe toutes les possibilités... Reste une bouillie cruelle qui ne demande qu'à être ingé- rée, mais qu'on avalera en s'entaillant la gorge.

J'ouvre la porte. Ridicule dans une robe de chambre rose, Marthe hurle pendant qu'un homme vêtu d'un treillis militaire la met en joue. Impas- sible sous la casquette qui recouvre en partie ses cheveux ras, il ne bouge pas. La crosse sculptée de son fusil d'assaut représente un démon grima- çant. Qui, de Marthe ou du démon, est le plus laid ? Je ne saurais le dire... Le visage convulsé de la grosse matrone a des éléments communs avec les gargouilles médiévales. J'y repère toutefois cer- taines nuances : la crainte, la frustration, et, peut- être, en filigrane, la volonté de se venger... Elle est orgueilleuse, cette vieille chipie !

À quelques mètres de là, Werner Steinmetz contemple la scène, avec un sourire à peine esquissé, comme si la mort de Marthe ne méritait pas de susciter une trop grande réaction. Les bras croisés, il transcende ce rôle d'aristocrate élégant qu'il interprétait hier... Ce personnage est encore en lui, certes, mais il l'a bonifié, augmenté, enrichi. De quoi ? Je l'ignore encore.

Des hommes habillés comme celui qui menace Marthe sont dispersés un peu partout sur l'étage.

Impassibles, ils ont des armes d'épaule semblables.

Werner m'aperçoit. Je suis étonnée, mais pas
effrayée. Le manoir est protégé ! Ce matin, je n'ai
pas eu le temps de consolider sa bulle protectrice,
mais je l'ai fait hier, alors je ne risque rien, cette
défense est durable et efficace – fiable comme ma
certitude que, toujours, le meurtre, la trahison et
la haine continueront de dévaster la planète, en
dépit des espoirs des optimistes, ces aveugles
volontaires dont l'utopie bande les yeux.

— Vous êtes calmée, madame Marthe ? demande Werner d'une voix neutre.

Marthe voudrait protester, hurler encore, mais
elle n'est guère en position d'imposer ses volontés :
c'est difficile de parler quand on a l'extrémité du
canon d'un fusil dans la bouche. Pendant un
moment, le militaire qui menace la matrone
s'amuse de la situation, il cogne doucement le tube
de l'arme contre les dents de Marthe, dont le visage
acquiert une belle stabilité dans l'épouvante.

Sans manifester d'émotions, Steinmetz contemple le spectacle pendant quelques instants, puis,
très autoritaire, il dit :

— Ça suffit, Winfrey. Elle a compris.

À regret, l'homme obéit, reculant de quelques
pas, toujours en pointant Marthe. Des larmes coulent sur les joues de la grosse harpie, qui baisse la
tête, vaincue.

D'autres portes s'ouvrent dans le couloir,
notamment celles de la chambre d'Elke et de Tina.
Vêtues de grands T-shirts blancs et de vieux jeans,
les deux filles ressemblent à des enfants surprises
pendant une guérilla, alors qu'un groupe de par-
tisans surgit chez leurs parents, au milieu de la

nuit. J'aperçois aussi Adèle, pâle et cornue, en train de marmonner des paroles incompréhensibles. Sans se presser, sûr de son autorité, Steinmetz dit :

— Vous allez toutes vous rendre devant le manoir, où vous écouterez les ordres que nous allons vous donner. N'essayez pas de résister ou de vous enfuir. Ce serait aussi téméraire qu'inutile. Mes hommes sont entraînés, ils vous abattraient à la première occasion. Ils n'ont aucune pitié.

Pour appuyer ces propos, Winfrey s'approche de Marthe et la gifle de toutes ses forces, à deux reprises. Le visage de la vieille devient blanc, elle continue à sangloter. Elle est loin, maintenant, cette insupportable bavarde dont hier encore je devais subir l'arrogance…

Sans dire un mot, nous traversons le couloir. J'ai le temps de jeter un regard au général Marcel. *Son apparence n'a pas changé* : moustache pâle et déséquilibrée, vieux bonnet, cheveux longs, poussière sur la tête, front soucieux, pentacle inversé sur l'avant-bras, larmes sur sa joue droite, lueur implorante dans les yeux.

Me serais-je trompée ? Si le général paraît triste, c'est que ma situation est toujours problématique. Fallait-il réagir lorsque le couple est arrivé ici, hier soir ? Aurais-je dû assassiner tout le monde, comme je l'avais prévu ? L'apparence du général gouverne ma barque vers les eaux du doute, mais pourtant, je ne suis pas en danger, n'est-ce pas ? Je suis protégée par la bulle protectrice du manoir ! Aucun grand malheur ne peut m'arriver… Peut-être subirai-je une certaine tristesse, un échec dans mes projets, mais rien qui mette ma vie en danger, rien qui me fasse souffrir dans ma chair, qui me mutile, qui me torture, *rien, n'est-ce pas ? JURE-LE MOI !*

Tu ne sais pas ?

Bien entendu, tu ne sais jamais rien ! Je ne compte pas sur toi pour me rassurer. Je ne compte sur personne, sauf sur moi et sur mes pouvoirs. *Je suis protégée…*

J'émerge de mes pensées. La transition est brusque, comme lorsque j'avais bu l'alcool illustré, sur la route vers Lierrebrisé. Nous sommes dehors, sous une pluie légère, chaude et fine, face au manoir, dos à la route, à côté du doute. Devant nous, Werner Steinmetz et sa garde armée, une quinzaine d'hommes vêtus de treillis militaires, fusils d'assaut pointés vers nous. Ils mitrailleraient tout le monde que je n'en serais pas étonnée… Mais je m'en tirerai. Je suis protégée, je suis protégée, je suis protégée…

Gros plan sur le visage de Steinmetz, d'une neutralité effrayante parce qu'elle implique une absence totale d'émotion.

Surgit alors Tristana Ballester, tout droit sortie d'un rêve. Le vent – mon amour vent, tu me rends jalouse – disperse ses longs cheveux noirs autour de son visage de jeune morte romantique, belle et pâle. Immobile dans l'embrasure de la porte d'entrée, elle marque une pause avant de s'avancer vers nous au ralenti. Sa blouse kaki lui confère une allure d'amazone, de même que son short de la même couleur. Ses longues jambes d'une blancheur irréelle émergent de bottes noires lacées, dont les talons hauts claquent sur le sol, à chacun de ses pas, avec le son d'une lanière qui frappe une chair meurtrie. Crispée sur une cravache, sa main droite agite la mince tige de cuir tressée comme une arme. Peu avenante hier, son allure d'aujourd'hui laisse encore moins de place à la bonté. Son port de tête assuré et l'acuité de son regard suffisent à soumettre les filles, qui baissent leur tête en signe de sujétion. Cette docilité à son égard ne grise pas Tristana ; d'après son attitude, elle lui est due, elle va de soi, elle est dans l'ordre des choses. La jeune femme n'a nul besoin de manifester son contentement, même par un léger sourire, ou d'exprimer une satisfaction quelconque.

Tristana se place à gauche de Werner, qui l'observe pendant quelques secondes. Une complicité tangible unit ce couple. Elle est si forte qu'elle me pince le cœur, je sens deux leviers métalliques me serrer la poitrine. Ai-je jamais connu un tel accord, une telle entente ? Même en compagnie de Salomé, que j'adore pourtant, je sens un abîme refléter ma solitude, un précipice qui fait de nous les habitantes de deux îles, voisines, certes, mais à jamais inconciliables, malgré leurs points communs…

À mes côtés, Adèle, Marthe, Elke, Tina et les trois autres filles ont chaviré. Leur monde, rythmé par une luxure lucrative, s'est effondré. À présent, pensent-elles, *tout peut arriver*. Dans ces trois mots, l'Enfer se cache, à portée de griffe. Reste à déterminer qui en sortira défigurée.

— J'attends de vous une soumission absolue, commence Werner. Je suis venu de loin pour réaliser un projet qui me tient à cœur. Si vous collaborez, tout se passera bien. Ne cherchez pas à vous enfuir. Je posterai des hommes devant l'entrée du manoir, et d'autres monteront la garde. La moindre tentative d'évasion, la moindre infraction à mes ordres seront sanctionnés par la mort immédiate. Vous n'êtes rien à mes yeux. Je n'hésiterai pas. De nouvelles filles vont arriver aujourd'hui, recrutées par mes soins, de même que des clients d'un genre… particulier. Soyez obéissantes, vous n'aurez pas de problèmes. Vous obtiendrez même un salaire. Si vous résistez, nous devrons sévir, et des mesures seront prises. Lorsque notre expérience sera terminée, nous quitterons le manoir, et vous serez libres de faire ce que vous voulez.

J'observe Marthe à la dérobée. Elle revit. Le mot « salaire » l'a réanimée. La gifle qu'elle a reçue, la peur qu'elle a vécue, tout cela n'a pas d'importance à côté de cette perspective attrayante : avoir encore de l'argent. Son visage reprend des couleurs, des couleurs qui ressemblent à celles des billets de banque.

— N'essayez pas d'en apprendre davantage au sujet de notre expérience, poursuit Steinmetz. Elle est secrète, elle ne vous concerne pas. J'espère avoir été clair à ce sujet, je ne tolérerai aucune ingérence de votre part. À présent, rompez ! Si j'ai besoin de vous, je vous le ferai savoir.

Suivi par Tristana, il nous tourne le dos, regagnant l'intérieur du manoir. Les hommes de main continuent à nous observer, évaluant notre réaction. Personne n'ose parler. Je sens une certaine excitation monter en moi, tempérée par les réserves du général Marcel. Quelle est cette expérience dont parle Werner ? Une recherche interdite et secrète, que nous ne devons pas tenter de connaître ? Mettra-t-elle fin à mon spleen, inaugurera-t-elle ma nouvelle vie ? Il faut que je le sache !

Tu sens comme je suis fébrile ? Tu entends le sang dans mes artères, comme il circule vite ? On le croirait en pleine ébullition. Que va-t-il se passer ? Quelle est cette expérience ? Je n'arrive pas à me sortir ces questions de la tête, ces questions qui m'éblouissent, lustrées par le mystère. Enfin, un *vrai* mystère, pas l'une de ces inventions dont je peuple mes ennuis...

Je dois me calmer... Je pourrais aller visiter Jim et ses deux amantes, qu'en penses-tu ? Réitérer ces gestes quotidiens me stabilisera. Je prends un seau propre, des fruits, un peu d'aphrodisiaque.

Clé, pêne, gâche et gâchis. Le trio dort. Les trois amants sont nus, blottis les uns contre les autres. Je les aime, ces animaux de compagnie. Je me penche pour lécher le visage de Marika. Sa saveur me trouble... En d'autres circonstances, j'aurais profité de son inconscience, m'imaginant satisfaire quelque fantasme nécrophile.

— Bonjour, Ariane, dit une masculine voix derrière moi.

Je me retourne. J'aperçois Werner, grand, droit, fier. Son regard ardent me désosse jusqu'à la moelle. Ce sentiment, cette nudité m'emplissent d'une dense ambiguïté, faite d'attirance, de colère, d'inquiétude et de fascination. J'aime contrôler mes émotions – avec Werner, c'est impossible. Il me plonge dans un état second. Il sait trop l'ascendant qu'il a sur moi. Pourtant, ce n'est qu'un homme... Un bel homme, mais ni le premier ni le dernier.

— Il faudra libérer ces trois-là, dit-il en désignant Marika, Carmelia et Jim.

— Pourquoi ? Ils ne dérangent personne ici ! Ils sont drogués, ils...

— Tu leur donnes un aphrodisiaque, je le sais, m'interrompt Steinmetz.

Comment l'a-t-il appris ? Son intervention vise-t-elle à me prouver que je n'ai pas de secrets pour lui ?

Il reprend :

— J'ai besoin d'eux pour mon expérience. D'ailleurs, ton aphrodisiaque me sera très utile. J'en donnerai à toutes les filles. J'ai vu les barils, dehors. Si toi-même tu désires en prendre...

— Je ne sais pas si...

— Peu importe. Si je décide que tu dois en boire, tu le feras, dit-il, nonchalant.

De toute évidence, mes volontés n'ont aucune importance à ses yeux. Je ne suis pourtant pas n'importe qui ! Sa condescendance me contrarie, m'aidant à me libérer de son joug. Je ne réplique pas à ses affirmations, mais il a intérêt à ne pas abuser de la situation. Il connaît mal Ariane la sorcière, Ariane la louve, capable de déchiqueter des proies autrement plus résistantes que lui. Le temps venu, j'enfilerai ma peau de bête. La suite relèvera du massacre. Restera à déterminer sa gravité. J'ai hâte d'en faire le bilan, debout sur une montagne de cadavres...

Je referme la porte derrière moi, adressant un sourire félin à Werner. Ça y est, je reprends possession de ma détermination. À force de côtoyer cet homme, je finirai par devenir immunisée, blasée.

Sans le saluer, je me rends à l'étage. Je m'étends sur mon lit. Fatiguée, j'aurais voulu dormir plus longtemps. Malgré la chaleur, je n'ai pas la force de me dévêtir, et, de plus, je dois méditer afin de nous protéger, le manoir et moi. Tu peux t'allonger à mes côtés si le tu veux, mais surtout, garde le silence. J'ai besoin de me concentrer. On se reparlera plus tard.

Je rêvais au *scalae gemoniae*, cet « escalier des gémissements » où les cadavres des condamnés étaient exposés, dans la Rome antique. J'y voyais les corps de Marthe et d'Adèle, placés dans des positions équivoques. Ce spectacle me procurait un certain plaisir, je suis déçue de l'interrompre. On vient de frapper sur le battant de ma porte, des coups brusques, brefs et violents.

Tout me revient : Werner, les militaires, le nouvel ordre qui règne sur ma demeure. On entre dans ma chambre, c'est un homme semblable aux autres, vêtu de son uniforme kaki, les cheveux courts, le visage borné.

— Rendez-vous devant le manoir, d'ici cinq minutes. C'est un ordre.

Il s'éloigne sans se soucier de mes réactions. J'hésite entre la frustration et la curiosité. Pour l'instant, cette dernière l'emporte. C'est tant mieux pour Werner…

Dépêche-toi ! Je veux savoir !

Je prévoyais au moins une petite surprise, je découvre un spectacle étonnant. La mise en scène de Steinmetz étanche ma soif de l'imprévu.

À quelques mètres de l'entrée du manoir, on a installé une croix noire de Saint-André. Une grosse femme nue aux chairs flétries y est attachée, le dos tourné vers nous. Des gardes armés forment un cercle autour d'elle. Je l'entends gémir et supplier. De qui s'agit-il ? de Marthe ? d'une cliente ou d'une fille arrivée ici pendant mon sommeil ?

J'aperçois Marthe à quelques mètres sur la gauche, accompagnée de ses deux employées. Ce n'est donc pas elle, sur la croix. Alors, ce serait… Adèle ? Mais oui, je reconnais la coiffure cornue de la diablesse ! Adèle, nue et repoussante, attachée de dos, nous présentant son postérieur comme un démon au cours d'un sabbat !

Un élément inhabituel attire mon regard. Sur l'avant-bras de la diablesse, j'aperçois un signe, qu'on dirait tatoué. Je suis certaine qu'il n'était pas là quand Adèle est arrivée au manoir. Lors de notre dernier souper ensemble, un peu ivre, elle avait retroussé ses manches. J'avais aperçu ses avant-bras blancs et luisants, vierges de toute marque.

Je plisse les yeux pour mieux voir. Ce signe, c'est un pentacle inversé identique à celui du général Marcel ! Je suis perplexe. Une kermesse d'étonnement s'apprête à faire déferler ses festivités dans mon esprit, lorsque Werner arrive, convertissant ma surprise en attention.

Tristana le suit, vêtue de son costume d'amazone et de ses bottes. Elle regarde Adèle sans se réjouir ni manifester d'émotion. On dirait une athlète évaluant la hauteur de la barre horizontale qu'elle doit franchir pour gagner une compétition. As-tu remarqué ? Elle a remplacé sa cravache par un fouet.

Je sens une main se poser sur mon avant-bras. C'est Elke, que sa blondeur rend encore plus blême.

— Qu'est-ce qu'ils vont lui faire ? demande-t-elle en désignant Adèle.

— Je n'en ai aucune idée…

Le regard de Werner balaie l'assistance, qu'il roussit au passage. Sois prudent, Steinmetz… J'aperçois Marthe réprimer un frisson, malgré l'air chaud et humide. Si la pluie a cessé, des nuages orange forment un toit mouvant au-dessus de nos têtes, masquant le soleil. Toujours volage, mon amour vent caresse mes jambes tout en décoiffant Tristana. Une foule de sensations contradictoires me submerge, un sentiment solaire réchauffe ma poitrine ; pourtant, l'hiver coule dans mes veines.

Dans un geste théâtral, Werner écarte les mains. Il va prendre la parole. Soumis, tous se taisent.

— Vous m'avez mal compris, ce matin, dit-il. Quelques heures après mon avertissement, le garde Clermont a surpris cette femme en train de vouloir fuir. Elle portait une valise dans sa main gauche, elle regardait autour d'elle pour vérifier si la voie était libre... Clermont s'est caché dans l'ombre ; il voulait être certain de ne pas se tromper. Il avait vu juste : la femme s'est mise à marcher d'un pas rapide sur la route, en se retournant souvent, par crainte d'être suivie. Nous allons devoir la punir... J'avais promis la mort aux fuyardes. Je serai clément... *cette fois-ci*. Mais j'espère que vous retiendrez la leçon, car je n'ai pas l'intention de la répéter.

Tristana s'avance, les jambes écartées, presque masculine, faisant claquer les neuf lanières de son fouet sur le sol, soulevant de poétiques envolées de poussière qui me font penser à la conquête de l'Ouest américain. L'espace d'un moment, des visions pittoresques me traversent l'esprit : un Eldorado sensuel, des duellistes, debout au milieu d'une rue principale, alors que des clameurs proviennent du saloon où des joueurs ivres trichent au poker pendant que, quelques mètres plus loin, une bande de brigands dévalise la banque...

Le hurlement d'Adèle m'arrache à ces images réconfortantes. Tristana vient d'asséner son premier coup de fouet, les lanières ont mordu la chair molle, dessinant instantanément une jolie ligne. Pendant un instant, je croirais presque qu'un éclair divin en a surgi, trop rapide pour qu'on puisse l'apercevoir, châtiant la matrone qui m'a délaissée au profit de Marthe.

Le fouet claque une deuxième fois… puis une troisième… Les chairs flasques tressautent, animées d'une vie autonome. Le spectacle a un aspect grotesque qui connaîtrait un certain succès dans un *freak-show*. Haletante, Adèle gémit, marmonnant des paroles incompréhensibles – ce qui semble être devenu sa spécialité, depuis quelque temps. Dans le demi-silence qui croit s'installer, bientôt dupé par un autre coup de fouet, je distingue même ses paroles, prononcées avec une bizarre ferveur religieuse :

— Autour du cou, je finirai par te porter…

Un cinquième claquement l'interrompt, Adèle crie, sa peau avachie ballotte. J'ai honte d'elle. En guise d'exutoire, j'imagine son visage fatigué, son regard tourmenté, les larmes qui coulent sur ses joues. Cette revanche a un parfum de printemps, de neige en train de fondre.

Les stries s'accumulent sur le corps d'Adèle, entrecroisant leurs motifs, donnant naissance à une figure géométrique qu'il faudrait reproduire et graver sur la pierre tombale de cette vieille chipie, quand elle sera morte.

La flagellation continue, Tristana y prend un plaisir sportif. Tu vois, j'avais raison de la comparer à une athlète. Je n'avais pas remarqué que ses bras étaient si musclés ; regarde comme le droit se gonfle au moment où elle prend son élan, avant de déployer les lanières qui s'élancent vers le corps nu d'Adèle. Gonflement, relâchement, gonflement, relâchement.

Cette cérémonie m'a divertie pendant un moment, mais je commence à m'ennuyer. Dix coups, ça va ; quinze, ça passe encore ; mais quarante, ça devient lassant. Adèle doit aussi commencer à s'habituer, et, tu le sais, l'habitude, c'est la mort. Je réprime un bâillement, salué par un coup de fouet. Au même moment, je surprends un regard de Werner, que mon attitude rend visiblement perplexe. Je ne comprends pas pourquoi, mais j'aime l'intriguer à mon tour.

Je songe à m'en aller, quand Tristana s'arrête, le visage luisant. L'exercice l'a mise en forme. Elle claque des doigts, et un garde lui apporte un grand verre d'eau qu'elle boit d'une traite, avant de s'essuyer la bouche.

Les sanglots d'Adèle sont communicatifs : Elke et Tina pleurent, elles aussi. Compassion ? Crainte de subir le même sort ? J'opte pour la seconde explication. Marthe ne montre aucun sentiment. J'aurais voulu qu'elle soit fouettée. J'aurais promené mon regard d'une chair tremblotante à l'autre, prête à prêter main forte à Tristana. Je m'y connais en chat à neuf queues. C'est même mon animal favori.

Sans contempler le résultat de sa fustigation, Tristana se détourne, regagnant l'intérieur du manoir. Werner lui emboîte le pas, nous laissant seules avec les soldats. J'attends quelques secondes, puis je décide de suivre le couple. Qui sait, peut-être parviendrai-je à surprendre leur conversation, à découvrir quelque détail intéressant à propos de leur expérience ?

Lorsque j'entre dans le manoir, j'entends Tristana dire :

— Dommage qu'il faille la garder vivante, je l'aurais achevée, cette vieille folle ! Elle m'agace. J'aurais pu prendre un bain de son sang, comme la comtesse Bathory... Mais son sang est probablement faisandé.

Je me dissimule dans l'ombre, afin de ne pas être surprise, mais les deux interlocuteurs viennent d'entrer dans la salle à manger.

— Pas si fort, réplique Werner, on pourrait nous entendre.

— Mais non ! réplique Tristana, énergique. Elles sont dehors, en train de pleurer. Ce sont des enfants, toute la bande ! Ça se croit fortes, ça pense avoir tout vu… Comme les grisettes parisiennes que les libertins du XIXe siècle séduisaient avec leurs promesses absurdes, juste pour le plaisir de les voir souffrir, ensuite.

— Tu sais pourquoi on ne peut pas la tuer. On pourrait avoir besoin d'elle… N'oublie pas que nous sommes ici grâce à elle.

— Tout ça à cause d'un accident, elle n'a aucun mérite !

— Peut-être, mais on n'a pas de choix. Seules les conséquences comptent. Demain, tout sera réglé. Penses-y… À présent, changeons de sujet, je te le redis, ce n'est pas prudent de parler à voix haute comme tu le fais. Il faut se méfier…

Tristana soupire et demande une coupe de vin de sable. Après des bruits de pas – Werner prend une bouteille dans un meuble qui en contient une trentaine –, le silence revient dans la salle, entêtant. Incertaine du sens de cette conversation, je patiente encore une minute ou deux, en vain. Adèle est-elle complice du couple ? Non… cette hypothèse n'est pas recevable, d'autant plus que Tristana a évoqué « un accident ». De quoi parle-t-elle ? Et que se passera-t-il demain ? Je l'ignore… Il faudra que je retourne voir le général.

J'entends alors une voix aiguë.

— ... t'avais dit que ça ne marcherait pas, gémit Adèle, essoufflée.

Ces bribes de conversation paraissent intéressantes. Je disparais dans l'ombre. Les deux femmes entrent dans le manoir, regardent autour d'elles, ne voient personne, s'immobilisent. Marthe soutient son amie, qui grimace dès qu'elle bouge. La diablesse plaque une main sur sa fesse meurtrie. Si un sculpteur immortalisait ce moment, il produirait une statue grotesque assez impressionnante pour qu'elle devienne un exemple célèbre du ridicule en art.

— Oui, mais c'était une bonne idée, ça valait la peine d'essayer, chuchote Marthe. Cet homme-là est fiable et très efficace. Si tu étais parvenue à lui parler, à lui donner ma lettre, on serait tirées d'affaire. Les renforts qu'il aurait amenés ici n'auraient fait qu'une bouchée des gardes de Steinmetz !

Adèle ne voulait donc pas tout à fait s'enfuir ! Elle allait chercher de l'aide, pour chasser Werner et Tristana, et reprendre le contrôle du manoir.

— En tout cas, proteste Adèle, ça n'a pas fonctionné, et ne compte pas sur moi pour réessayer, ni pour tenter quoi que ce soit, même avec mon Smith & Wesson, comme tu l'as suggéré. On voit bien que tu n'as pas reçu de coups de fouet, toi.

Elle se met à pleurer. La grosse Marthe la prend dans ses bras charnus, lui caressant les cheveux et lui murmurant des paroles de réconfort idiotes. Je choisis ce moment pour sortir de l'ombre, faisant sursauter Adèle. Marthe m'adresse un regard vexé ; je lui rétorque par un sourire très denté qui, je l'espère, la grugera jusqu'à la fin de ses jours.

14 : La source amère, amie des deuils

Mais non, je ne tomberai pas, même si c'est glissant à cause de la pluie ! Je suis protégée, tu as l'air de l'oublier, il ne peut rien m'arriver de mal. En plus, ce n'est pas la première fois que je me promène sur le toit du manoir. Tu as le vertige ? Ferme les yeux, c'est tout, et, aussi, ferme-la, ça vaudra mieux.

Ces bruits de moteur en provenance de la route qui mène au manoir ne sont pas normaux. C'est logique que je tente d'en savoir plus, sans risquer d'être enfermée dans ma chambre pour m'être montrée trop curieuse. Aplatie près du vide, je me penche pour regarder en bas, tandis que le ciel continue de pleurer sur mon corps… Ce sont des jeeps, des *hummers* et un gros camion-plateau qui produisent les sons que j'ai entendus. Ils ont tous cette couleur vert camouflage typique de l'armée. Autour des cinq véhicules immobilisés devant le manoir, les employés de Werner s'agitent, si petits. J'aimerais leur lancer des enclumes sur la tête, je sifflerais en regardant leur crâne éclater.

Des hommes émergent des jeeps, suivis par des femmes habillées de façon typée : longues robes de dentelle blanche transparente, combinaisons moulantes et décolletées en vinyle noir, bustiers à bretelles en lycra rouge, jupes courtes lacées, etc.

Ce qui retient mon attention, c'est plutôt le gros cube bâché que j'aperçois sur le plateau du camion, autour duquel plusieurs hommes s'activent. Sortir cet objet massif du véhicule n'est pas simple. Les hommes s'épongent le front, parviennent à le déplacer peu à peu. De quoi s'agit-il ? Je sens que j'aperçois le centre du mystère.

Tiens, voilà Marthe qui vient fouiner près du camion. Un garde lui prend le bras, je l'entends protester, il la pousse sans ménagement. Je ne distingue pas ses paroles, mais il lui ordonne sans doute de regagner l'intérieur du manoir.

À force d'efforts, les hommes traînent le lourd carré jusqu'à l'entrée, ils disparaissent de mon champ de vision. Je n'en apprendrai pas plus en restant ici. Tâchons de savoir où ils comptent ranger cet objet. Je soulève la trappe qui donne accès au toit, me glisse dans l'ouverture étroite. Me voici dans le grenier, parmi la poussière et les vieux livres – sorcellerie, romans bizarres, publications licencieuses, livres de sermons inversés. J'ai une pensée émue pour les autres choses oubliées qui s'entassent ici : morceaux de maison hantée, photos d'araignées géantes, squelettes d'animaux, émaux fluctuants, graisse magnétique, etc. J'adresse un sourire de sympathie à ces vieux amis d'une vie révolue et je descends le petit escalier qui mène au deuxième étage. J'écoute : aucun bruit. La porte secrète pivote, je m'empresse de la refermer derrière moi. J'emprunte ensuite l'escalier qui conduit au premier.

À pas de louve, je parcours le couloir. J'aperçois Marthe, Adèle et deux filles qui se dirigent vers leurs chambres.

— Il nous a dit de ne pas sortir jusqu'à nouvel ordre, m'apprend Elke au moment où elle me croise.

Je l'ignore, marchant jusqu'au bout du corridor. Du bruit provient du rez-de-chaussée. La voix de Werner me renseigne :

— Vous me mettrez ça en bas, dans la plus grande cellule. Une fois qu'*il* sera installé, je veux deux gardes en permanence devant la porte. Personne n'a le droit d'entrer dans cette pièce, sauf Tristana et moi. C'est clair ?

Pas de réponse audible, mais la réaction des hommes est sûrement satisfaisante, puisque Steinmetz tourne les talons.

Mine de rien, je descends quelques marches. Werner m'aperçoit.

— Tu ne peux pas être ici. Tu dois rester dans ta chambre. Nous t'aviserons quand les consignes changeront.

Les « consignes » ? On dirait un militaire qui sermonne sa fille adolescente. Je distingue quelque chose de noir, écrasé par terre, près de moi : c'est un nouveau morceau de ma patience qui vient de tomber. Bientôt, mes réserves seront épuisées. J'accorde un sursis à Steinmetz parce qu'il pique ma curiosité et que j'aimerais qu'il se pique aussi de me séduire, au moins pour une nuit.

Sans répondre à Werner, je profite de la situation pour rendre visite au général Marcel, l'unique être qui me comprenne, en ces lieux. Il m'attendait, je vois dans son œil une expression d'infinie tendresse, il a pour moi un sourire de père, triste et plein de compassion. Général, console-moi de ta voix grave et rassurante. Sois souriant, prends-moi dans tes bras, dis-moi de ne

pas m'inquiéter, répète-moi que tout ira bien, promets-moi de veiller sur mes jours et mes nuits,
d'être là pour prendre ma main si jamais je risque
de me noyer.

Je ne peux pas me retenir plus longtemps, je
me mets bêtement à pleurer devant le tableau.
Comme j'aurais envie d'y entrer pour me blottir
contre la poitrine du militaire, comme je voudrais
qu'il me serre contre lui dans une étreinte réconfortante en me disant : « Tout ira bien, Ariane, tout
ira bien. C'est un mauvais moment à passer, mais
il sera bientôt derrière toi. Tout ira bien, tout ira
bien…»!

Il répéterait cette phrase comme un mantra
qui, à force d'être récité, finirait par s'ancrer dans
mon esprit et se concrétiser. Peu à peu, je sentirais
fondre cette chape qui pèse sur moi, faite de
dégoût, d'ennui, de beaucoup d'isolement et
d'émotions réprimées.

Presque imperceptibles, des larmes ont coulé
sur les joues du général. Ce n'est pas du sang, cette
fois, mais peut-être ne lui en reste-t-il plus ? Dans
ce monde atroce, tout finit par s'épuiser, hélas !
c'est à la fois une bénédiction et un grand malheur. J'appuie mes lèvres sur la joue peinte. J'y
reste collée, les yeux fermés, tâchant de prendre
de grandes respirations ; j'inhale l'esprit du général, je m'emplis de sa force paisible, je fortifie mon
esprit, je le colmate à l'aide d'une glu lumineuse
qui repousse l'obscurité dans un coin où elle
devient pittoresque au lieu d'être redoutable.

Depuis combien de temps suis-je ainsi en pleine
communion avec le général ? Je passe le revers de
ma main sur mon visage humide. Les larmes ne
sont pas encore sèches.

Mon cœur se serre alors que je scrute la figure amie dans son cadre. Tu devines pourquoi… Rien n'a changé, ou presque. La seule différence, ce sont ses larmes, rouge vif, plus abondantes. Pour le reste : encore la moustache pâle, encore la poussière sur la tête, le pentacle inversé, identique à celui d'Adèle. Ce sont de mauvais présages… Que devrais-je faire ? Je commence à m'inquiéter. À quelles peines suis-je vouée ? Des particules de poussière noires dansent devant mes yeux, tourbillonnant en une danse macabre qu'accompagnent des bruits d'ossements si ténus que je ne peux savoir s'ils sont réels.

Je gagne le second étage, puis regarde derrière moi avant d'ouvrir la porte dérobée, afin d'être certaine que personne ne me voie. Grenier, escalier, je suis revenue sur le toit du manoir. Les véhicules sont garés, laissant la voie libre. Sur le sentier, à quelques centaines de mètres du manoir, j'aperçois deux silhouettes qui s'approchent, écrasées par le plafond bas des nuages aux formes écailleuses. Leur posture raide et leur démarche lente me convainquent presque d'avoir affaire à deux vieux balais déguisés en êtres humains, de vieux balais qui viendraient nettoyer ma demeure de l'ambiance détestable qui s'y installe chaque jour un peu plus.

Je les distingue mieux, maintenant. Ce sont deux hommes. La barbe de celui de gauche ferait une bonne brosse à longs poils. En plantant sa tête sur un bâton, on obtiendrait un outil pratique pour récurer les couloirs. Les cheveux du deuxième visiteur ont l'allure du crin. Voilà un duo bien assorti. L'un des soldats marche jusqu'à eux. On parlemente pendant un certain temps, puis Werner apparaît en tendant la main aux nouveaux arrivants. Nouvel échange, inaudible.

Tout ce beau monde incompréhensible et haïssable finit par s'interrompre et se remettre en marche. Si seulement ils se dirigeaient vers un échafaud au lieu de s'approcher du manoir ! En vitesse, je redescends au deuxième étage, puis au premier. Me revoici au bout du couloir, prête à saisir les bribes de conversation qui monteront jusqu'ici.

—Vraiment, vous me garantissez cela ? demande une voix masculine éraillée, bizarrement fêlée, prête à arracher l'oreille du premier venu.

— Vraiment, répond Steinmetz. Il vous en coûtera une bonne somme à tous les deux, mais ne vous inquiétez pas. Vous n'êtes pas venus au *Manoir des fantasmes* pour rien. L'endroit sera bientôt réputé. Tristana vous conduira dans la pièce où les filles vous attendent.

— Veuillez me suivre, enchaîne la jeune femme, sans enthousiasme.

Je regagne prestement ma chambre, ayant à peine eu le temps d'en refermer la porte derrière moi lorsque le trio arrive à l'étage. L'oreille collée au battant et le cœur battant dans mon oreille collée, j'écoute. Ils choisissent l'Enfer. Des pas s'éloignent, ceux de Tristana, je les reconnais : ils sont légers, inexpressifs et mystérieux. Silence. Silence. Silence. Je rouvre ma porte, marche jusqu'aux abords de l'escalier, écoutant.

— Alors, demande Werner ?

— Rien, répond Tristana. Ils ont bu l'aphrodisiaque. La machine est en marche ?

— Oui.

— Parfait. Quand je pense que tout sera réglé demain… J'ai peine à y croire.

De quoi parlent-ils ? Je ne comprends rien, et j'en ai assez de Steinmetz, tout à coup. Tant pis pour la nuit d'amour, j'aurai l'occasion d'en connaître d'autres sans lui.

Le plus simple est encore de l'envoûter. Je ferme les yeux, stabilisant ma respiration. En pensée, je fais tourner ma roue spirituelle. Je songe à des deuils, à des douleurs, que je dirige vers Steinmetz, en sachant qu'is vont l'investir, le miner, le…

Un hurlement provenant de « l'Enfer » interrompt ma méditation.

L'ai-je imaginé, trop prise par mes propres maléfices ? Non, un second cri, plus long, noircit l'après-midi. C'est l'une des filles qui l'a poussé. J'entends une porte s'ouvrir, et la voix nerveuse de Marthe dire :

— Il faut que j'aille voir !

Adèle proteste :

— Mais ils ont dit de ne pas sortir, tu risques de…

— Ça ne fait rien ! Ce sont *mes* filles qui sont là-dedans ! Steinwitz m'avait donné l'ordre de les envoyer là pour attendre les clients. Je leur ai promis protection, il faut que je les aide !

Pour lui donner raison, un autre hurlement monte, très prolongé et tourmenté, cette fois-ci.

— C'est ce maudit Steinmetz, grogne Marthe en marchant jusqu'à « l'Enfer ». Il faudra trouver un moyen d'aller chercher des renforts…

Marthe se rend au second étage, mais elle n'a pas le temps d'ouvrir la porte. Un ordre retentit :

— Ne bougez pas !

Un homme armé pointe son arme vers la vieille relique inquiète. Celle-ci s'immobilise. La voix tremblante, Adèle marmotte :

— Je te l'avais dit, de ne pas y aller, je te l'avais dit !

Il est superbement trop tard. Le garde s'approche de la vieille et lui saisit le bras droit. Marthe glapit, libérant encore plus la bête qu'elle a toujours été. L'homme lui ordonne de le suivre jusqu'au rez-de-chaussée. Marthe tente de protester, mais ses récriminations lui valent une gifle et la menace d'en recevoir une autre en échange de chaque mot qu'elle prononcera. Vaincue, la morue récalcitrante se tait. Ensuite, ce beau couple descend l'escalier sans parler, soudé par l'harmonie de ses rapports de force.

Restée seule à l'étage, Adèle s'appuie la tête contre le mur, pleurant, pleurant et pleurant. Avec un sourire mélomane, je me rappelle une chanson jazz intitulée *Cry me a river*. Je m'apprête à la siffler pour accompagner la diablesse, au moment où Tina et Elke surgissent. Deux minois effrayés nous regardent avec des yeux de chaton surpris. Un autre cri provient alors de « l'Enfer », suivi d'une exclamation masculine. J'ignore ce qui se déroule derrière le battant, mais la moisson de plaisir que récoltent les deux clients se fait clairement au détriment des filles qui en ont semé les germes. Un bruit curieux s'ensuit, à la fois métallique et humide, comme le choc de deux lames en train de fondre.

Bêtement, Elke s'approche de l'escalier qui conduit au deuxième étage. À ce moment, un soldat fait irruption au deuxième étage.

— Vous allez où, comme ça ?

— Nulle part, répond la fautive.

— Je l'espère. Retournez dans vos chambres, toutes.

Que peut-on faire ? Sans trop m'expliquer pourquoi ni comment, j'ai la certitude que ma protection commence à se fissurer… Je me sens moins forte, moins en sécurité. L'idéal, c'est encore de retourner dans ma chambre. J'aviserai ensuite.

Nyctalope est un mot qui porte en lui l'idée de nuit. J'aimerais l'être davantage, mais j'ai un avantage : je connais les moindres recoins du manoir, même s'il fait noir. Sans hésiter, je peux me rendre au sous-sol afin de découvrir la nature de l'objet intrigant que Werner a enfermé dans une cellule gardée. Je revêts une jupe et un bustier ébène, de même que mes bottines lacées dont les semelles ne font aucun bruit. J'y glisse une longue aiguille effilée.

J'ouvre la porte de ma chambre. Dans le couloir, on a disposé trois chandeliers allumés : le premier se trouve au milieu, les deux autres éclairent chaque extrémité. Je n'aperçois personne, même pas de garde endormi. Werner a dû préférer répartir ses hommes ailleurs. Une fois dans l'escalier, je repense à mon costume de louve. Peut-être aurais-je dû le revêtir ? Qui sait s'il n'aurait pas garanti la réussite de ma mission ? Louve par la nuit, tes crocs sont tes amis…

Au bas de l'escalier, j'entends des voix provenir de la salle à manger. Je reconnais Tristana et Steinmetz. Ils discutent du *Dictionnaire infernal* de Colin de Plancy, ce démonologiste français du XIXe siècle. Dans un autre contexte, je me serais jointe à eux pour en discuter, mais, hélas ! la conjoncture actuelle me crie « non ». Rasant les murs au point de presque m'y imbriquer, je progresse.

Un bruit retentit, réveillant encore plus mon insomnie. Fusil en mains, un garde s'avance, à quelques mètres de moi. Puisqu'il n'est pas discret – peut-être est-ce délibéré, afin de produire un effet dissuasif –, j'ai le temps de me cacher dans l'ombre. Il passe près de ma cachette sans m'apercevoir. Je poursuis mon avancée…

Je distingue à présent le sous-sol, plus éclairé que le reste du manoir, grâce à des chandeliers et à des torches qu'on a installées dans les socles fixés aux murs. Postés en faction devant la plus grande des cellules, deux gardes discutent. Leur attitude rigide me prouve qu'ils sont aux aguets. Leur conversation porte – quoi d'autre ? – sur les femmes. L'épouse du premier l'a quitté pour un riche orfèvre, ce qui arrache au second ce commentaire désabusé :

— Toutes les mêmes, j'te dis, il n'y a rien à faire, rien… Elles ne changeront jamais. Dommage qu'elles soient aussi belles et qu'elles le sachent trop… sinon, tu imagines comment on s'en foutrait.

J'ai beau réfléchir, aucune stratégie ne me vient à l'esprit. Je me concentre afin de rendre inoffensifs ces deux mâles, par la seule force de mon esprit. Je me les représente malades, confus et fatigués, en souhaitant qu'ils s'éloignent, qu'ils s'endorment, qu'ils s'évanouissent, qu'ils meurent, même. Peu m'importe, du moment qu'ils me laissent la voie libre. Mon énergie se noue dans l'air environnant, formant une longue corde invisible que je lance vers les hommes à la manière d'un lasso. Ils ne réagissent pas. Le deuxième garde raconte comment une fille de joie s'est amusée à lui extorquer de l'argent pendant des années, lui faisant croire qu'elle l'aimait.

Alors quoi ? Essayer de les séduire ? Personne ne peut me résister, quand je le veux. Pourquoi pas ? Cette option m'amuse et flatte ma vanité. Je prendrai du bon temps et je les assassinerai ensuite avec mon aiguille.

Ça y est, je suis prête à émerger dans la lumière tremblotante des flammes, telle une déesse qui sortirait des murs, envoûtante et énigmatique, tenant, dans sa main, la clé d'un passage secret qui mène dans un monde de plaisirs. Il faut quelques secondes aux deux hommes pour s'assurer qu'ils ne rêvent pas. Le premier s'interrompt, la bouche ouverte sur des mots morts-nés, l'autre fronce les sourcils en se frottant les yeux. J'avance, fauve dans ma jupe courte, en ayant soin de ne pas les perdre du regard. Tentent-ils de résister, de laisser libre cours à leurs réflexes de soldats ? Peut-être, mais ils n'y parviennent pas. Je continue ma progression aérienne, et bientôt, sans même avoir pu déterminer comment j'ai fait tout ce chemin, je suis près d'eux, hypnotique.

Derrière la porte qui dissimule le secret de Werner, un bruit de moteur sourd et continu me rappelle celui du taxi qui nous a reconduites après notre soirée au Cabaret des requins. Ce mauvais souvenir voudrait me paralyser, mais je suis plus forte que lui.

Je touche la poitrine musclée du premier garde, j'embrasse le second. Une décharge électrique parcourt mon corps. La main du premier homme glisse déjà sur mon bustier. Combien d'amants se sont aimés ici, combien d'étreintes ont saturé ces murs d'énergie sensuelle ? Ajoutons-y la nôtre, basculons de l'autre côté du miroir obscène, et ensuite, quand je serai satisfaite…

— Qu'est-ce que vous faites là ? demande une voix autoritaire.

Puisque le charme est engourdi, les deux gardes s'arrêtent et lèvent la tête vers le nouvel arrivant. On dirait un clone : même uniforme, mêmes cheveux ras, même expression de subalterne.

— Raymond ! crie-t-il en tournant la tête vers sa droite.

Quelques secondes s'écoulent, puis « Raymond » arrive : un sosie des trois autres.

— Va me chercher monsieur Steinmetz.

Les deux gardes fautifs me tiennent chacun par un bras, dans l'espoir de racheter leur bévue.

J'ignore si des secondes se sont esquivées hors du temps, mais Werner arrive presque aussitôt, accompagné de Raymond et de Tristana. Le regard qu'il pose sur moi n'est ni surpris ni fâché : peut-être seulement agacé. Sa compagne demeure impossible et impassible.

— Enfermez-la dans une cellule, dit-il au garde qui l'escortait, en me désignant d'un geste dédaigneux. Quant aux deux autres, nous réfléchirons à leur sort…

On m'empoigne sans douceur. Je me débats pour la forme et contre l'uniforme. Ma rébellion me vaut les réactions suivantes, dans l'ordre d'apparition : on me tire les cheveux, me gifle, me serre les bras plus fort, me menace et m'insulte. Je déteste la soumission, sauf quand je l'inflige à quelqu'un, mais, pour l'instant, mieux vaut m'y résigner.

Alors qu'on me pousse dans une cellule obscure, je me sens curieusement nue. Je le sais, je le sens dans mon corps, dans toutes mes fibres, mes veines et mes os : *je ne suis plus protégée ! La bulle réconfortante qui abritait le manoir n'existe plus…* C'est inexplicable, ce n'est pas logique, mais il y a forcément une raison.

La lourde porte se referme en claquant. Me voilà emprisonnée. Veut-on m'exécuter demain ? Cette idée me semble invraisemblable. Mon aventure ne peut pas se terminer ainsi ! C'était ce que le général tentait de me dire ? Mais alors, pourquoi le pentacle inversé, pourquoi le bonnet ? Il aurait pu être plus clair…

Appuyée contre un mur froid et humide, je caresse un insecte aux longues antennes, en tâchant de me concentrer, de méditer, de réfléchir afin de trouver une réponse. Alors, dans les ténèbres passées à l'ennemi, dans les ténèbres qui me mordent au lieu de me réconforter, une grande vague de tristesse monte en moi. Elle me recouvre bientôt, sombre, froide. Je m'étouffe, je suis seule, seule et vulnérable, sans alliés. Vais-je mourir en ayant à peine vécu, avec cette affreuse sensation de vide dans la poitrine ? Il y a ce trou dans mon cœur, ce trou dans lequel s'engouffrent des angoisses dont les contours aiguisés me blessent, me déchirent. Un long frisson me traverse le dos, mes épaules tressautent, ça y est, je pleure, je pleure, seule dans la nuit froide alors que le manoir s'affaiblit, balayé par une pluie incessante, une pluie qui annonce le pire…

Lorsque la porte se rouvre, j'ai la sensation d'avoir été battue. Ankylosée, je me redresse en grimaçant. Cette nuit blanche m'a transmis sa maladie, une migraine qui plante son aiguille au milieu de mon front. L'angoisse a été si forte qu'elle s'est presque dévorée, me laissant exsangue, sans

émotions. Je porte sur le visage un masque de vieil-
lesse qui absorbe ma fraîcheur peu à peu. J'ai froid,
si froid, dans ce matin, que je devine gris et encore
pluvieux. On me pousse dans le couloir, nous gra-
vissons l'escalier, mon corps glacé avance, dans
mes os glacés, la moelle s'effrite.

Nous voilà à l'extérieur, j'aperçois la croix de
Saint-André, prête à servir. Élégant dans un costume trois-pièces, Werner s'appuie sur une canne
dont le pommeau s'orne d'un crâne cornu. Tristana, fouet à la main, porte une courte veste de
cuir cintrée et un pantalon ample en daim. Elle
me regarde arriver, indifférente.

Marthe surgit, poussée par deux soldats. Elle
est en larmes, les mains jointes, on dirait une clo-
charde qui tente de susciter la compassion. Les
deux gardes que j'ai séduits hier arrivent aussi,
sous la menace de fusils d'assaut, décidément
l'arme préférée des hommes de Steinmetz.

Ce dernier se dirige vers moi.

— On va commencer par elle, dit-il.

Je sens une main me pincer le cœur. Une
impression d'abîme me soulève tout à coup. Au
moment de vaciller au bord du gouffre, je me plie
en deux, prise par un haut-le-cœur, sur le point
de vomir. Il y a en moi une reptation semblable à
celle d'une bête qui se serait infiltrée dans mon
corps pour mieux m'injecter son venin.

Insensibles, les hommes me redressent. Tout
se met à tourner, la terre tourne, ma chance tourne,
ma tête tourne, je vais perdre l'équilibre. Pour ne
pas m'effondrer, je m'accroche mollement à l'uniforme d'un garde. Il me retient en passant ses
mains sous mes aisselles. Nous avançons vers la
croix. Serai-je fusillée, brûlée, poignardée, fouet-

tée ? Je ne le sais pas, ces images de ma mort ou de ma souffrance prochaine se bousculent dans ma tête, la nausée tourbillonne encore, un goût de bile dans la bouche, tout me paraît si loin, Salomé, Madère, le chat Safran, le général Marcel…

On m'enlève mes vêtements en les déchirant presque, ce qui me soutire une expression défiante. Le vent salue ma peau, je suis belle, je le sais ! Je me retourne vers le manoir, m'exposant aux regards et à la pluie chaude qui continue de résister au soleil à coups de nuages noirs. J'ai gardé mes bottines lacées, ce qui doit ajouter un intérêt érotique à l'image que j'offre.

Les gardes me saisissent les épaules, leurs mains ont la texture du corail. Ils me poussent vers la croix en X. Ensuite, contact rude du bois sur moi, rugosité de la corde de jute qu'on noue pour m'emprisonner, nœuds complexes, accomplis avec une certaine prestesse, mais on me brûle la peau, sans trop d'art.

Quand claque la première lanière, je ne peux m'empêcher de grimacer. Brasiers : Tristana ne compte pas me ménager. L'effet s'apparente à un retour de flammes, il saisit, pince, brûle et se disperse dans tout le corps, diffusant une impression d'embrasement, dont la douleur palpitante se modulerait à mes pulsations cardiaques. Un petit cri, ce traître, voudrait me dénoncer, mais le bruit du fouet le couvre. Une sensation d'éclatement colore ce deuxième coup, je visualise des veines qui se fendent en libérant le sang, dessinant des stries énigmatiques sur la toile de ma peau blanche.

Au troisième heurt, je me mords les lèvres, l'incendie s'intensifie. J'ai déjà chaud, un éclair s'at-

tarde sur mon dos, suivi d'une sensation de four-
millement désagréable – des centaines et des centaines d'insectes aux pattes de feu qui me parcou-
rent en tous sens. Heureusement, personne ne voit
mon visage crispé. Un sifflement annonce la suite,
je me raidis, les lanières montent jusqu'à mon
épaule gauche, griffant mon cou, me soutirant des
larmes. Je pleure sans presque m'en rendre compte,
les épaules tendues, relevées, dans l'attente du
coup suivant. Tristana l'avait-elle prévu ? Me voilà
en sueur, les jambes molles. La lanière claque de
nouveau, mon corps se trémousse. Les impacts
du fouet sur mon corps m'assourdissent, les sons
s'enfoncent dans une eau gommante. Cette fois,
le côté droit subit la pinçure qui irradie, cœur de
douleur. Je suis enlacée, roussie, mon mal s'extrait
du monde, lancinant, répétitif.

Le reste n'a pas d'importance. Après un certain temps, une souffrance de ce genre – spécialement si sa nature ne varie pas – joue en sourdine.
On la ressent toujours, mais de manière détachée,
presque empathique. C'est rythmique, régulier,
on attend la blessure suivante, aux aguets. Puis, à
un moment, elle ne vient pas.

On me détache avec la même célérité qu'on
avait mise à m'encorder. Je vais m'effondrer par
terre, mais un soldat me retient, m'arrachant une
grimace au moment où il plaque sa main sur ma
chair meurtrie. Il me tend mes vêtements, que j'ai
de la difficulté à enfiler. Je ne veux pas me retourner, par crainte de sentir sur moi les regards complices de Werner et de Tristana. Mes mains tremblent, ma jupe et mon bustier piquent ma peau
blessée, chaque mouvement remue des aiguilles
invisibles. Réprimant l'envie de pleurer, je vou-

drais des hommes pour me masser, me réconforter, m'enduire d'un baume apaisant.

Lorsque j'ai réussi à me vêtir, je fais enfin face
à l'assistance. Personne ne me prête attention, ni
Adèle, ni les filles, ni les soldats, ni Steinmetz ou
sa compagne. Tous ont fait volte-face, tournés vers
Marthe et les deux soldats fautifs, qu'on a adossés
au mur du manoir. En face d'eux, six hommes braquent leurs fusils d'assaut sur les coupables.

Pendant une seconde, j'ai une hésitation. Non,
je me trompe… Ils ne vont pas… Ils…

La salve des fusils d'assaut m'étourdit, plus
rapide que les battements de mon cœur.

Plaqués contre le manoir, les corps rebondis-
sent en donnant l'illusion qu'ils vont au-devant
des balles pour être percés et repoussés encore et
encore. Je vois la grimace de Marthe lorsque sa tête
heurte les pierres derrière elle. Il y a du sang sur les
lèvres, sur les mains, les vêtements sont troués.
Puis, brusquement, c'est le silence, seulement interrompu par le son des cadavres qui s'écroulent.

À la fois hypnotisée et en état de choc, je ne
peux détacher mon regard de la façade, voyant,
comme à travers des jumelles, les impacts de balles qui ont creusé des ravins miniatures dans le
mur. Par terre, Marthe est affaissée, rouge, la bouche ouverte sur des dents cassées. Marthe ne
pourra jamais plus dire un mot. Marthe ne m'aga-
cera jamais plus. Les deux hommes sont à moitié
couchés sur elle, dans une pose de charnier. La
pluie les recouvre d'une pellicule luisante, comme
si elle cherchait à les enterrer, à les soustraire à ce
lieu qui n'a plus rien à leur offrir.

La première, Adèle rompt le silence par une
longue plainte animale, avant de se mettre subite-

ment à vomir par terre, la main droite appuyée sur sa poitrine. Tina et Elke pleurent dans les bras l'une de l'autre, les épaules secouées par des sanglots qui les font frissonner. Sans manifester d'émotion ni se presser, Werner et Tristana regagnent le manoir. J'aurais voulu les suivre comme l'autre jour, mais je demeure immobile, incapable de bouger, avec, sur la langue, le goût rance de la mort. La nausée me prend, une sorte de boule qui remonte de mon estomac à ma poitrine, s'y loge et grandit, me soulevant le cœur pour me le faire cracher. Sous les gouttes d'eau qui piquent mes blessures, mon dos et mes aisselles ruissellent d'une sueur malade, épuisante. Prise de vertige, je me laisse glisser par terre, les pensées confuses, pleines de suie. Je suis à genoux, à quelques mètres des cadavres. Plusieurs soldats rentrent à l'intérieur du manoir, d'autres restent avec nous, souhaitant peut-être prévenir quelque révolte.

Toujours pliée en deux, Adèle n'a plus rien à rendre, plus rien à s'arracher. Sa respiration saccadée coupe ses gémissements de bête battue, elle se met à tousser d'une manière qui rappelle l'aridité du bruit des balles dans l'air humide. Tina et Elke l'entourent, les trois filles se bercent, debout, grandes enfants secouées par la tempête. Sur leurs joues, la pluie se mêle aux larmes. Je voudrais bouger, mais chaque mouvement m'arrache une grimace. Je me sens vaincue, écrasée par Steinmetz et Tristana. Moi, Ariane, moi qui rarement me suis inclinée devant quelqu'un.

Partout, le deuil s'incruste : des nuages en forme de crâne embaument le ciel ; les visages inexpressifs des soldats tirent une ligne horizontale sur l'avenir ; les figures attristées des femmes, rougies par les pleurs, s'ajoutent aux cadavres, au sang, au silence de crypte. Mes doigts glacés caressent ma joue, dans une tentative désespérée de réconfort. De l'herbe, des odeurs de pourriture végétale me submergent. Si je pouvais m'envoler vers un matin de printemps et demeurer à jamais en suspension au milieu de mes propres rêveries… Je m'arrête à cette phrase entendue dans je ne sais plus quel film onirique : « Ce n'est pas la mort qui a vaincu la vie, mais la vie qui mène toujours à la mort ».

Je suis là, figée, prise dans une scène immobile, actrice dans un théâtre fixe imprévu, lorsque l'histoire se remet en marche. C'est d'abord une forme au loin, sur la route, encore floue. Le regard voilé par les larmes, je crois avoir matérialisé un fantasme. En me demandant quel visage il aura, je me frotte les paupières de mes poings.

Les silhouettes approchent du manoir. Leur vue me rappelle l'arrivée d'Adèle, voilà quelques jours, voilà quelques vies. Alliées ? Ennemies ? Je n'ose plus entretenir d'illusions, par crainte de tomber dans le vide qu'elles provoquent trop souvent.

Quoi ? Que me dis-tu ? Si je trouve de quoi il s'agit, tout rentrera dans l'ordre ? Tu crois, tu le crois vraiment ?

J'y songerai plus tard. Pour l'instant, je commence à mieux voir les trois hommes qui cheminent vers nous. Celui de gauche, petit et maigre, vêtu sobrement, s'appuie sur une canne noire. Son visage grisâtre me fait l'effet d'une pomme rabougrie, une pomme qui aurait deux yeux globuleux. Le regard sale qu'il m'adresse suscite en moi une vive répulsion, encore plus quand il crache par terre, défiant. Tous clients qui se présenteront ici seront donc systématiquement affreux et repoussants ?

Ses deux compagnons de route m'inspirent un jugement semblable. Le premier, âgé d'une soixantaine d'années, est très décharné, blême et spectral. Ses yeux vitreux, morts, indiquent qu'après s'être vautré dans tous les excès, il s'est fané à jamais, désormais incapable de ressentir émotion ou émerveillement. Beaucoup plus jeune que les autres, le dernier visiteur a une vingtaine d'années. Il serait assez beau, si ce n'était de l'expression d'égoïsme et de mépris visible dans tous ses gestes. Il doit être un amant catastrophique qui considère ses partenaires comme des objets, voire des réceptacles.

Je hoquette juste à y penser. Même dans mes débauches les plus intransigeantes, j'ai toujours recherché la transcendance et la beauté. Maintenant, je suis entourée de brutes, de libertins complètement éteints, d'hommes vulgaires et mesquins.

Je sursaute, car je n'avais pas entendu arriver Werner. Il me dépasse, allant à la rencontre du trio. Il se présente, apparemment enthousiaste, alors que chez les autres, le seul sentiment visible est une lueur dure dans le regard. Tout à coup, chez le plus jeune, un intérêt remplace soudain la froideur. Il pointe quelque chose du doigt. Pendant quelques secondes, mon cœur s'emballe. Il me désigne ? Je devrai me soumettre aux désirs de ces rapaces ?

Me retournant, j'aperçois ce qu'il montre, à la fois soulagée et troublée : les cadavres. Les deux autres voyageurs adoptent le même air intéressé.

Tous parlementent sans que je parvienne à distinguer leurs paroles, puis Werner paraît satisfait.

Le trio s'avance, féroce, prenant le cadavre de Marthe sous les aisselles.

— Vous nous enverrez quatre filles, dit le plus âgé, les plus belles, les plus délicates… Il se peut qu'on vous les rende abîmées… mais certains clients aimeront ça, ça réveillera leur goût de la monstruosité.

— Elles sont remplaçables, de toute façon, répond Werner.

Semblant émerger d'un cauchemar, Tina demande, tremblante :

— Qu'est-ce que vous faites ?

L'homme à la canne répond :

— D'après toi ? À quoi tu penses que ce corps-là va nous servir ?

Elke blêmit, ayant peine à croire ce qu'elle entend. Sans se soucier de son émotion, Werner escorte ses clients au manoir. Tina demeure figée pendant un long moment, puis se met à crier :

— Mais vous ne pouvez pas faire ça, vous…

Elle se tait, muselée par le canon d'un fusil qu'un garde pointe dans son dos. Une subite rougeur teint son visage. Elle reste là, sous les gouttes d'eau tiède, la bouche ouverte sur une récrimination anémiée. Le reste, ce sont des larmes, de la pluie, de la laideur ; rien de commun avec mes rêves, mes feux d'artifices, mes nuits d'été, mes envolées vers un ailleurs plus lumineux…

Steinmetz se retourne. D'un ton blasé, il ordonne :

— Enfermez-moi tout ça dans leurs chambres, et que ça ne sorte pas jusqu'à nouvel ordre. Je veux deux gardes sur l'étage.

Sous la menace des armes, nous gagnons nos quartiers. Je n'ai même pas le temps de regarder le général Marcel pour solliciter son avis – de toute façon, je suis sûre qu'il n'a pas changé d'expression. Les portes se referment derrière nous. Ensuite, rien, si ce n'est le bruit de bottes dans le couloir que les soldats arpentent de long en large.

Je me précipite sur le lit, près de vomir, comme Adèle. Cette nausée m'ouvre en deux, j'en perds mon identité. En même temps, je suis fatiguée, si fatiguée ! Un carré pointu me bloque l'intérieur du front.

J'ai fait naufrage, mon amour, j'ai fait naufrage. Je suis seule au milieu de la mer, je ne vois aucune île, aucune terre, aucun navire en vue. Pour l'instant, je nage, mais je sais que, bientôt, je m'épuiserai. Alors, si personne ne me vient en aide, je me noierai dans les eaux acides, après y avoir ajouté mes larmes.

Pourquoi cette peine, je suis pourtant habituée au sang, non ? Que dis-tu ? Que je n'ai jamais tué, que je ne suis pas une sorcière qui assassine ses amants, que tu n'existes même pas, que je t'ai inventé pour tromper mon ennui ? Que les crânes de la salle à manger sont faux ? Qu'il n'y a pas de théâtre fixe chez moi ? Tais-toi, je ne veux pas en parler, j'ai peur. Je...

Fatiguée, si fatiguée. Malgré les cadavres, les soldats, les hommes, Marthe, malgré ma peur, je me sens lourde, lourde de vouloir oublier, lourde de cette nuit blanche que j'ai passée dans ma cellule, lourde de sentir les blessures qui cuisent ma peau, lourde de l'air humide, air suaire, pesant, naufrage, naufrage, naufrage...

Je dérive sans tenir compte des cris qui proviennent de la chambre où les trois hommes se sont enfermés avec le cadavre de Marthe et quelques malheureuses filles de Steinmetz…

Dors, pauvre petite Ariane. Pendant ta vie de jeune adulte fantasque, pendant ta vie de folle solitaire, recluse dans ce manoir perdu, tu as imaginé bien des choses, bien des histoires qui meublaient ta solitude. À présent, tu regrettes de voir s'animer devant tes yeux un monde que tu avais cru magique et voluptueux. Que reste-t-il de tes songes, maintenant ?

Dors, petite Ariane. Rêve de Salomé, de Madère, de ces îles volcaniques que tu aimes tant, de ces promenades à travers le marché couvert, de cette chanson que tu murmurais, quand tu étais petite fille : « Où est passé l'éléphant ? Où est passé le propriétaire de l'éléphant ? »

15 : Entends-tu la nuit qui s'approche ?

Je suis seule dans mon grand lit. Les bruits de bottes ont déserté le couloir, qui a fini de happer les cris. J'ai toujours la nausée ; j'aurais envie de la chasser avec des caresses amoureuses et des étreintes lentes, ce serait le seul moyen de me purifier. Je souhaiterais des lèvres aimantes sur mes blessures.

Je tends l'oreille. La pluie heurte encore la fenêtre. J'ai des espoirs de déluge, mais je n'y crois plus. Rien ne sera comme avant, à présent… Malgré mon spleen persistant, je me sens mieux que voilà quelques heures, grâce au sommeil, même agité. Le remède pour aller encore mieux ? *Il faut mettre un terme à cette inaction qui me paralyse !* Je me hasarde à entrouvrir la porte, observant le couloir éclairé par la lumière de cette fin d'après-midi. Il n'y a aucun garde.

La porte de la chambre d'Adèle pivote quelques secondes après la mienne.

La tête de la diablesse orne le corridor, tel un étrange tableau vivant suspendu dans les airs. Perplexe, son regard ressemble à celui d'un veau.

— Tu as entendu ? me demande-t-elle.

Il y a des vagues dans sa voix et de l'eau dans ma question :

— Entendu quoi ?

— La nuit qui approche.

En dépit de leur apparente simplicité, ces quatre mots réunis ont un pouvoir magique, celui de me faire hausser les sourcils. Je l'interroge :

— Qu'est-ce que tu veux dire ?

Elle passe une main sur son visage luisant. Pendant quelques secondes, le souvenir de Madère remplace cette image, puis tout rentre dans le désordre. Adèle est lasse quand elle répond :

— Je ne sais pas… je ne veux rien dire. C'était juste… une perception.

Elle fait un pas dans le couloir et retrousse sa manche, ce qui me permet d'observer son tatouage. Il a changé, il est devenu plus grand, plus détaillé. Je me suis laissée surprendre, je veux maintenant comprendre. Je me glisse jusqu'à la maquerelle, la pousse gentiment dans sa chambre et referme la porte derrière nous. Nous nous asseyons côte à côte. J'aimerais qu'une parenthèse m'enveloppe, qu'elle devienne une femme aux cheveux châtains que je coucherais sur le matelas pour tout oublier en dévorant ses taches de rousseur. Hélas ! ce n'est pas le moment…

Sur l'avant-bras d'Adèle, j'observe le dessin. Le pentacle a grandi, et un personnage familier le surplombe : une vieille femme coiffée d'un bonnet qui laisse échapper des mèches de cheveux. Il manque des dents dans sa bouche ouverte. L'une d'entre elles se dresse au-dessus de sa lèvre inférieure, pointue, similaire à un menhir. Ses mains sont jointes. Autour d'elle, un halo d'encre sombre représente la nuit.

Je reconnais immédiatement la mendiante rencontrée sur le chemin du Cabaret des requins. Aussitôt, je revois en pensée le général Marcel, comprenant le message qu'il tentait de me transmettre.

Sa moustache grise évoquait l'âge et l'allure de la mendiante. Il avait le même bonnet noir usé, des cheveux longs semblables, la poussière indiquait sa qualité de voyageur. Quant au pentacle, il visait à attirer mon attention sur Adèle et sa morsure. Le reste (front plissé et ridé, larme sur la joue, regard inquiet) revêtait un caractère symbolique, soulignant le danger et la douleur à venir.

Un autre détail attire mon attention : une croix se trouve au milieu du dessin, c'est-à-dire au centre du pentacle. Cette croix, c'est la morsure de la mendiante qui l'a causée. Elle est, en quelque sorte, la graine qui a fait pousser le tatouage d'Adèle. Tout est parti de là. Y aurait-il un lien à faire entre la venue de Werner et l'attaque de la sangsue ?

Pendant qu'Adèle me regarde en silence, bizarrement absente, je tente de récapituler, d'ordonner les événements survenus depuis la rencontre avec la mendiante : la visite au Cabaret des requins, la séduction de Carmelia et de Marika, l'attaque du chauffeur de taxi (pure coïncidence, sans doute ; je l'ai subie par malchance et parce que j'étais hors de la sphère protectrice du manoir à ce moment-là). Ensuite, il y a eu les préparatifs précédant la venue de Marthe, ponctués par le comportement bizarre d'Adèle : absences, rêves troublants, paroles étranges dont je ne me rappelle plus tout à fait la teneur, mais qui concernaient sans doute la situation actuelle.

Une fois ici, Marthe a reproché sa conduite à son amie. Des bribes de conversation me reviennent. Pendant un repas, Marthe avait accusé Adèle de lui faire perdre son temps. La diablesse avait répondu : « Je suis désolée, j'ai pensé à eux, ils ne savaient pas comment venir ici, ils voulaient savoir...»

Parlait-elle de Werner et de Tristana ? Sans doute. Steinmetz désirait donc se rendre ici, mais il ne connaissait pas le chemin. Ont-ils établi une sorte de contact psychique ? Après tout, l'homme a bien dit qu'il était ici « grâce à elle », s'attirant cette critique de sa compagne : « Tout ça à cause d'un accident, elle n'a aucun mérite ! »

L'accident en cause serait donc la morsure de la sangsue ? Lorsque Steinmetz a dit : « Demain, tout sera réglé », il parlait d'aujourd'hui...mais *qu'est-ce qui sera réglé ?*

Je passe une main froide sur mon front. Condensation. La situation manque de clarté, je ne comprends pas certains aspects, dont le rôle du gros cube apporté ici par Werner...

— Adèle, tu comprends ce qui se passe ?

Yeux de gibelotte, air absent. Elle a un pied dans ce monde et l'autre ailleurs. J'insiste :

— La morsure de la sangsue ? Werner et Tristana ?

Inexpressive, elle me fixe pendant quelques secondes, puis se met subitement à pleurer, baissant la tête, les épaules secouées par les sanglots. Décontenancée, je la regarde sans parler. Que faut-il faire ? La prendre dans mes bras ? La réconforter ? Attendre ? Lui tirer les cheveux ? Lui chanter « Où est passé l'éléphant » ?

Un moment s'écoule ainsi, rendu caverneux par sa signification hors de ma portée. Puisque tout a une fin, ces pleurs s'achèveront bien un jour. J'aurai ma réponse. Je patiente, encore hésitante. Finalement, Adèle renifle et lève la tête. Ses yeux rougis lui donnent une allure d'albinos. Je ne peux m'empêcher de la voir en lapin. Adèle-lapin répond :

— Je ne sais plus. Je suis malade ! Malade, depuis la sangsue… Je fais des rêves bizarres, des rêves qui se passent la nuit… Je ne m'en souviens presque pas quand je me réveille. J'ai des absences, je suis au milieu de quelque chose, mais je ne sais pas de quoi… C'est comme si j'étais collante, comme si j'attirais des… des *choses* qui se plaquent sur moi. Je ne comprends pas. Ma morsure continue de m'élancer, il y a ce dessin, tu l'as vu… Il me pique, on dirait qu'il veut s'ouvrir, comme s'il y avait quelque chose à l'intérieur qui voulait sortir.

Elle se tait, visiblement terrifiée, et se remet à pleurer.

Mon cœur et ma gorge se serrent, des mains invisibles s'y appuient et poussent. Moi non plus, je ne comprends pas ce qui arrive. Je ne suis plus protégée, je me sens mal. La nausée se combine à la douleur cuisante de coups de fouet. J'ai envie de m'abreuver à une fontaine qui n'est pas là, je sais que jamais je ne pourrai m'y fier. Il ne m'en faudrait pas beaucoup plus pour que je pleure comme Adèle. Si seulement j'avais une épaule où poser ma tête que la folie contamine !

Tout ça à cause de Steinmetz et Tristana… Cette pensée me choque… et ma colère crève la bulle de tristesse qui m'enfermait. Je redresse ma posture. En agissant, je vais congédier mes pleurs – opposer l'énergie à l'innommable. Je me lève, pousse le battant, me voilà dans le couloir, il suffit de marcher jusqu'au général Marcel pour en savoir plus… Lorsque je l'atteins, je découvre un autre spectacle que celui auquel j'étais habituée, malgré l'inquiétude qu'il provoquait en moi : aujourd'hui, le tableau est uniformément noir. On ne distingue plus rien. L'encre a dévoré le général Marcel.

Indécise, j'observe la toile, espérant remarquer un détail, un aspect qui m'échapperait. C'est inutile… À force de trop la détailler, je suis sur le point de basculer à l'intérieur de l'œuvre, de m'offrir à cette gueule d'ombre prête à m'avaler.

Au moment où j'aurais peut-être été dévorée, j'entends des bruits de moteur en provenance de l'entrée du manoir. Je gravis l'escalier jusqu'au deuxième étage, puis je me rends sur le toit, grâce à la porte dérobée. Plusieurs véhicules viennent d'arriver. Une trentaine de personnes, hommes et femmes, en sortent. Steinmetz les accueille comme s'il les attendait depuis longtemps. Je ne parviens pas à distinguer les visages des nouveaux venus, mais j'ai la sensation qu'ils absorbent la lumière sans la rendre, à la manière d'éponges occultes. Autour d'eux, l'éclat du jour faiblit.

Je redescends au premier étage, que je traverse jusqu'au bout, afin de surprendre les conversations.

— Elles sont toutes dans leurs chambres, dit Werner dans l'entrée, je vais les faire descendre. Choisissez qui bon vous semble. Cela n'a aucune importance.

Steinmetz hèle les soldats, leur ordonnant de conduire tout le monde devant le manoir. Ces paroles provoquent une nouvelle décharge d'énergie en moi. Il est temps de réagir. Je ne me laisserai pas abattre sans résister. Je regagne ma chambre et prends un poignard dans le tiroir de ma commode, que je glisse dans ma bottine droite. Je me sens redevenir moi-même, pour la première fois depuis mon emprisonnement de la nuit dernière.

Tu me démoralises ! Arrête de me dire que je n'ai jamais tué ! D'abord, ce n'est pas vrai, et même si c'était le cas, aujourd'hui serait une très bonne journée pour commencer. Le diable ne m'en aimera que plus fort et plus longtemps. *Souris, ma fée, il t'aime…*

Des bruits de bottes gênent le silence du couloir. Après avoir tourné la poignée sans douceur, une main pousse brutalement ma porte de chambre, qui proteste dans une langue de grincements. L'un des soldats interchangeables me transmet les ordres de Werner. Je le fixe sans parler, debout au milieu de la chambre, les jambes écartées dans une posture d'amazone à peine descendue de son cheval. J'espère que ma monture le piétinera un jour.

Adèle sort en pleurant. Elke et Tina la suivent, apeurées. D'autres filles s'ajoutent à elles : celles de Steinmetz, arrivées la veille, et le trio conduit ici par Marthe. Deux profondes balafres, qui forment un X troublant, défigurent l'Asiatique. Ces deux lignes obliques l'enlaidissent considérablement ; elles ont une inquiétante coloration – le noir se mélange au rouge, et les contours de la blessure sont d'un jaune purulent. J'y devine une allusion à la « croix des vaches », cette punition que certains souteneurs infligent aux femmes infidèles. La fille détourne le regard, loin de s'opposer à moi comme elle l'a déjà fait.

Dans la cour, les visiteurs nous attendent, disposés en un demi-cercle chuchotant, derrière Steinmetz et Tristana. La jeune femme a toujours son allure de guerrière, renforcée par un arc dans sa main droite et un carquois rempli de flèches dans son dos. La pluie a cessé son jeu marin, le soleil écarte deux nuages pour faire scintiller l'herbe mouillée.

Surprise, je distingue Jim, Marika et Carmelia, enlacés, les sourcils froncés : après des journées passées dans leur cellule, ils ne sont plus habitués à la lumière du jour. Plus barbu que jamais, Jim a la bouche entrouverte d'un demeuré lubrique. Ses mains errent sous le tailleur vert pomme de Carmelia, maintenant très sale. Ces pommes terreuses doivent avoir le goût fangeux du vice fraîchement exhumé.

— Les voilà, dit Werner en nous désignant d'un geste dédaigneux. Allez-y. Il est bien entendu que ceux qui choisissent en premier paieront plus cher. Monsieur Leclair, vous désiriez commencer ?

Un homme chauve, ivre et bedonnant, s'avance en titubant. On dirait une bouteille pourvue d'un crâne, en train de rouler. Qui aura la décence de la casser ? Il pointe Adèle du doigt et dit d'une voix moisie :

— Je veux celle-là. Ça m'excite de tuer de vieilles chiennes !

La diablesse blêmit. Elle ne croyait pas être sélectionnée. D'un pas rapide mais mal assuré, Leclair marche jusqu'à elle, s'empare de son bras qu'il tord. Adèle crie.

— Je suis désolé, vous ne pouvez pas avoir celle-là, l'avertit Steinmetz. C'est l'une de mes employées, j'ai besoin d'elle. Je n'avais pas pensé à vous le dire. Je vous offre deux filles pour le prix d'une, en compensation. Vous pouvez désigner n'importe qui, sauf elle, Tristana, mes gardes... et moi-même, bien entendu.

Leclair proteste. L'expression amène de Werner se modifie du tout au tout – à présent, un *amen* mortuaire se dessine sur son visage. Les soldats armés observent la scène, la main sur leur arme baissée vers le sol. J'espère que ce gros imbécile va continuer à se plaindre, qu'il se comportera en enfant déraisonnable. Les gardes le troueront d'assez de balles pour que je puisse semer, dans son corps, des graines qui feront pousser d'inquiétants légumes dans ses plaies. Il pourrait aussi me servir d'épouvantail.

Le client poursuit ses récriminations sans remarquer l'irritation de Steinmetz. Après quelques secondes, ce dernier hausse le ton :

— Leclair !

Surpris, l'homme s'interrompt et lâche le bras d'Adèle.

— Vous n'êtes pas en mesure de discuter, poursuit Werner. Prenez quelqu'un d'autre !

La grosse larve renâcle et s'essuie le nez du revers de sa main potelée. Elle a intérêt à ne pas me désigner. Je lui crèverai les yeux avant de cogner sa tête contre le sol jusqu'à ce qu'elle soit vidée de son sang, plate comme une brindille.

Du doigt, ce résidu pointe une fille de Steinmetz et l'Asiatique. Je suppose que la croix des vaches a dû l'attirer. L'élue proteste, se débat. Aussitôt, Tristana marche très vite jusqu'à elle et la gifle de toutes ses forces. De ma vie, je n'ai jamais vu quelqu'un asséner une claque aussi brutale. La tête de l'Asiatique est projetée si loin que je m'attends à la voir s'arracher et rebondir sur le sol. Pendant quelques secondes, elle pend dans un angle grotesque. Un filet de sang coule des narines de la fille. Toujours vêtue de son T-Shirt et du même short, sa collègue blonde la retient dans ses bras, sans oser regarder Tristana.

Cette leçon a calmé tout le monde. Les gardes ont levé leurs armes, qu'ils pointent vers nous toutes. La bretelle des illusions se détache, laissant la menace à nu : à la moindre tentative de résistance, nous serons abattues, comme Marthe. Werner ne s'en formalise pas. Il a débusqué notre peur, peu d'entre nous oseront s'opposer à lui. De plus, certains clients aiment les cadavres, comme j'ai eu l'occasion de m'en rendre compte.

La répartition qui s'ensuit s'effectue dans un ordre et un calme militaires. Chaque fois qu'une personne s'avance, je redoute d'être pointée du doigt. Et si je n'arrivais pas à me défendre ? Si je devais subir des assauts qui me laissaient meurtrie à jamais ? Si on me torturait, si on me mutilait ? L'angoisse recommence à modifier mon axe, mon jardin bascule…

Les visiteurs ont tous quelque chose d'inquiétant : l'un, visiblement drogué, marmonne des imprécations en jouant avec un couteau à cran d'arrêt ; un autre, très grand, a retroussé ses manches, ce qui expose ses bras qu'il a sans doute lui-même mutilés avec un tesson de bouteille ; le teint très foncé d'un troisième semble exsuder une noirceur qui se communique à son regard – il scrute chaque fille avec une telle rage que celles qu'il retient à son service se mettent à pleurer ; je remarque aussi ce couple dont la blondeur met en évidence les yeux bleus à la fois fatigués et pervers, dénués de toute compassion, de toute empathie… Je n'ose poursuivre cette énumération qui me donne mal au cœur, m'estimant à la fois surprise et chanceuse d'être passée inaperçue jusqu'à maintenant.

Un homme grand et maigre s'avance : vêtu d'une chemise de travail, il a une longue barbe poivre et sel que surplombe un sourire bizarre, de même qu'une chevelure hirsute, longue et sale. Son visage crevassé a un teint jaunâtre, on dirait une figurine de cire figée dans une attitude malsaine.

Lorsqu'il tend son index vers moi, je sens une main peser sur ma cage thoracique, j'étouffe. Je le savais, je le savais trop, j'étais sûre qu'il me choisirait. Il désigne aussi Tina, qui se met à chialer, le visage dans les mains, pendant qu'Elke lui caresse le dos – elle n'a aucun mérite, d'ailleurs, personne ne l'a encore retenue, c'est facile d'être un chêne quand la terre est ferme.

Le reste se déroule dans un ralenti semi-désintégré. Je ne distingue même plus les visages ou les silhouettes, mes mains tremblent, elles sont glacées malgré le soleil qui semble me parvenir à travers une vitre translucide. Seul réconfort, la dureté du poignard dans ma bottine. Je n'aurai pas de choix, il me faudra enfin commettre ce

je te l'avais dit

premier meurtre.

je te l'avais dit, Ariane, que tu n'avais jamais tué

Et alors ? Qu'est-ce que ça peut faire ? Qu'est-ce que ça peut *te* faire, puisque tu n'existes pas, que tu n'es jamais mort pour moi, que tu ne m'as pas aimée au point d'en devenir fou ? Que tu habites dans ma tête, pour me tenir compagnie, que tu n'es qu'une partie de moi, en définitive ?

Qu'est-ce que ça change que je me sois inventé ce monde factice sur lequel je régnais en despote ? Ce château de la subversion rempli de (fausses) victimes ? Ce monde macabre et fantasmagorique dans lequel j'évoluais, heureuse et folle entre deux mirages ?

je te l'avais dit, Ariane, que tu n'avais jamais tué

Peut-être, mais je n'ai pas tout inventé ! J'ai vécu une vraie vie de sorcière ! J'étais protégée pour de vrai, non ? Sinon, comment expliquer que j'habite ce manoir désert depuis des années, ayant à peine reçu quelques visites, dont celle de ce commis-voyageur si particulier ? Comment expliquer Salomé (qui existe… j'en suis sûre… elle existe, non ? Dis-moi qu'elle existe !), comment expliquer la pluie aphrodisiaque, comment expliquer Jim dans sa cellule ?

Jim ! Tu l'aurais relâché, Jim ! Il était tellement drogué, de toute manière… et, comme tu dis, tu étais peut-être protégée, qui sait ? Mais tu n'as jamais tué, tu as, somme toute, une âme blanche, très imaginative, mais blanche quand même… Jamais d'hommes ne sont morts pour toi, jamais… Adèle a vite compris que tu étais mythomane, elle a voulu profiter de toi !

Je deviens folle, je… je me referme… la terre tourne, j'ai le vertige, je suis étourdie, mais ce n'est pas le temps de m'évanouir, sinon, lorsque je me réveillerai, je… comment serai-je ? Nue, enchaînée, désarmée face à cet inconnu… Non… Je recule jusqu'au mur du manoir, je m'y appuie, surveillée de près par un garde dont l'arme pointée vers moi…

tu n'as jamais tué, tu n'as jamais tué, tu n'as jamais tué

La main d'Elke dans le dos de Tina, pourquoi n'y a-t-il aucune main dans mon dos, pourquoi n'y a-t-il donc jamais personne, jamais d'engagement, jamais rien… rien que le vide… et aucun sens…?

tu n'as jamais tué, tu as voulu tenter une expérience des limites, mais qu'aurais-tu fait, de toute façon ?

Tu ne pouvais tuer ni Marthe ni Adèle… Tu serais allée où, comme ça ? Tu aurais sans doute rabâché ta rancœur jour après jour jusqu'à ce que les deux maquerelles enrichies t'aient quitté pour ouvrir leur maison close, te laissant encore seule, nauséeuse, « spleenée » à mort jusqu'au prochain désenchantement, saoule ou droguée, habitant un mirage, rêvant de Madère, du marché couvert, de la grande brûlure solaire qui se produira quand le diamètre du soleil se sera multiplié par cent, dans des milliards d'années… Heureusement qu'il te reste Salomé… car il te reste Salomé, n'est-ce pas ? Tu es bien certaine de ne pas l'avoir inventée, elle aussi ?

Je me referme, je me referme je me referme je me referme je me fferreffrrrfme

Tout à coup, c'est un bras qui se referme sur moi, des yeux qui me capturent. Ceux du géant barbu qui m'a retenue. Ils semblent voir une *possibilité*, au-delà de mon visage, une ouverture vers un ailleurs qui implique mon sang – je deviens d'une utilité immédiate, mais dénuée de valeur humaine, de ces objets qu'on jette après usage. Il ne restera qu'une enveloppe avec laquelle, à la rigueur, les autres s'amuseront.

Je suis tendue, au bord de l'explosion. Dans ma cage thoracique, des lames s'entrechoquent jusqu'à modifier les battements de mon cœur, qui ne sont plus réguliers. Ça me pince, ça tourne, je me retiens, il ne faut pas tomber, pas m'évanouir, non, ne pas me réveiller nue devant ce regard fou… J'ai mal !

Les marches, déjà, abruptes, mes jambes ont de la difficulté à bouger. Je sens encore la brûlure des coups de fouet dans mon dos. Tina tombe, elle se cogne le genou, crie, souffre, je la soutiens. Partout, il y a des éclats de voix, les filles gémissent, on leur tire les cheveux, d'autres se font pousser dans le dos, j'entends un bruit de mitraillette et le son d'un corps qui s'effondre, en voilà une qui ne souffrira pas, au moins, mais il faut s'accrocher, il faut continuer à persévérer, seulement au cas où quelque chose arriverait...

L'escalier monte, monte vers le couloir, tout va trop vite et en même temps, c'est très lent, ça tient du convoi funèbre, des portes s'ouvrent, d'autres se referment, nous traversons le deuxième étage, j'ai même oublié de regarder le portrait du général Marcel, mais il n'est plus là, le général, il a été absorbé par quelque chose – ne me dis pas qu'il a toujours eu la même expression figée et autoritaire. Avant de disparaître dans l'ombre, il me parlait, il changeait souvent d'apparence, ne touche pas à mes rêves, ne touche plus à mes rêves. Absorbé par quelque chose, il est ailleurs, il arpente les champs de bataille d'une guerre idéale, héroïque, j'aimerais le voir surgir ici, un militaire à cheval dans le couloir d'un manoir, le sabre brandi, prêt à... je ne sais quoi, m'emporter dans un tableau, dans un tableau exotique, Madère, le marché couvert, les maisons aux toits de chaume...

La porte s'ouvre sur une chambre ordinaire, sans fenêtre, éclairée par des chandeliers. Elle se referme. Dans le couloir, derrière le battant, un soldat monte la garde. Ma gorge est sèche, je voudrais boire, mais... Je recule vers le fond de la pièce. L'homme aux yeux fous se tourne vers nous, sans aucune pitié, il n'y a rien dans son regard, rien que le calcul, l'idée qu'il se fait déjà de notre mort. Je surprends son excitation, Tina tombe par terre en joignant les mains, elle supplie « s'il vous plaît, s'il vous plaît », elle a lu sa condamnation dans les yeux de l'autre, je recule, pour ma part, je continue à reculer... L'homme se penche sur Tina, il lui empoigne les seins qu'il tord de toutes ses forces. Tina hurle, je sens son mal dans mon ventre, j'ai mal pour elle, l'autre ne s'en soucie pas, il lui donne des coups de pied dans le dos, vite agir vite agir vite avant qu'il ne s'en aperçoive, je me penche, la bottine, la lame, j'ai le couteau dans ma main, la main cachée derrière mon dos, une icône qui représente la mort en marche, j'avance vers eux, rythmée par un son qui résonne dans mes oreilles, un tambour qui masque les cris de Tina. L'homme lui arrache son chemisier, tire ses cheveux, j'avance encore vers eux, il ne m'accorde pas d'attention, tout à son désir, j'avance encore... il me tourne le dos... il tire les cheveux, Tina hurle... j'avance...

Et je frappe un premier coup, l'acier entre dans la chair, entre les omoplates, c'est plus difficile que je le pensais... Je m'attendais à un enfoncement mou, quasi naturel, mais la chair est dure, elle a la texture d'une viande congelée. Je plonge la lame aiguisée, je ressors la lame, c'est difficile, elle reste presque coincée, je plonge la lame dans le cou, cette fois, je la sens traverser le cou, l'homme n'a pas le temps de hurler. Tina continue de crier, il tombe par terre, fontaine de sang, je ne m'y abreuverai pas, la lumière tangue, la pièce tangue, la lame s'enfonce encore dans le cou, encore encore trouer le cou, trouer le cou pour détacher la tête, le couteau heurte l'os, je sens l'os dans mes veines, dans mes bras, dans ma main, l'os, le couteau, la lame... et toujours, le tambour continue de battre au rythme de mon cœur, tout s'accélère. Tina hurle, le poignard, la lame encore dans la chair,

rentre, sort, rentre, sort, l'homme a eu des spasmes, ses jambes s'agitaient de façon frénétique par
terre, maintenant, il ne bouge plus, mais je continue de poignarder, Tina crie encore, et… et… je
ne sais plus combien de temps ça dure, je ne sais
plus, juste le regard fou de Tina, qui pleure, et mes
mains tremblent de plus en plus, je ne suis plus
capable de tenir le manche, j'ai lâché le manche
par terre, je suis tombée par terre moi aussi, je suis
dans les bras de Tina, nous nous berçons toutes
les deux, nous nous sommes aimées jadis, je m'en
souviens, elle est dans mes bras et j'entends dans
ma tête la chanson réconfortante : « Où est passé
l'éléphant ? », et je vois des images de palmiers et
de plages, et d'oiseaux exotiques, et de terrasses,
de terrasses où tout oublier, où oublier que, si loin,
jadis, j'ai été une autre, une autre dont je n'ai plus
le souvenir, car il ne reste maintenant qu'Ariane,
Ariane, celle qui a fini par tuer…

À bout de souffle, presque incapable de respirer, je… mes mains sont si froides !

Tout à coup, sans avertir, la bile remonte jusqu'à
ma gorge, ça brûle, j'expulse tout ça sur le cadavre
de l'homme, ses yeux sont ouverts sur un ailleurs
de meurtre, toujours aussi hallucinés, on croirait
qu'il vit encore, mais non… le sang sur mes mains…

J'entends la voix du garde demander, de l'autre côté de la porte :

— Ça va, là-dedans ?

Tina a la présence d'esprit de lâcher un petit
cri, comme si on continuait de la blesser. Elle
gémit… Ce ne doit pas être trop difficile. Derrière
le battant, un grognement retentit. Puis des pas
s'éloignent… J'embrasse Tina sur la bouche, trop
besoin de réconfort, trop besoin des gestes de

l'amour, trop besoin d'oublier. Tina comprend, nos larmes se mêlent… Le temps passe, passe, passe, je ne sais plus à quel point il passe… J'ai juste mal au cœur, mal partout, mes mains toujours glacées, et le cadavre de l'homme par terre nous répète « la mort ». De temps en temps, j'entends des hurlements, des rires, des insultes, des invectives en provenance des autres pièces. J'ose à peine imaginer ce qui se déroule, et la question que je ne cesse de me poser est : « pourquoi pourquoi pourquoi pourquoi pourquoi ? »

Plusieurs chandelles s'étaient éteintes, et une obscurité de veillée funèbre comprimait la pièce, quand j'ai entendu le silence. Je l'écoutais depuis un moment sans m'en apercevoir, comme on prête l'oreille, dans un demi-sommeil, à une chanson agréable et apaisante, une chanson dont on ne saurait dire, au réveil, si elle existe ou non.

Le front rempli par un cube glacé, j'ai voulu me lever. Mes jambes tremblaient. Tina a relâché son étreinte, m'a regardée avec des yeux de petite fille. J'ai posé un baiser sur sa joue, puis je me suis souvenue d'Ariane la louve, capable de résister, de lutter. J'ai regardé le barbu sanglant par terre. Cette image m'a donné la force de me tenir droite.

Je grimace en sentant le tissu se tendre sur ma peau meurtrie par les coups de fouet. J'ai glissé le poignard dans ma bottine. Puisque je l'ai baptisé aujourd'hui dans un liquide rouge et visqueux, sa vie est commencée. Il veut voir le monde et ses entrailles…

Je marche jusqu'à un broc rempli d'eau. Il faut me laver du sang de ma victime, qui me trahit. Je frotte, faisant disparaître de ma peau ces trophées, ces taches rituelles. Tu es passée de l'autre côté, Ariane, tu as tué, maintenant. Après avoir nettoyé mes vêtements de cuir sombre, je me retourne vers Tina.

Assise par terre, les mains encerclant ses genoux sur lesquels elle appuie son menton, elle se berce en chantonnant un air enfantin. Je pose mon index en travers de mes lèvres. Elle peut continuer à s'enrober dans la couverture douce de sa propre voix, mais discrètement. Je préfère me blinder de prudence que d'agoniser en étant téméraire. La porte pivote sans bruit. Le couloir est désert. Pas un râle. Rien.

D'un geste de la main, je ramène tout ce calme vers moi afin de m'en faire un habit silencieux. Je flotte jusqu'au bout du couloir éclairé par les chandeliers. Que faire ? Il est inutile de chercher à en apprendre plus à propos du cube, sur lequel des gardes veillent. L'exemple de ce matin a dû persuader les hommes d'exercer une surveillance accrue. Je m'estime chanceuse de ne pas avoir été exécutée. Sans doute Werner m'a-t-il épargnée puisque je suis la propriétaire du manoir et que je peux lui être utile, mais rien ne dit qu'il tolérerait une récidive de ma part.

Hésitante, je descends quelques marches, aux aguets, prête à regagner la chambre dont j'ai laissé la porte entrouverte. Je n'entends personne au rez-de-chaussée. Werner et Tristana ne sont pas dans la salle à manger ? Ils semblent pourtant en apprécier les charmes frelatés. J'avance, presque immatérielle.

J'atteins enfin l'entrée de la salle à manger vide. Jeté sur leur cage, un voile noir a fait taire les oiseaux. Sur la table, j'aperçois les bougies noires et leurs flammes presque mousseuses. J'en boirais si je le pouvais, mais il faut me rabattre sur le vin de sable, plus liquide que le feu. Une bonne gorgée ligaturera mon angoisse. Une bonne bouteille l'assommera peut-être.

— Non.

— Je te dis qu'il y a une explication !

Ce sont les voix de Werner et de Tristana ! Elles proviennent du couloir du premier étage. Le couple s'apprête à descendre l'escalier. Je sors précipitamment de la salle à manger et me cache derrière l'une des tentures qui ornent les murs, semblables aux bêtes cachées qui parent la forêt. Ici, on ne me verra pas. En revanche, je tapisserai mon paysage mental de leur conversation. Ce sera mon cinéma d'aveugle, mon cinéma de voyeur auditif. Les comédiens passent devant moi, sans sous-titres :

— L'explication n'a pas d'importance, proteste Tristana. Ça ne marche pas, c'est tout ! Tu m'avais pourtant promis. C'était trop beau pour être vrai.

— Mais ce n'est pas *censé* échouer, insiste Steinmetz. Laisse-moi au moins réessayer demain.

Les voilà dans la salle à manger. Ils ont baissé le ton, j'ai de la difficulté à les entendre. J'attends encore quelques secondes, puis je glisse ma tête hors de la tenture. Personne en vue. Approchons-nous pour mieux ouvrir le flacon de leur mystère et nous saouler de ces énigmes enfin résolues.

Chacun de mes pas s'imbibe du silence, je suis presque inorganique dans mon absence, tout près de Tristana et de Werner sans qu'ils le sachent.

Tristana s'est versé un verre de vin de sable, Werner feuillette un livre. Pour détendre l'atmosphère, il tente de plaire à Tristana :

— Donc, commence-t-il maladroitement, en ce moment, tu lis les *Lettres sur les spectres et les esprits* du philosophe Spinoza. C'est intéressant ?

— C'est pathétique, jette la jeune femme sans s'expliquer.

Sa voix incisive, loin de replâtrer l'ambiance, contribue plutôt à en miner davantage les fondations.

J'avais cru le deviner auparavant, mais l'attitude de Tristana encorne tous les doutes qui auraient pu subsister dans l'arène : *elle* décide, *elle* dirige, heureuse guerrière. Même s'il m'intéresse moins qu'hier, j'aimerais mater ton homme, moi aussi, le réduire à l'esclavage, m'amuser à le voir m'obéir au doigt et au deuil.

Werner prend un livre sur une chaise. C'est probablement l'ouvrage dont il a parlé. Il l'ouvre au hasard et lit :

— *Le moyen terme que j'emploierai est celui-ci : entre tant d'histoires de spectres que vous avez lues, veuillez en choisir une ou deux, desquelles l'on ne puisse douter en aucune façon, et qui montrent de la manière la plus évidente qu'il y a des spectres. Car, à dire vrai, je...*[3]

Un petit cri interrompt la lecture de Werner. S'il provenait de la bouche de Tristana, tout irait pour le mieux dans la frayeur des mondes, mais c'est moi qui l'ai poussé. La main qui vient de se poser sur mon épaule droite m'a fait sursauter. Le reste relève du réflexe. Je me retourne. D'abord, je vois le canon d'une arme pointée vers mon front. Ensuite, je vois l'œil d'un garde, satisfait de m'avoir

---

[3] Baruch de Spinoza, *Lettres de B. de Spinoza inédites en français*, Paris, C. Reinwald, 1885, p. 76-77.

surprise. J'aurais dû être plus prudente. Tournée vers la salle à manger, j'étais vulnérable. Maintenant, il faut en subir les conséquences.

La main du soldat me pousse vers Werner et Tristana.

— Elle vous espionnait, dit-il.

Steinmetz referme le livre. Il n'a plus son air impassible. Je le sens en colère. Il va diriger vers moi sa mauvaise humeur provoquée par Tristana. Puisqu'il ne peut pas se défouler sur elle, Ariane subira. Profitons donc de l'instant pour remercier chaleureusement cette mégère d'avoir mis Werner dans ces dispositions.

— Encore toi ? lance-t-il. Ça ne t'a pas suffi ? Tu sauras que c'est toi qui aurait dû être exécutée au lieu de Marthe. J'ai eu la faiblesse de t'épargner à cause de ta jeunesse...

Il s'interrompt, me regarde, puis poursuit :

— J'en ai assez de toi. Tu seras fusillée à l'aube, c'est-à-dire... (il regarde sa montre) dans deux heures. *Je te le jure !*

Il consulte Tristana du regard. Elle se lime les ongles, le regard absent, très peu intéressée par la situation. Il continue donc, faussement jovial :

— Mais assieds-toi, voyons ! Ne reste pas debout comme ça. Nous allons au moins partager ton dernier repas, ton repas du condamné. En plus d'habiter chez toi, nous allons te tuer, alors, la moindre des politesses, c'est au moins de nous montrer courtois.

Je m'installe sur une chaise. La nausée est revenue brutalement, cette sensation de brûlure au thorax, le goût de vomir ma vie par terre.

Ne t'en fais pas, Ariane, tu mourras dans deux heures...

Mes pulsations cardiaques irrégulières me font mal, elles distendent ma peau. Mon cœur veut s'en aller, il préfère s'arracher à moi plutôt que d'arrêter de battre. Il se réfugiera dans un cadavre frais et, à l'abri dans ce corps anonyme, il pourra reprendre sa routine sans s'inquiéter.

Steinmetz s'adresse au garde :

— Goltier, vous me remettrez votre arme et vous irez en chercher une autre. Continuez votre ronde et passez le mot à vos collègues : si vous apercevez cette jeune femme en liberté, tirez à vue. Sinon, vous viendrez nous chercher à l'aube, pour l'exécution. À présent, rompez !

Le soldat hoche la tête, rigide à la façon d'un diable sur ressorts sorti d'une boîte à surprises. Il tend le fusil d'assaut à Werner, avant de s'éloigner dans l'obscurité. Steinmetz pose le lourd objet près de lui, hors de ma portée, bien évidemment. Dommage que je n'aie ni les pierres ni les complices nécessaires à le lapider. Les consignes qu'il a données au garde emprisonnent mes désirs de fuite dans une geôle dont les murs sont faits d'angoisse. Je ne tenterai pas de m'échapper…du moins, pas tout de suite.

— Un peu de vin de sable ? demande Werner, plein d'une douceur feinte.

J'hésite quelques secondes… Après tout, pourquoi pas ? Je voulais en boire, non ? Si je dois mourir, que j'aie au moins profité de mes derniers instants… et, qui sait, après quelques verres, Steinmetz et Tristana dissoudront peut-être leur vigilance dans leurs verres respectifs.

L'homme remplit ma coupe, celle de Tristana et la sienne.

— À ta mort, dit-il en levant son verre, me fixant dans les yeux.

J'aurais préféré qu'il trinque à ma petite mort... Et toi, boule d'angoisse hérissée, tu voudrais te loger plus à fond dans ma poitrine pour mieux planter tes piquants dans mes côtes. Je dois lutter contre toi, te repousser... Je ne relève pas la provocation de Werner. Sa colère à peine retenue manque de subtilité. Elle ne gagnerait pas le premier prix au concours des nuances. Steinmetz jette un regard de biais à Tristana. Cherche-t-il à l'impressionner avec ses fanfaronnades ? Si c'est le cas, il échoue également à ce test, puisqu'elle boit, blasée, le regard vide, les lèvres tirées vers le bas dans une moue méprisante.

— Qu'est-ce que tu aimerais obtenir comme faveur du condamné, à part le vin de sable ?

J'hésite. J'aurais envie de l'entraîner avec moi dans une chambre pour qu'il me satisfasse, mais l'idée m'embarrasse. D'une part, il risque d'y trouver du plaisir, et il n'est pas question qu'il prenne du bon temps. D'autre part, j'aurais trop envie de le tuer et je risquerais de compromettre mes chances de survie.

J'opte pour une solution plus simple, qui pourra, qui sait, servir mes projets d'avenir.

— J'aimerais comprendre, lui dis-je.

— Comprendre quoi ?

— Tout. Pourquoi vous êtes ici, ce que vous êtes, ce que vous voulez. Au moins, je saurai pourquoi je meurs.

Cette dernière phrase ne reflète pas mes convictions. Elle vise à convaincre Werner qu'il ne risque rien. C'est du théâtre. D'une voix théâtrale, d'ailleurs, Tristana lance, agacée :

— Elle n'a pas à savoir. Cette fille n'est rien, je ne sais même pas pourquoi tu lui offres ces soi-disant faveurs du condamné. Laisse tomber.

Steinmetz en a-t-il assez d'être soumis à Tristana ? Veut-il se venger du dédain de sa compagne ? La dominer ? Peut-être, puisqu'il décide de négliger l'opinion de la jeune femme :

— Ça passera le temps d'ici l'aube. Et puis nous ne risquons rien. Elle sera morte, alors.

D'une traite, Tristana avale le contenu de son verre. Je l'imite. Sensation de plénitude et de chaleur. Mes épaules se décrispent, l'étau qui les comprimait se desserre. Je sens la lame du poignard contre le bas de ma jambe.

Werner remplit nos verres, pendant que Tristana recommence à se limer les ongles, encore plus hautaine. Si elle continue à ce rythme, elle s'envolera bientôt. Puisse-t-elle manquer d'oxygène, se brûler au soleil, être frappée par une comète, attaquée par des oiseaux préhistoriques ou emportée par une tornade.

— Nous sommes ici pour faire fonctionner une machine, explique Werner. C'est le gros cube gardé par les soldats, au sous-sol.

— Mais cette machine sert à quoi ?

— Elle emmagasine les pulsions de vie et de mort. Elle convertit cette énergie en or liquide. C'est une sorte de pierre philosophale...

— Et vous voulez vous enrichir avec ça ?

Steinmetz hésite. Tristana prend le relais, décochant à toute vitesse une série de flèches brûlantes :

— Tu voulais tout lui dire, alors vas-y ! Tu es obsédé par l'argent, tu as passé ta vie entière à chercher le moyen de t'enrichir sans efforts, mais tu n'as réussi qu'à te ruiner, à t'endetter et à passer une vie entière à fuir tes créanciers. J'ai la faiblesse de continuer à t'aimer malgré ce que tu me fais endurer depuis des années. Il faut reconnaître que tu as du charisme, tu as séduit tant d'imbéciles avec tes belles promesses, à commencer par ces militaires que tu as entraînés ici en leur promettant un gros salaire. En voilà encore d'autres qui deviendront tes ennemis…

Elle boit le contenu de la coupe de vin de sable, la reposant ensuite si fort sur la table qu'elle éclate en morceaux en même temps que la fierté de Steinmetz. Sans casser mon verre, j'imite Tristana en retenant un sourire moqueur. Werner baisse la tête, qu'il redresse bientôt, vexé.

Après avoir vidé la sienne, il remplit nos trois coupes, puis reprend, plus posé :

— Il serait trop bête de renoncer à mes efforts après tous les rituels que j'ai faits, après le temps que j'ai passé à prier le diable, à compulser des livres, à interroger des occultistes et des initiés…

Steinmetz me regarde :

— J'ai su que j'étais sur la bonne voie pendant ma dernière séance de spiritisme. La nuit suivante, j'ai su où il fallait aller, j'ai visualisé le manoir. Une voix endormie me donnait les indications pour me rendre ici. Je l'ai reconnue dès que je l'ai entendue, c'était

La voix d'Adèle

— Adèle. Nous sommes partis, en réunissant le commando que mon père avait sauvé de la mort, pendant la guerre. Pour ces hommes, c'était l'occasion de régler leur dette, par-delà la mort de mon père. Ce sont eux qui montent la garde, ici. Et, oui, je leur ai parlé d'une bonne rétribution possible, en ne garantissant rien…

Nous buvons tous les trois.

— C'est Adèle qui vous a conduits ici, dans son sommeil, comme une sorte d'aimant ?

— Exactement. Elle a développé un pouvoir médiumnique, à la suite d'un accident, une morsure de sangsue.

Son venin a infecté Adèle, elle irradiait, elle exsudait une forte énergie qui a rompu le dôme protecteur du manoir. Elle était devenue une émettrice avec laquelle Steinmetz est entré en contact, véritable aimant qui a conduit l'homme ici…

— Selon les instructions d'Adèle, j'ai dessiné la carte qui permettait de me rendre au manoir. Pourquoi ici ? L'endroit est particulier, mais surtout parce que la morsure de la sangsue a créé autour d'elle une atmosphère propice. Adèle dégage quelque chose, depuis son accident, une énergie dont les murs de ton manoir s'imprègnent de jour en jour… Les vieilles bâtisses sont plus réceptives à ce genre de choses… Cette énergie, combinée aux autres, produira le résultat escompté. Mes hommes ont emmené des filles, comme tu l'as vu, et j'ai convié quelques connaissances à cette grande fête, en leur demandant d'être très imaginatives. Il fallait que l'énergie soit la plus brute possible, la plus intense. Violence et sensualité. Les pulsions de vie et de mort. La machine se nourrit de l'énergie brute.

D'où les sacrifices et les violences, afin que les sensations érotiques soient portées à incandescence par des débauchés de plus en plus blasés

— Mais cette boîte qui absorbe l'énergie érotique, vous l'avez conçue comment ?

— Je ne l'ai *pas* conçue. Comme je te le disais, au départ, il y a eu cette séance de spiritisme que j'ai dirigée chez moi, avec Tristana. Elle était possédée, elle m'a parlé avec une voix sans âge, une voix qui venait du fond du temps, celle d'un vieil occultiste mort après avoir fabriqué cette... *chose*. Il voyait en moi l'unique successeur digne de le relayer. Un homme cultivé, passionné... J'avais assez persévéré, j'avais prouvé ma valeur, j'étais prêt à savoir. Il m'a expliqué comment me rendre chez lui, dans sa maison de campagne abandonnée. Dans le sous-sol, j'ai trouvé la machine.

— Et cette machine fonctionne vraiment ?

Tristana crache :

— On dirait bien que non. Comme tout le reste : les mains de gloire, les élixirs, les incantations, les sacrifices...

Sa voix se casse, laissant place à une fêlure imprévue. Elle baisse la tête, ses cheveux dissimulent son visage, dont ils cachent la scène dramatique qui s'y déroule. Tristana passe une main sous ces rideaux noirs, peut-être pour essuyer des pleurs. Quel beau drame conjugal ! J'avoue qu'ils sont divertissants ; lui, l'incapable ; elle, la mégère. Leur aura mythique s'oxyde, la voilà bosselée, prête à envoyer à la casse. J'en ramasserai les morceaux pour m'en faire une statue moche que je suspendrai dans la cellule où je garde mes prisonniers.

ARIANE, tu n'as jamais eu de prisonnier, sauf Jim, cesse de t'inventer des histoires

que je suspendrai dans la cellule où je **garderai** mes prisonniers.

Tristana engloutit sa peine sous un déluge de vin. Werner remplit sa coupe vide. J'imite la jeune femme. Les contours deviennent moins rigides autour de moi, j'aime ces murs à la fois proches et loin, sur le point de fondre... Steinmetz boit. Tristana boit. Je bois. Toi, tu n'existes pas, donc tu ne peux pas boire.

D'autres coupes de vin se succèdent, comme autant de mirages fautifs. Combien ? Je ne le sais pas trop, je n'aime pas compter, je me disjoins dans le temps rapide et lent à la fois. À un moment, Werner marmonne, le menton appuyé sur sa main gauche, qui masque sa bouche :

— Ça marchera demain... L'énergie de la machine est forte, je l'ai sentie tout à l'heure, ça y est presque... Je ne peux pas avoir été trompé.

— Mais qu'est-ce que tu sais de ce vieux bonhomme qui t'a parlé pendant la séance ? siffle Tristana. Rien. Tu as peut-être imaginé tout cela...

Personne ne lui prête attention. Je bois à même la bouteille posée devant moi. Je l'aime, cette bouteille, j'ai envie de l'embrasser, de laisser ma langue courir sur le goulot dans l'attente de je ne sais quelle réaction sensuelle. Je ne me soucie plus des autres... Je me sens fatiguée, très lasse.

Werner a pris l'ouvrage de Spinoza, qu'il lit avec une expression consternée. Tristana ne bouge plus, le visage toujours recouvert par ses cheveux noirs. Je serais tentée de croire qu'elle n'a plus de traits, qu'il n'y a rien derrière le rideau sombre qui la dissimule.

Fatiguée, je suis fatiguée. Je m'enfonce dans le fauteuil, je me glisse dans l'air humide de l'été, mes yeux se ferment, je dors, je dors...

16 : Minuit sans cesse (mes jours sont nuits, et mes nuits sont noires)

— Monsieur Steinmetz ! Il y a un problème...

La voix du garde nous réveille tous les trois en même temps. D'un mouvement collectif mais involontaire, nous abandonnons la variété iconoclaste de nos rêves. Il faut l'échanger contre une lucidité commune. Werner veut paraître à l'affût, mais il est plutôt émoussé, sans les fonds requis pour donner le change, encore trop endormi. C'est d'une voix enrouée qu'il demande :

— Qu'est-ce qui se passe, Goltier ?

— Il n'y a pas d'aube !

— Il n'y a pas d'aube, répète Steinmetz, sans comprendre le sens de la phrase, doutant d'être bien sorti du sommeil.

— Il n'y a pas d'aube, redit le garde.

Cette scène est si étrange que je me frotte les yeux pour m'assurer qu'elle ne disparaît pas. En vain : le garde demeure sur le qui-vive, Werner continue à froncer les sourcils, confus, et Tristana paraît s'ennuyer. Je m'abandonne au moment, étirant mon corps courbaturé dans le fauteuil, ce qui attire l'attention du soldat. Une évidente convoitise pour la belle sorcière s'immisce dans son regard. Je lui souris, poursuivant ma manœuvre féline, faussement ingénue.

Werner surprend mon jeu et s'empresse de ranger ma reine de cœur.

— Goltier, expliquez-vous, ce n'est pas clair !
tonne-t-il.

Pris en flagrant délire, le soldat sursaute, rougit et s'explique :

— Vous vouliez que je vienne vous chercher
quand le soleil se lèverait, mais voilà… il fait encore
nuit, et la journée devrait être commencée depuis
deux heures déjà.

Steinmetz jette un regard à sa montre, étonné.

— Voyons ! Ça ne se peut pas, c'est absurde !
proteste-t-il. Il doit y avoir une éclipse ou quelque
chose du genre…

— Ce n'est pas le cas, je pense qu'il vaut mieux
que vous veniez le constater par vous-même,
répond Goltier, visiblement ébranlé.

Steinmetz prend le fusil et se lève, suivi par
Tristana. Dans les yeux de cette dernière, je distingue une lueur rare. Tout à coup, elle paraît
vivante, stimulée. Le caractère inhabituel de l'événement fissure sa morosité. S'il pouvait aussi lui
fissurer le crâne !

Dommage que Werner ait donné l'ordre de me
fusiller si on m'apercevait seule, car j'aurais déjà
fui ce trio qui ne paraît m'accorder aucun intérêt.

Nous avançons jusqu'à l'entrée du manoir,
dont la porte est ouverte. Dehors, il fait nuit, une
nuit opaque, si noire qu'on jurerait qu'un mur
sombre est érigé au-delà du seuil. Saisi par cette
sensation, Werner avance la main prudemment
au-devant de lui… Elle disparaît dans les ténèbres. Il la ramène ensuite vers lui en la regardant
à la manière d'une bête bizarre. Je me sens à la fois
fascinée et inquiète.

— Donnez-moi cette lampe de poche, dit-il au
garde.

L'homme lui tend l'objet, semblable au modèle que je garde dans le tiroir de ma table de nuit. Ensuite, il recule d'un pas.

Steinmetz braque le cône de lumière devant lui. Rien à faire : c'est impossible de percer la noirceur, qui absorbe tout dans son ombre géante. Werner regarde sa montre une seconde fois, passe une main sur son front moite, marmonnant :

— Ce n'est pas normal, il a dû arriver quelque chose… Avez-vous vérifié les chambres ?

— Non, répond le garde. Vous ne nous en aviez pas donné l'ordre.

— Allez-y, et prévenez-moi si vous trouvez quelque chose d'inhabituel.

Je me tends : j'ai laissé la porte entrouverte, les hommes découvriront le cadavre du client fou.

Je m'apprête à monter au deuxième étage, afin d'essayer de dissimuler le corps, mais la main libre de Steinmetz s'abat sur mon épaule, qu'elle serre fermement.

— Tu vas où ?

— Dans ma chambre.

— Non. En plus, n'oublie pas que, si on t'aperçoit toute seule, tu risques d'être exécutée.

Je reste dans le vestibule avec Werner et Tristana. Les yeux de la jeune femme continuent à briller d'un éclat étrange. Ils me paraissent tantôt violets, tantôt iridescents, des couleurs vives bouillonnent au fond de la prunelle. Peut-on s'y brûler ? Sans doute…

Steinmetz braque encore la lampe de poche dans la nuit, sans parvenir à la percer. Peut-être y parviendrait-il avec une aiguille. Alors, la nuit blessée s'émietterait ou éclaterait dans une rivière de sang noir.

L'homme tend la main, tâtonnant, palpant la nuit.

— Ce n'est pas normal, répète-t-il. Il s'est passé quelque chose…

Dans ma tête, j'entends une marche funèbre, une marche en fa dièse. J'observe Werner, grand, pensif, le visage pâli par l'incompréhension. Je regarde la lueur démente escamoter la raison dans les yeux de Tristana, ces yeux de folle prête à bondir sur le premier venu pour l'éventrer.

— Monsieur Steinmetz ! crie une voix, du haut des marches.

— Oui ?

— On a trouvé le cadavre d'un client… Venez voir.

Asservissant la lenteur, Steinmetz se précipite au deuxième étage. Tristana le suit, aussi pressée de comprendre. Je marche derrière eux en redoutant l'éruption à venir.

Dans la chambre, le cadavre de ma victime me surprend. Je ne me souvenais pas de l'avoir amoché à ce point. Son visage ressemble à du gruau rouge qui aurait à moitié séché au soleil. Rien qui donne envie d'y plonger une cuiller dorée, par un matin d'été, en mordant dans une rôtie rustique. Il y a du sang partout, brunâtre ; son odeur forte prend à la gorge. Assise dans un coin, Tina se berce en chantonnant un air enfantin.

Steinmetz se retourne vers moi.

— Tu vas m'expliquer ça.

Effrayée par cette voix autoritaire, Tina se tait. Je réponds le plus calmement possible, d'une voix de barque qui glisse sur un lac :

— Il a voulu nous violer. Je l'ai tué.

Une admiration furtive passe sur les traits de Tristana, mais cette expression ne reste pas longtemps au pouvoir. Le visage furieux, Steinmetz serre ses poings et se comprime au point de rapetisser, de devenir un bloc d'énergie négative, prêt à voler en éclats.

— Cet homme était un ami, un grand ami, souffle-t-il, livide, déployant des efforts évidents pour se contrôler.

Brusquement, il pointe le fusil d'assaut vers moi. Je vois le doigt sur la gâchette, je distingue la détermination dans ses yeux. Mon émotion s'élance hors de son cadre. C'est comme si mon cœur se mettait à battre à toute vitesse après un arrêt inexplicable. Le pincement est tel que je voudrais me plier en deux pour y mettre un terme. Mes oreilles bourdonnent, je recule d'un pas. Non, pas maintenant ! Il ne tirera pas maintenant ! Ça ne se terminera pas ainsi, d'une façon aussi stupide, imprévue, alors que rien ne laissait présager que…

Et, sans le vouloir, Tina me sauve. Elle recommence à chanter son air enfantin. Aussitôt, Steinmetz se retourne vers elle et commence à tirer. L'impact des balles propulse le corps et la tête de la fille contre le mur, ce qui me rappelle l'exécution de Marthe. Le corps éclate, le vacarme semble démesuré. Je vois les trous dans la peau, je vois le sang qui s'ajoute à celui, défraîchi, du client poignardé.

Werner tire, tire et tire de nouveau, le corps de Tina ne cesse de tressauter, les munitions sont autant d'abeilles invisibles qui l'agitent à la manière d'un marionnettiste.

Puis… Rien. Steinmetz s'interrompt, à moins qu'il n'ait plus de balles, je l'ignore. Tout ce que je sais, c'est que le bruit de l'arme continue à résonner dans ma tête, en une boucle sonore qui crache la mort. Fébrile, je recule encore de deux ou trois pas, sentant s'élargir dans mon poitrine des perforations semblables à celles qui ont tué Tina.

Lorsque Werner fait volte-face, je comprends avec soulagement que je n'ai plus rien à craindre de lui. L'homme est épuisé. Sa tempête intérieure a ravagé son visage, désormais écarlate mais las ; parmi ces braises, des débris de colère rougeoient encore, mais je ne risque rien. Steinmetz halète, la main posée sur son cœur comme un homme au bord de la crise cardiaque. Il laisse tomber l'arme sur le sol, dégoûté. Tristana est redevenue impassible.

Interloqué, un soldat surgit. Il regarde notre trio figé, les deux cadavres, notre trio, encore, puis s'éloigne, mal à l'aise.

Werner reprend son souffle, recommence à respirer plus calmement.

—Donc, ça ne marchera jamais, c'est bien ça ? demande Tristana, blasée.

—Il faut encore attendre, répond Steinmetz, ça peut prendre un certain temps.

Perplexe et chavirée, je regarde le corps de Tina, Tina dont j'aimais la compagnie, dont j'aimais la peau, l'odeur…

— Je refuse de m'admettre vaincu, continue Steinmetz. On va attendre que la nuit passe.

Je ne dis rien. Le mal de cœur me reprend, je sens le sol tanguer sous mes pieds, des petits cercles de couleur s'agencent devant mes yeux. La scène se fige encore, c'est une photographie qui représente trois vivants, deux cadavres et une pièce, compte à rebours vers l'inanimé. Puis, Tristana casse la pose en deux : elle quitte soudain la chambre. Ses pas claquent dans le couloir comme autant de gifles sur les joues de l'innocence. Porte-t-elle des chaussures meurtrières dotées d'un barillet et d'un canon ? Assassine-t-elle le plancher à chacun de ses pas ? Les balles peuvent-elles ricocher et lui creuser un trou au milieu du front ?

Steinmetz suit sa compagne. Je l'imite, chancelante. Ne pas rester ici, remplacer l'angoisse par l'action. Couloir de l'étage, escalier, rez-de-chaussée, salle à manger… Ces lieux oscillent, en proie à une vibration proche du séisme. Lorsque nous la rejoignons, Tristana regarde l'un des pains qu'elle a pris dans le petit panier d'osier placé au milieu de la table. Elle l'observe, dubitative. Je m'en approche en m'appuyant sur la table, pour comprendre ce qui suscite une telle curiosité. J'aperçois de minuscules taches noires sur la croûte. C'est étrange ; je n'ai jamais rien vu de tel. Quand les pains ne sont plus frais, ils s'affaissent et se couvrent d'une couverture végétale vert clair, pas de taches noires ! La jeune femme voudrait peut-être m'interroger à ce sujet, mais elle refuse d'admettre son ignorance. L'apathie s'y substitue, et elle repose l'aliment là où elle l'a pris.

Mon regard se pose sur les autres victuailles exposées sur la table : sur toutes (fruits bleus, triangles friables, carrés croquants, légumes-grimoires, fruits moyenâgeux, cœurs de cailloux, racines ovales, feuilles de montagnes, etc.), je remarque les mêmes taches noires. Je m'immobilise, déconcertée. S'agit-il d'une nouvelle maladie ?

Je prends un fruit bleu, posant mon doigt sur la tache noire. Rien ne se produit. Au toucher, on ne peut pas distinguer la partie infectée des autres, saines. Est-ce dangereux d'en consommer ? J'en ai quelques réserves dans le sous-sol, dans une pièce dont Werner connaît déjà l'existence, selon toute vraisemblance.

Je me verse un verre de jus multicolore. En boire, le matin, me remplit l'âme de couleurs. La grande gorgée que je savoure confine le gris dans son ghetto. Me voilà plus hardie. Je me sers un second verre. Tristana opte pour le vin de sable. Préoccupé, Werner fait les cent pas, les mains dans le dos. Cohérent avec son projet, il s'arrête au centième pas, sur le seuil de la salle à manger, puis appelle ses hommes.

Deux gardes surviennent.

— Il faut aller dehors, pour vérifier si cette nuit est partout. C'est peut-être un phénomène local, une sorte de couverture nocturne qui recouvre le manoir. Si c'est le cas, je dois le savoir.

Les hommes s'éloignent. Je regarde Tristana. Elle se lève aussitôt, verre de vin de sable à la main. Je la suis, préférant en apprendre le plus possible sur la situation.

Nous voici dans le vestibule, où quelques gardes attendent leurs ordres. Werner demande à un volontaire d'aller explorer la nuit. Parmi les personnes présentes, un homme, semblable à tous les autres, s'avance et prend la torche électrique. Il salue ses camarades et s'enfonce dans la noirceur liquide – image adéquate : en l'observant s'éloigner, on croirait voir un plongeur disparaître sous une eau opaque.

Figés à l'orée de la nuit, nous attendons. Malgré la chaleur environnante qui fait ruisseler une sueur collante sur mon visage, la noirceur du dehors a quelque chose de polaire.

Lorsqu'un cri retentit, mes battements cardiaques s'accélèrent. Je me tends, dans l'attente du pire. Ce son bref mais puissant nous a tous fait sursauter. Les hommes braquent leurs armes vers l'entrée du manoir. Le soldat téméraire a donc été attaqué ? Son hurlement cristallisait une grande peur, celle qu'on doit ressentir face à quelque chose d'absolument inconnu, face à l'altérité pure, dans ce que sa différence fondamentale a de plus terrifiant.

Nos respirations oppressées s'amalgament en un rythme étrange et syncopé. Puis, après un flottement interminable, une silhouette est propulsée parmi nous, poussée de l'extérieur par on ne sait qui ou… quoi. Quelques soldats poussent un cri, malgré leur flegme, et leurs armes se mettent à mitrailler l'intrus, le couvrant de confettis plombés.

Les balles renversent l'homme, qui tombe sur le dos. Son crâne produit un bruit mat en heurtant le sol dur. Nous reconnaissons alors le visage de l'éclaireur, autour duquel une flaque de sang dessine une auréole rouge et irrégulière dont le diamètre ne cesse d'augmenter. L'apparition était si inattendue que nous avons pris cette silhouette sortie de la nuit pour un assaillant. J'ignore si l'homme était mort en revenant ici, mais, maintenant, il n'y a plus aucun doute. Un détail me saisit : la figure, les vêtements, les chaussures et les mains du garde sont maintenant d'une noirceur de charbon. Rien n'indique qu'on l'ait barbouillé – de toute façon, comment aurait-on eu le temps de le faire pendant sa brève incursion là-bas ? Il est simplement *devenu* ébène, comme s'il avait plongé dans un immense pot de peinture.

Je regarde Tristana, du coin de l'œil. Elle semble intéressée par la scène, et un léger effroi colore ses joues. Une nouvelle image figée succède à la précédente, puis, brusquement, un soldat marche jusqu'à la porte d'entrée, qu'il referme, afin de ne rien laisser entrer de l'extérieur. Steinmetz approuve l'initiative, d'un hochement de la tête. Tâchant de réagir, il dit, d'une voix mal assurée :

— Nous… nous savons maintenant qu'il ne faut pas nous aventurer dehors. Je regrette que cet homme ait dû le payer de sa vie. Nous lui rendrons hommage ce soir. Il est mort comme un brave…

Et il continue d'enchaîner ce genre de phrases sorties d'un discours patriotique. Je le sais, Werner n'éprouve rien pour le soldat mort, malgré les adjectifs chaleureux dont il aromatise ses propos. Vraisemblablement, il regrette surtout que cette situation retarde et contrarie ses projets. Lorsque Steinmetz a terminé son laïus, un homme tousse, s'éclaircit la gorge et demande :

— On fait quoi, maintenant ?

Son chef hésite, puis répond, après une pause :

— Chose certaine, on ne peut plus sortir. Ce n'est pas prudent. Même si on envoyait des éclaireurs moins précieux, comme l'une des filles, par exemple, on la perdrait sans doute, et nous ne serions pas plus avancés. Cela dit, s'il nous faut sanctionner quelqu'un (il se retourne vers moi), nous saurons comment nous y prendre…

Je ne réagis pas, mais un frisson me parcourt l'échine.

— Je suggère que nous retournions à nos activités habituelles, reprend Werner. Soyons vigilants. Il ne faut prendre aucun risque. Jusqu'à maintenant, ce qui se trouve à l'extérieur n'a pas tenté d'entrer ici. Avec un peu de chance, la situation ne changera pas. Le jour finira bien par revenir… Ça ne peut pas durer éternellement.

— Et si on détruisait la machine ? suggère l'un des hommes.

— Je ne sais pas s'il serait prudent d'essayer, répond Steinmetz. Libérer toute cette énergie à la fois risquerait d'entraîner des conséquences dangereuses. Non, soyons plutôt patients.

Le pense-t-il vraiment, ou est-ce un stratagème pour gagner du temps ? Je l'ignore.

Le groupe se disperse. Lorsque nous passons, Steinmetz, Tristana et moi, devant l'escalier qui mène à l'étage, nous voyons une dizaine de personnes debout au milieu des marches. Je reconnais Elke, Carmelia et Marika, de même que quelques clients, dont l'homme qui avait mutilé ses bras avec des tessons de bouteille.

— On descend, dit-il. J'en ai assez d'être enfermé en haut.

Werner hésite. À côté de lui, deux soldats font face au petit groupe, prêts à les mettre en joue si leur chef en décide ainsi. Finalement, le verdict se gaine de clémence :

— D'accord, vous pouvez nous rejoindre dans la salle à manger. Mais je compte sur vous pour ne pas faire de grabuge.

Une fois installés dans la salle à manger, nous expliquons la situation aux nouveaux venus. Ayant été engourdies par leur prise de drogue massive des derniers jours, Carmelia et Marika ont peine à croire ce qui leur arrive. La première a repris son allure ingénue, en oubliant, en refoulant ou en refusant d'admettre les excès auxquels elle s'est livrée ces derniers jours.

— Mais, dit-elle d'une voix haut perchée, Carlos va s'inquiéter !

— Carlos ?

— Mon amoureux. Il était en permission, ces jours-ci. Il va me chercher partout ! Et ma famille aussi. Il faut absolument que j'aille les rejoindre.

— Tu ne peux pas, Carmelia, c'est dangereux. Je t'assure, c'est la nuit, dehors.

Tâchant de la rassurer, je pose une main chaude sur son épaule douce, que l'échancrure de sa robe bleue permet de toucher. Ce contact réveille mes sens, j'aimerais qu'il tire les siens de leur léthargie… Comme un animal rétif, elle se dégage d'un mouvement brusque. À son tour, Marika tente de la convaincre de rester avec nous. Peine perdue et peine à retrouver : Carmelia fronce les sourcils et se lève, quittant la pièce sans tenir compte de nos protestations.

— Laissez-la faire, intervient Werner.

Marika et moi tentons de nous y opposer, mais Steinmetz me dévisage en passant son index de droite à gauche sur sa gorge. Le message est clair : si je m'en mêle, il m'exécute. Est-ce un bluff ? Impossible de le savoir.

Inquiètes, nous escortons Carmelia jusqu'au vestibule, suivies par quelques autres. Un soldat ouvre la porte, peu rassuré. Quand Carmelia aperçoit le mur noir devant elle, elle a un mouvement de recul. Je contemple son dos et ses hanches ; j'aime la voir ainsi, immobile, indécise, presque offerte dans son hésitation. Hélas ! après un moment, elle s'enfonce dans l'inconnu. Je l'entends marmonner qu'elle ne voit rien. Hors de ma vue, elle se heurte à des obstacles indéfinissables, elle geint, puis… pousse un grand cri d'effroi, semblable à celui du garde, tout à l'heure. Le soldat referme vite la porte qu'il avait ouverte. Rien ne vient en heurter le battant. Le silence nous enlace de nouveau, complice des ténèbres. À présent, il n'y a plus aucun doute : Carmelia ne reviendra plus. Carmelia est morte dans la nuit. À côté de moi, Marika tremble, livide.

Comme j'ai aimé Tina, j'aimais Carmelia, cette belle décoration vivante et futile qui portait si bien ses jolies bottines de cuir vernies à talons hauts Louis XV. Ses limites et ses scrupules m'agaçaient, c'est vrai, mais je ne peux m'empêcher d'entendre sa voix flûtée, de l'imaginer en train de rougir, de revoir ses lèvres se tremper dans l'alcool anisé. Je la revois au Cabaret des requins, lorsqu'elle s'était levée pour m'embrasser devant tout le monde… Qu'est-ce que cette perle humide sur ma joue ? C'est une larme ?

Ça va passer, Ariane, ça va passer…

Oui, je le sais, car tout passe, tout s'érode. Cette certitude me rend malade, mais c'est grâce à elle que je suis encore vivante, n'est-ce pas ?

Au fond de moi, une boule hérissée dort. Il ne faut pas que cette bête se réveille, j'aurais trop mal. Pour prolonger son sommeil, je bois, mais pas de boisson doctrinale. Elle procure une ivresse trop intellectuelle qui ne me convient pas à forte dose : j'ai l'impression de me désincarner, d'enchaîner cette partie charnelle et tactile sans laquelle je ne serais pas Ariane.

À droite de moi, dans la salle à manger. Marika s'enivre aussi. Nos deux bouteilles de vin de sable nous invitent à la décadence. Après avoir bu deux coupes de vin successivement, j'ai posé ma main sur la cuisse de la belle rousse, qui n'a pas réagi. Je l'ai toutefois sentie tressaillir.

— Tu veux qu'on aille fumer le narguilé ensemble, tout à l'heure ?

Elle hoche la tête sans me regarder.

À ma gauche, l'une des filles conduites ici par Werner tente de me parler, mais elle ne m'intéresse pas. Son visage et sa chevelure me font penser à la tête d'un caniche surplombée par un plat de spaghettis. Qu'elle choisisse quelqu'un d'autre, mais pas Ariane. C'est Ariane qui choisit, jamais l'inverse. Le caniche se retourne, vexé.

Je bois une gorgée de vin de sable. Autour de nous, certaines conversations s'animent de plus en plus. Égoïsme fondamental de mes semblables, tu m'étonneras toujours : la mort de Carmelia n'est plus qu'un souvenir lointain pour les convives. Après tout, qui, à part Marika et moi, se souciait de cette pauvresse ? Par ailleurs, je dois le reconnaître, le vin de sable engloutit ma peine. Je la distingue au fond de mon étang, à côté de la bête endormie, hérissée de piquants. Qu'elles demeurent inconscientes, elles reviendront me tourmenter bien assez tôt.

Le sommeil étend son royaume : autour de moi, j'aperçois des gens assoupis, la tête posée sur la table, nullement troublés dans leurs rêves par le bruit des conversations. C'est curieux…

Ma main caresse toujours la cuisse de Marika pendant que j'observe les gens autour de moi. Inexpressive, Tristana boit à une vitesse accrue. Werner discute avec un client chauve. Deux filles s'embrassent, sous le regard intéressé d'une troisième. D'autres boivent ou fument. De temps en temps, un petit groupe arrive ou s'éloigne en direction de l'étage. À l'entrée de la pièce, un garde nous surveille, impassible. Ou il simule fort bien l'indifférence, ou il en a vu d'autres.

Sous la table, ma main relève la jupe de ma compagne, se glissant entre les cuisses de Marika. Elle est prête pour moi, sans doute depuis quelques minutes déjà. Je remercie l'alcool, mon charme et ma beauté. Elle s'est adossée à sa chaise et elle écarte les jambes afin de m'offrir son corps et de favoriser mes manœuvres. J'aime les élèves dociles et graciles. J'aime donner, j'aime qu'on reçoive en se pâmant.

La chaleur de Marika me réchauffe, sa texture douce et son irrigation intime m'apaisent. J'ai envie de lui rendre hommage, de l'embrasser avec vénération, de changer son plaisir en musique, tel un carillon éolien dont le vent jouerait, par un après-midi d'été caniculaire.

Je prends la main de Marika dans la mienne, nous nous levons. Le regard de Werner se pose un instant sur moi, puis il s'éloigne. J'adresse un sourire enjôleur au garde quand nous passons devant lui afin de nous rendre au salon bleu. Derrière une tenture, au fond de la salle, se trouve une petite pièce où nous serons tranquilles. En chemin, nous croisons des gardes. Aucun d'entre eux ne nous menace : je ne suis pas seule, et peut-être Werner a-t-il prévenu les gardes de me laisser tranquille, trop certain que je ne me hasarderai pas hors du manoir.

Une fois dans le salon bleu, Marika et moi soulevons le narguilé en nous assurant que personne ne nous regarde. Nous avons tôt fait de le transporter dans la petite pièce secrète. J'allume des chandelles noires, je referme la porte derrière moi.

Nos vêtements tombent aussitôt par terre. Marika inhale la fumée exotique pendant que je m'étends sur le sol, ma tête entre ses jambes. Elle me tend le tuyau bariolé. Je m'emplis de la fumée fruitée, pendant que Marika ferme les yeux.

J'embrasse soudain ma compagne avec l'énergie du désespoir, comme prise d'une subite conviction : c'est la dernière fois… Je me délecte du contact de sa langue sur la mienne, de ses lèvres à la douceur d'abandon, tâchant de stocker dans ma mémoire le souvenir de son goût, de son odeur, de son souffle saccadé, de la texture de sa peau, afin de pouvoir les faire revivre à volonté… Je m'imprègne ensuite de la sève de Marika, dont je me barbouille les lèvres, les joues, tandis que ses râles *musicalisent* son plaisir. Je m'en ferai un parfum que je porterai fièrement à l'emblème du désir, en souhaitant qu'il fasse perdre la tête à tous ceux qui le respireront. Mon amoureuse se laisse aimer ; plus tard, elle voudra me rendre la pareille, mais pour l'instant, elle seule compte.

Nous sommes si bien, ici, seules, flamboyantes, protégées du reste du monde… Je prendrai mon temps ; pour quelques heures, plus rien n'aura d'importance. Regardant Marika dans les yeux, je lui chuchote avec ardeur : « Tu es belle », dans l'espoir que ces paroles figeront le cours du temps et nous suspendront quelque part, ailleurs, hors d'atteinte, au milieu du ciel…

Déshydratée, je marchais sur une route spongieuse. À ma gauche et à ma droite, d'immenses bambous émergeaient du sol fendillé. Un ciel nuageux me surplombait, déployant au-dessus de ma tête ses affolantes perspectives de précipices inversés. À l'horizon, le chemin conjuguait le même verbe à l'infini et à l'infinitif : recommencer. Recommencer à poser un pied devant l'autre, recommencer sans cesse le même parcours, recommencer à vivre les mêmes minutes… J'éprouvais l'impression d'évoluer dans un décor immuable, prise au milieu d'une forêt de bambous identiques qui dressaient partout leur gémellité à perte de vue et de vie.

Malgré le sentiment d'angoisse qui me brûlait un peu plus l'estomac à chacun de mes pas, je continuais à avancer, en espérant qu'à l'horizon, je finirais par apercevoir quelqu'un, un animal, un objet, une ville, même, enfin : n'importe quoi qui rompe la monotonie irréelle du paysage.

J'étais sur le point de quitter la route pour me frayer un passage entre les longues tiges qui m'emprisonnaient lorsqu'un nuage plus noir que les autres a commencé à se former au milieu du ciel. À la manière d'une tache d'encre, il s'est mis à grossir, charbonnant très vite le reste du firmament. Dans cette nuit artificielle, les bambous ressemblaient à une immense garde armée, prête à décharger sa mitraille sur moi. Pleine d'une sourde inquiétude, je me demandais quelle sorte de pluie les nuages finiraient par cracher.

Je n'eus pas à attendre longtemps : des gouttes grasses et noires se mirent à tomber. Lorsque l'une d'entre elles atteignit mon bras nu, je me mis à crier : c'était du goudron brûlant. Je me suis effondrée, à genoux sur le sol, et, sentant l'orage commencer, j'ai hurlé, hurlé jusqu'à ce qu'une autre nuit se superpose à celle dont je venais de sortir.

… Et je suis ici, maintenant réveillée, couchée par terre dans la noirceur de la pièce secrète. La respiration détendue de Marika, à mes côtés, achève de me rassurer. Les dernières loques du rêve font battre mon cœur trop vite, mais je n'ai plus peur, maintenant. Peu à peu, je reprends mon calme, je l'arrache aux nuages oniriques qui voulaient l'enduire de goudron.

Les chandelles se sont consumées. Plongée dans les ténèbres, la pièce me rappelle mon rêve. Il faut que cesse cette contiguïté entre le songe et l'état de veille. Je ferai exploser ce mur mitoyen à coups de lumière.

À tâtons, j'explore l'obscurité. Les allumettes sont-elles à côté de ce chandelier dont je distingue les contours ? Ou plutôt ici, contre le mur ? Ou…? Ah ! les voilà. J'en gratte une, la flamme me permet de repérer le paquet de chandelles neuves. Le feu se love à la mèche, leurs amours s'embrasent, la clarté suit.

Je me lève en silence. J'aurais envie de poser mes lèvres sur le front de Marika, mais elle semble si épanouie dans son sommeil que je ne veux pas risquer de la réveiller. J'allume une chandelle neuve, afin que mon amante ne cherche pas la sortie lorsqu'elle aura fini de dormir. Avant de déplacer la tenture, j'écoute les bruits environnants, afin de m'assurer de ne pas être épiée. J'entends quelques voix au loin. C'est bon. Me voilà dans le salon bleu, puis dans le couloir. Direction : salle à manger.

Le trajet que j'effectue pour m'y rendre me paraît interminable, une curieuse distorsion fait sinuer l'espace/temps. Bribes de rêves ? Je passe et repasse devant les mêmes portes *bambous*, le plafond trop bas palpite, mu par une énergie inexplicable. Portes bambous portes bambous plafond et nuages. Pieds sur le plancher chaud et froid. Le temps s'aplatit sous mes pas, se diluant en une bande de plus en plus mince, étirant l'horizon jusqu'à ce que les murs s'incurvent, écrasés par le poids des portes qui y poussent comme autant de *bambous* et puis

et puis, plus lucide :

les couloirs sont plus sombres qu'à l'accoutumée. La nuit enveloppe les fenêtres et obscurcit le manoir, mais, malgré tout, une impression singulière me saisit quand je regarde les chandeliers placés ici et là. Les flammes luttent avec acharnement, elles ont de la difficulté à imposer leur lumière, comme si les ténèbres leur opposaient une résistance tenace, menaçant de les éteindre.

La salle à manger offre un spectacle crépusculaire, mal éclairé par les rares chandelles qui se consument encore. C'est un fouillis : des convives plus ou moins vêtus, la tête posée sur la table, ronflent comme des criquets géants. D'autres, plus silencieux, se contentent de gésir par terre dans des postures indécentes. À quelques endroits, du vin renversé sur le sol forme des figures géométriques ou des idéogrammes qui ne correspondent à aucune langue connue, sauf à celle de l'excès.

J'aperçois même deux soldats vautrés sur une fille, bouteille à la main. Cette nuit, les cravates se sont desserrées et les ceintures ont tombé. Après m'être avancée vers un pichet de jus, je fais trois constatations.

— Mon doigt est entièrement noir. Je ne m'en étais pas rendu compte auparavant à cause du mauvais éclairage.

— D'étranges particules noires flottent dans le jus. Elles sont de la même dimension que les marques que j'ai vues hier, sur les fruits.

— Je reporte mon regard sur ceux-ci : les taches ont triplé de volume. À présent, les jolies couleurs des fruits semblent de petits continents entre les mers sombres qui menacent de tout engloutir…

Perplexe, je me demande s'il serait possible que…

Là, il y a un vide, je pense. Quelque chose dont je ne me rappelle plus. Je ne suis plus là, je suis absente de cette scène. Je suis ailleurs. Dans l'indicible.

Une main noire se pose sur mon bras. Je me retourne, le cœur serré par la surprise. C'est Marika. Elle m'adresse un joli sourire, un peu las peut-être, comme celui qu'un amoureux pourrait adresser sa compagne en sachant que, tôt ou tard, il devra la quitter, même s'il l'aime encore.

Combien de temps ai-je été inconsciente ? Je l'ignore.

Encore embrouillée, je dis :

— Ta main…

— Tes doigts, répond-t-elle.

Sans prononcer un mot de plus, je m'approche d'un groupe enlacé, sur le sol. Sur la joue du premier homme, je remarque une tache noire et circulaire ; la seconde personne, une femme presque nue, expose à nos regards sa jambe droite, gracile et sombre ; le dos de la troisième arbore un losange noir, compact. Les habitants du manoir seraient donc en train de… noircir ? Je pose la question à Marika, troublée.

— C'est exactement ça, Ariane, répond une voix derrière nous.

Marika et moi sursautons. Cette situation bizarre nous rend nerveuses. Nous nous redressons, apercevant Werner, appuyé dans l'embrasure de la porte.

— Nous ne sommes pas au bout de nos peines, dit-il. As-tu observé autour de toi ?

Nous nous approchons de Steinmetz. Du doigt, il pointe le mur de la salle à manger. De petites taches noires y fleurissent à intervalles réguliers.

— Elles sont partout dans le manoir, partout, dans toutes les pièces. Ça ne fait que commencer… Mais ça ne s'arrête pas là. Suivez-moi.

Intriguées, nous obéissons. Werner nous guide vers le vestibule du manoir. En chemin, nous voyons deux soldats endormis par terre, une bouteille d'alcool vide à portée de la main. Steinmetz ne les regarde pas. Il poursuit sa route jusqu'à l'entrée, dont il ouvre la porte, dévoilant la nuit.

Méfiante, je m'immobilise, à quelques mètres. S'agit-il d'une stratégie pour nous jeter dehors ? Si c'est le cas, Steinmetz tâche d'éveiller notre curiosité pour que nous nous avancions vers l'entrée. Dès qu'il le pourra, il nous poussera dans le dos, nous précipitant dans la nuit, sans défense. Ainsi, il sera débarrassé de nous.

Je ne bouge pas, sans parler. L'homme analyse ma résistance, puis il a un rire bref, sans joie.

— Ariane, si je voulais te jeter dehors, je l'aurais fait depuis longtemps. J'ai des hommes à ma solde, j'ai des armes. Je ne perdrais pas mon temps à te tendre un piège de ce genre-là : j'emploierais la méthode forte. Ce serait plus facile, et les résultats seraient garantis.

L'argument mouline ma résistance ; puisqu'il

en reste des miettes, je fais quelques pas, quand même prudente, sans perdre Steinmetz du regard.

— Écoute, dit-il.

Je m'arrête, tendant l'oreille.

— Tu entends ?

Oui, j'entends. C'est un son subtil et régulier, semblable à… une respiration ou, plus précisément, à un soupir. Vivante, véritable bête recroquevillée en état d'hibernation, la nuit soupire. Elle produit ce son plaintif comme si elle languissait, s'ennuyait ou attendait. Entrecoupés de plages de silence d'une vingtaine de secondes, ces bruits ne sont que plus saisissants lorsqu'ils sortent du fond des ténèbres.

Werner referme la porte.

— Quelque chose se passe ici. Je ne sais pas encore de quoi il s'agit, mais…

Sans terminer son idée, mon interlocuteur s'interrompt et se laisse glisser le long du mur. Assis par terre, il ferme les yeux. Marika me regarde, interloquée.

La jeune femme se penche vers Steinmetz, prends son pouls.

— Il… il dort, dit-elle.

En effet ! Semblable à celle de la nuit, la respiration de Werner découpe le silence en rondelles sonores.

— Qu'est-ce qu'on fait ? demande Marika. On le réveille ?

Je hausse les épaules. En principe, Steinmetz ne risque rien. Et si je me trompe dans mon pronostic, tant pis. Il l'aura mérité, avec son attitude despotique et son refus des compromis. À présent, je dois plutôt songer à l'étape suivante : que faire ? De quelle manière peut-on quitter le manoir ?

J'en suis à l'intersection de ce point cardinal de mes réflexions lorsqu'un garde survient, fusil d'assaut en mains. Il aperçoit d'abord Werner, puis nous fixe, suspicieux. Conciliante, Marika lève les mains, dans une attitude empruntée au cinéma.

— On n'a rien fait, dit-elle rapidement. Il parlait avec nous et il s'est endormi !

Le soldat nous regarde, s'efforçant de savoir si nous mentons ou pas. Son regard n'est pas très affûté ; difficile de percer le mystère, dans ces cas-là.

— Vous pouvez vérifier, lui dis-je.

Sans nous quitter des yeux, il se penche vers Steinmetz, l'entend respirer, lui touche le front.

— Monsieur Steinmetz ? Monsieur Steinmetz ? dit-il.

Werner balbutie quelques paroles incompréhensibles, à la manière d'un dormeur dérangé dans son sommeil profond. Je me permets cette suggestion :

— Ce n'est peut-être pas une bonne idée de le réveiller, vous savez…

Confus, le garde se relève. Il renifle, s'essuie la bouche, contemple le mur et finit par dire :

— Vous pouvez y aller, mais si Steinmetz va mal, vous entendrez parler de moi.

Je profite de l'occasion pour poser une question essentielle :

— Steinmetz avait ordonné aux gardes de tirer sur moi s'ils me voyaient toute seule. J'imagine qu'il a changé d'avis.

Après une hésitation, l'homme répond par l'affirmative. Puisque je ne peux plus m'enfuir sans risquer ma vie, je suis maintenant libre de me promener dans le manoir jusqu'à avis contraire. Dans l'ambivalence de cette bonne/mauvaise nouvelle, je regagne ma chambre, suivie par Marika. Mes pensées redeviennent confuses, j'avance avec une lenteur infinie, les portes *bambous portes bambous* continuent à répandre leur pollen hallucinatoire jusqu'au tableau du général Marcel, plus qu'obscur. La noirceur a débordé de la toile, envahissant le cadre et une partie du mur.

En observant mon bras, je m'aperçois que l'encre qui tatouait ma main s'étend maintenant jusqu'au poignet. Je me sens engourdie, sur le point de m'endormir, enveloppée dans un cocon fiévreux. En proie au vertige, je me laisse tomber sur le lit. Marika s'assoit à côté de moi. Je lui demande, d'une voix molle :

— Tu n'es pas fatiguée, toi ? tu
nuit

17 : Cendres

Comme Werner, je me suis endormie subitement. Couchée au bord du lit, Marika dort ; la chaleur de sa main sur ma jambe me réconforte. Mes pensées ne sont pas claires, une couche de verre translucide s'y plaque ; j'en distingue les contours, mais c'est insuffisant pour bien comprendre ce que je regarde.

À tâtons, je marche jusqu'au couloir. Je pourrais prendre ma torche électrique, mais je connais assez la pièce pour m'orienter sans voir. Dans le passage presque plongé dans les ténèbres, les flammes des chandeliers luttent toujours contre l'obscurité, de plus en plus forte.

Mes pas me mènent jusqu'à l'escalier qui conduit au rez-de-chaussée. Werner et Tristana sont-ils dans la salle à manger ?

J'entends d'étranges bruits en provenance de cet endroit, dont des grognements répétitifs. Prudente, je descends les marches sans trop me presser. Une silhouette est couchée sur le dernier degré. L'homme ou la femme doit dormir, victime, comme les autres et moi, de cette fatigue inexplicable qui nous surprend désormais… Lorsque j'arrive près d'elle, je remarque – *serrement de cœur* – qu'on l'a décapitée. Le sang a déjà séché, mais il macule les marches d'un noir luisant. Mes chaussures glissent sur cette surface humide, je me retiens à temps pour ne pas tomber sur le cadavre. Dans mon affolement, j'ai peur de poser mon pied sur la tête tranchée, mais... mais elle n'est pas là. On l'a emportée ailleurs. Je reporte mon regard sur les épaules et sur le cou déformé par la blessure irrégulière, comme si la personne qui avait tué cet homme ou cette femme avait eu de la difficulté à couper la tête, comme si elle avait dû s'y prendre à plusieurs reprises avant de parvenir à ses fins, ce qui expliquerait l'aspect brouillon de... Nausées. Je m'appuie au mur. Ça tourne autour de moi.

Le même bruit répétitif provient toujours de la salle à manger. Je me redresse, mécanique, mes pas me portent jusqu'au rez-de-chaussée, j'avance. Les flammes faibles des chandeliers confèrent un aspect funèbre à ma progression. Autour de moi, personne, à part ces corps étendus par terre, au pied du mur. *Ils dorment*, dis-moi qu'ils dorment ! Je n'ose pas aller vérifier, j'ai soudain la certitude qu'il y a d'autres morts, beaucoup d'autres morts, encore plus de morts que je pourrais le penser, et cette conviction me chavire. Jim, Elke et les autres, assassinés, démembrés, emmurés... Ne pas y penser, ne pas y réfléchir, seulement agir...

Je m'avance, aux aguets. Je distingue maintenant Werner, de dos, et les jambes de Tristana. Elle est couchée sur la table, je reconnais ses bottes, mais Steinmetz est placé devant son corps. Encore ce son, puis... Puis Werner se déplace... et j'aperçois Tristana – j'aperçois le cadavre de Tristana. Werner l'a ouverte, littéralement ouverte en deux, il... il fouille à l'intérieur de son corps en grognant, c'était donc ça, ce son que j'entendais depuis tout à l'heure, le son de Steinmetz en train de plonger ses mains noires et rouges dans les entrailles de son amante.

Tout se détraque, la nuit est en train de tout détraquer ici à une vitesse exponentielle. Elle envahit les pensées, les gestes, les actions… J'ai le vertige, les nausées me reprennent, j'ai le goût de vomir ma vie par terre et de la laisser s'en aller ailleurs. Je serais exsangue et vide mais finalement paisible.

Je dois me dissimuler, je dois me cacher, il ne faut pas que Werner me voie, sinon, il est bien capable de… Le laisser continuer, le laisser grogner.

Encore cette fatigue subite qui s'empare de moi, j'aurais le goût de me laisser glisser le long du mur, mais j'ai peur de me réveiller attachée quelque part, attachée, mutilée… De voir Werner, debout en face de moi, un scalpel dans les mains, les yeux entièrement noirs.

Vite, me glisser derrière la tenture, m'y rendre avant que je perde conscience. La tenture, je la rabats sur moi je je…

J'ai le désert au fond de la gorge, j'ai le désert dans la bouche, sable sec et collant dont chaque grain s'incruste dans mon palais en me desséchant encore plus.

J'ouvre les yeux, encore confuse. Où suis-je ?
Je.
Je, derrière la tenture, seule au milieu des ténèbres. Mes pensées manquent de clarté, un voile les obscurcit. Je sors de ma cachette. Le silence, toujours, à part un son lointain, à l'étage. Fatiguée, je me laisserais retomber, je m'endormirais encore, mais il ne faut pas.

Je marche jusqu'à la salle à manger. Couché sur la table, le corps de Tristana, toujours ouvert, rouge, et, partout à côté d'elle, on a… on l'a vidée, on a étalé ce…

Tout à coup, j'aperçois Werner, couché par terre. J'aurais dû le voir avant, mais ma vue était embrouillée. Werner, mort, le visage complètement noir, une paire de ciseaux dans la main, les ciseaux avec lesquels il…

Nausées encore. Je dois m'éloigner. J'ai une idée vague. D'abord, me rendre dans ma chambre. L'escalier, je ne veux pas regarder le corps décapité, attention à ne pas glisser dans le sang. Franchir chaque marche équivaut à parcourir des kilomètres, l'ascension n'en finit plus, mes jambes sont lourdes et puis et puis

couloir porte chambre

j'y suis enfin, je repousse le battant derrière moi.

Je tends la main vers le tiroir de ma table de nuit, que j'ouvre pour prendre ma torche électrique. Lumière… Sous le projecteur miniature, les moindres objets prennent un relief animal. Cette horde de prédateurs anguleux attendait cet éclairage pour se mettre à vivre, animée d'intentions hostiles. Dans le miroir, je vois ma chevelure noire. Mes cheveux ont changé de couleur, je… je ne suis plus blonde. Sur le lit, Marika dort toujours, à moins que…? Je n'ose pas m'approcher d'elle, craignant le pire. Je ne l'entends plus respirer.

Je me lève précipitamment, marche jusqu'à la porte du couloir. Je l'ouvre. Je l'ouvre. Je l'ouvre. Elle est fermée : il me faut l'ouvrir. Je l'ouvre. Je l'ouvre. Silence, à part des rires étouffés qui viennent de l'étage du dessus, vite suivis d'un cri de douleur.

Je l'ouvre.

J'ai soif, il me faudrait boire de l'eau, mais, pour cela, je dois revenir dans ma chambre et je crains les animaux. D'ailleurs, je dois ouvrir la porte, qui est toujours fermée. Un cri retentit, précédé d'un rire. Il me faut ouvrir ce cri pour m'y frayer un passage. La nuit soupire quand elle s'arrête. Ou est-ce le jour, épuisé par la nuit ?

Dans le couloir, le cône de la torche électrique éclaire le corps d'Adèle. Choc. Le cadavre d'Adèle, nu. Choc. Son visage mort, d'un bleu profond et froid, gonflé comme si on l'avait soufflé de l'intérieur, mais ses mains sont livides. Choc. Des marques de corde, visibles sur son cou blessé, longs sillons qui meurtrissent la peau froide. Repoussée par l'écrasement de la trachée, sa langue est sortie en une grimace macabre, ses yeux sont ouverts très grands, comme pour mieux assimiler l'idée de sa mort. Elle semble me fixer, comme si elle s'apprêtait à se lever pour m'étrangler et m'entraîner avec elle...

Adèle a été pendue, mais la corde n'est plus là. Je remarque d'autres hématomes, partout sur sa peau, on l'a peut-être battue ? Qui sait ce qui me serait arrivé si je ne m'étais pas cachée derrière la tenture ?

Je passe une main moite sur mon visage. Ce geste laisse un sillage gommant sur ma joue, semblable au mucus des escargots.

Je... Je crois qu'il faudrait aller au deuxième étage, sur le toit, peut-être que... peut-être que la nuit ne se rend pas sur le toit. Il suffirait de...

— je me suis endormie, encore. Je rêvais d'ombre et de ténèbres. C'est un cri qui m'a réveillée, un cri précédé d'un rire.

Je dois gravir l'escalier qui conduit au deuxième étage, et, pour gravir l'escalier, il faudrait que j'ouvre la porte de ma chambre, et je ne sais pas comment, car les animaux montent la garde, et il y a un cri au deuxième étage, un cri ou un rire, je ne sais plus. La nuit soupire quand elle s'arrête.

Mes pas dans le couloir, ils claquent à la façon d'un fouet sur le dos d'une bête. Adèle, morte, marche à mes côtés, en me parlant de mon enfance, mais je n'arrive pas à comprendre ce qu'elle me dit, il est question, je crois, d'un héritage ou d'un oiseau qui me rendrait belle, ou alors d'un éléphant perdu dont on ne retrouverait pas le propriétaire.

Les pieds dans le sable *sec collant sec* de l'île de Madère, j'avance vers le deuxième étage. La nuit soupire dans ma tête, mes pensées sont obscurcies, mes pensées sont dans l'ombre, sont l'ombre, l'ombre recouvre mes pensées, comme mes bras, d'ailleurs, je ne l'avais pas remarqué en me levant, mais mes bras sont entièrement noirs, à l'instar de mes cheveux.

Je gravis les marches une à une à une à une à une à une.

Il y a cette morte sur l'une des marches de l'escalier, est-ce que je gravis, sans le savoir, le *scalae gemoniae*? Peut-être. J'aperçois des corps décapités, noirs et blancs, des corps nus placés dans des positions équivoques qui visent à les profaner, et – pyramide de têtes décapitées dont on a enfoncé, dans la bouche, des objets érotiques, cylindriques ou autres – d'étranges inscriptions rouges ornent les fronts noirs.

Pendant ce temps, la nuit soupire, il faut absolument que je sorte de ma chambre, malgré les animaux qui montent la garde.

Je suis au deuxième étage, j'entends des cris et un bruit mouillé de lame qui s'abat sur la chair et l'os, souvenirs de boucher en train de trancher une pièce de viande dans une ambiance de ruissellement rouge. J'ai du jus de nuit sur les lèvres, je m'essuie, la main plus noire que jamais, humide maintenant. Je marche sans faire de bruit. Des cris, encore, derrière les portes closes, ces bruits de lames dans la peau, que j'entends tellement bien, rythmés, réguliers, comme le rythme de la nuit qui soupire.

Je flotte jusqu'au bout du couloir éclairé par les chandeliers. J'avance, presque immatérielle. Je pousse la porte dérobée. Au moment où je la referme, j'entends des bruits dans le couloir. Une femme crie, mais son hurlement s'interrompt brusquement, mort-né. Le bruit d'un corps qu'on traîne lui succède.

Je gravis le petit escalier qui conduit au grenier, puis me glisse par la trappe jusqu'au toit. Tout est noir. Tout est noir. J'entends d'étranges bruits très près de moi, quelque chose me frôle la jambe, quelque chose de furtif, de froid et d'humide. Le contact a été rapide, mais je sens des démangeaisons parcourir ma jambe, comme si ce qui m'avait frôlé avait laissé sur ma peau une armée de vers corrosifs et collants. J'entends un soupir, trop proche, mon cœur bat vite, je referme la trappe, malgré les animaux qui montent la garde dans ma chambre. Je referme la trappe encore. Redescendre au deuxième étage. Grenier escalier porte couloir j'aperçois un homme, de dos, dans sa main droite, il tient, par les cheveux, une tête de femme tranchée, et le sang tombe sur le plancher avec la régularité d'un dormeur *d'une nuit* qui soupire. L'homme s'est coiffé d'un crâne de bouc, c'est un homme à tête de bouc debout dans le couloir qui tient par les cheveux une tête coupée. Je referme la porte dérobée derrière moi, je ne veux pas le voir, je ne veux pas qu'il me voie, je sens la nuit ruisseler dans mes veines de plus en plus, je comprends que la nuit est partout maintenant – mes jambes aussi sont noires –, dans les pensées, dans les murs, sur les objets, dans dans dans *noire la nuit soupire quand elle s'arrête*. La nuit est vivante, elle est autour de nous, en nous, je… je voudrais m'arracher le visage, mais je ne trouve pas de lame, alors je prends la torche électrique et je… je me frappe le visage avec la torche électrique, le choc me…

les particules dans le vin de sable, les particules de nuit, nous en avons bu, nous avons touché les autres, la nuit, la nuit contamine. Et si je me concentrais pour faire fuir la nuit, penses-tu qu'elle… penses-tu que ?

non, il faudrait d'abord que je *sorte de ma chambre*, mais c'est impossible, car les animaux montent la garde. Et je sais que, dans le couloir, il y a un homme à tête de bouc qui m'attend, il a cet énorme hachoir, il tient une tête décapitée par les cheveux, il m'attend, campé sur ses jambes écartées. Cet homme, c'est… c'est… je ne sais plus.

Pyramide de têtes dans l'escalier, des objets sexuels enfoncés dans leur bouche, les yeux crevés. Pyramide de têtes. J'ai envie de pleurer, maintenant, tout est si loin, Madère, Salomé, Marika, Jim, Laïka, Tina, Elke, le vent, l'amour est mort, tout est mort, mon cœur s'enterre. Je ne suis qu'une petite fille au milieu de la nuit, dissimulée près d'un buisson, alors qu'un violeur rôde trop près. Je pleure, la nuit sort de mes yeux, je pleure la nuit, les larmes acides brûlent mon visage, trouent mon visage, j'enfonce les doigts dans les crevasses pour m'arracher ce masque, peut-être quelqu'un le portera-t-il un jour en souvenir de moi…

La nuit soupire quand elle s'arrête

La nuit s'est arrêtée, c'est la sangsue qui a contaminé Adèle, qui a intoxiqué son sang. Adèle-aimant a attiré Werner, la nuit, la sangsue complice de la nuit, la nuit savait ce que la machine de Werner produirait,

son venin d'angoisse

son venin d'angoisse, lié aux peurs les plus primitives, la peur du noir, allait multiplier sa force afin que règne la nuit, désormais, une nuit totale, mentale, physique, cosmique. Il n'y a jamais eu de machine à produire l'or : Steinmetz n'aura été qu'un instrument manipulé par cette nuit qui s'est propagée en Adèle, qui a grandi au point de posséder la maquerelle, de la faire entrer en contact avec Tristana lors de la séance de spiritisme. La machine attendait son heure depuis longtemps, dans le sous-sol de l'occultiste…

elle savait les meurtres à venir, le sang et la sueur, l'amour et la mort. Tout était prévu depuis si longtemps ! Il suffisait d'attendre les conditions idéales, celles qui prévalent maintenant.

le noir est ici, maintenant, il ne s'en ira pas. La nuit s'est installée en tant qu'état permanent

et maintenant elle s'est arrêtée ici, autour du manoir, elle se nourrit de nous pour grandir et s'étendre, pour grandir et s'étendre.

Je voudrais me concentrer pour que la nuit cesse, mais je n'y arrive pas, j'ai cette migraine qui me grave le crâne, je voudrais me concentrer, mais je n'y arrive pas. Un cri de femme, dans le couloir, précédé d'un rire, et suivi d'un bruit, le bruit de la lame du boucher dans la chair de l'animal, et cette voix qui répète « sacrifice », qui chuchote « sacrifice » à côté de moi, pendant que continue de pleurer la nuit acide sur mes joues meurtries.

Mon amour, je voudrais tant que tu me prennes dans tes bras pour m'emmener avec toi, ailleurs, je voudrais errer, amnésique, dans ton île, en arpenter les rues, visiter le marché couvert, avant qu'un jour le soleil finisse par calciner cette

nuit

tout devient obscur, je le sais trop, le cône lumineux de la torche électrique vacille, il n'arrive plus à défoncer les ténèbres, il… le cône se replie, écrasé par la nuit, il… il disparaît. Il n'y a plus de lumière. La noirceur grandit de plus en plus, elle dévaste tout sur son passage. Je perds mes contours, ma chevelure noire devient indistincte, impalpable, je tends les mains pour toucher mon visage, mais mes mains se referment sur le vide, j'essaie trop fort d'amarrer le souvenir de mon visage disparu, mes mains se referment sur le vide, il n'y a plus rien, plus de lumière, je suis seule derrière la porte secrète, mais je ne peux même plus la toucher, car je n'ai plus de mains, je suis seule sans mains, sans yeux, je… la nuit absorbe tout, maintenant. Je ne peux plus lutter. Je me fonds dans la nuit, je deviens la nuit, moi aussi je me mets à soupirer, à devenir un immense soupir, et je comprends que

la prochaine étape sera d'étendre cette nuit partout autour de moi la rêverie d'Ariane va se… muer… sur un autre plan… je ne mourrai pas non je ne mourrai pas je vais me muer sur un autre plan sur un autre plan

je serai nuit, Ariane nuit, la prochaine étape sera de propager la nuit partout pour qu'elle s'étende encore plus loin et

que… si la nuit soupire…

c'est parce qu'elle m'attendait depuis si longtemps… Elle…

m'appelle… maintenant… je peux… moi… aussi… m'arrêter avec elle. Et l'aimer.

— l'aimer jusqu'à ne jamais plus revoir l'aube.

Table des matières

Note sur l'auteur

Après avoir complété un doctorat en littérature à l'Université du Québec à Trois-Rivières, Frédérick Durand a enseigné à cette même université, au Collège Laflèche (Trois-Rivières) et au Cégep de Trois-Rivières. Il a publié onze romans, deux recueils de poésie et un recueil de nouvelles chez différents éditeurs : La Veuve noire, Pierre Tisseyre, Hurtubise HMH, JCL, Éditions d'art Le Sabord, les 400 coups et Vents d'Ouest. L'auteur a aussi publié des nouvelles, des articles et des comptes rendus, en anglais et en français, pour divers périodiques, dont *Tangence*, *Recherches sociographiques*, *XYZ* et *Les Cahiers de la Société bibliographique du Canada*.

Frédérick Durand a notamment été boursier du Conseil de recherches en sciences humaines du Canada (CRSH), du Fonds pour la Formation de Chercheurs et l'Aide à la Recherche (FCAR) et du Conseil des arts et des lettres du Québec (CALQ). Il a remporté le prix Solaris en 1998.

Dans la même collection

Marc Maillé :
— *De la couleur du sang* (roman policier)
— *À corps troublants* (roman policier)

Paul (Ferron) Marchand :
— *Françoise Capelle ne sera pas recluse* (récit historique)

Luc Martin :
— *Les Habits de glace* (roman d'enquête)
Récipiendaire du prix de littérature Gérald-Godin 2008 (Mauricie)

Michel Vallée :
— *L'homme au visage peint* (roman d'enquête)
Finaliste au prix du roman policier Saint-Pacôme 2007, récipiendaire du Prix Découverte 2008 du Salon du livre du Saguenay